守望者的凝思 读懂学校 读懂校长 系列论丛

教育部哲学社会科学研究重大课题攻关项目“我国学校教育创新研究”成果
“守望者的凝思：读懂学校、读懂校长”系列论丛

主编 裴娣娜

为『世界公民』的人生奠基

WEI SHIJIE GONGMIN DE RENSHENG DIANJI

——长沙麓山国际实验学校教育创新研究

李素洁 等 著

教育科学出版社
·北京·

为“世界公民”的人生奠基

——长沙麓山国际实验学校教育创新研究

基于学校教育变革性实践的反思与建构
——中国基础教育改革创新之路

裴娣娜

学校教育创新是目前世界各国基础教育改革中一个具有战略意义的重要问题。如何变革学校教育观念，培养具有创新精神和实践能力的高素质人才，是世界各国共同关注的问题。事实证明，以创新挑战危机，谁最先把握了时代发展变化的需求，谁就掌握了发展的主动权。

“守望者的凝思：读懂学校、读懂校长”系列论丛，是“十一五”期间教育部哲学社会科学研究重大课题攻关项目“我国学校教育创新研究”的研究成果，是对改革开放三十多年来中国基础教育阶段学校教育创新发展的思路、策略及方法基本脉络的全面系统的反思梳理。这套论丛有着独特的时空定位，限定在我国改革开放以来学校办学层面的改革与创新，采取自下而上的分析思路，是对学校已有的基于变革性实践的学校现代发展经验的总结提升。系列论丛中一本本研究性的专著翔实地记录了这些学校的校长基于不同的办学实际带领各自团队所走过的学校发展之路，这些学校的办学理念及经验经过了时间积淀和实践的检验，是富有鲜明特色、带有中国本土气息的原创性实践。

反思总结来自实践的学校创新经验，从中解读并汇集学校教育创新力指标，从而为进一步探讨学校教育创新发展理论模型与实践模式的建构、形成有较强的实践操作策略奠定坚实的基础。因此，我们的研究，以反思与建构为主线，聚焦“两个读懂”：读懂学校、读懂校长。这套系列论丛所呈现的不仅是每所学校独特的“我”，更重要的是通过一个个独特的“我”集合形成的具有一定典范意义的学校变革性实践的基本认识。

一、学校教育创新理论反思与现实建构的战略性意义

进入21世纪，面对世界各国对于经济社会可持续发展目标的诉求以及日益激烈的国际竞争对高素质人才提出的更高要求，面对工业社会和信息社会发展的要求，面对极不平衡的区域性社会经济发展以及多元文化价值取向、伦理道德问题、文化生态危机等一系列严峻挑战，中国基础教育的改革与发展进入一个十分关键的时期，正是社会转型凸显了中国学校教育创新发展的主题。

教育创新是学校教育发展的根本动力。学校需要变革，学校必须变革，变革的目的在于坚持“以人为本”的科学发展观，办好让人民满意的学校。学校教育创新研究的重要意义在于以下三个方面。

（一）为构建优质高效的学校办学模式提供一种理论分析框架

学校教育创新研究旨在对中国学校教育创新发展进程中的若干重要问题作出理性的思考和科学的回答，探索适应社会发展和人的自身发展需要的、优质高效的学校教育发展模式与育人模式。通过教育学、心理学工作者的跨学科研究，跨校际的教育工作者协同研究，以及理论与实践工作者的合作研究，为有中国特色的基础教育改革和发展提供思路，为构建优质高效的学校教育提供一种理论准备和分析框架，为促进青少年儿童全面发展提供一种新的教育方式，为教育行政部门和教育机构的相关决策与措施的制定提供科学依据。因此，这一研究成果是中华民族的，也是世界的；既有本土性，又有国际性的普遍意义。

（二）通过典型个案研究，呈现我国当前具有特色的和有代表性的学校教育创新发展实践模式、评价指标、推进机制及成功经验

系列论丛的内容强调以下三点。

一是以学校教育改革与发展为中心线索，阐明项目学校从学校教育价值观念的重新定位到学校教育体系的全面更新，从改造教育过程到改

变教育教学各个环节中的方法与手段，从全方位地营造育人环境到创造性地开拓各种教育教学模式，从而提升学校整体的综合实力，形成学校教育创新的思路和特色的历程。

二是尝试揭示学校教育创新主体的培育与生成过程。论丛力图在深层次上揭示创新主体如何建构一种创新的观念、思想与目标，从而进一步生成为具体的办学行为的复杂过程。

三是表明学校创新发展是基于学校自身条件的特殊性，展现我国中小学校现代发展的多样化发展形态，同时也展现我国中小学校长追求持续发展和创建一流教育的特色与智慧。

（三）通过解读，将学校办学理念与行为提升到自觉和自为层面，进一步促进学校教育创新的实践探索

通过对不同学校教育创新力形成与发展过程的审视，有效促进科学的质量意识、特色意识的确立，提升对学校办学特色和学校潜在的创新能力的认识。

当然还应看到，项目研究成为高师院校集教育科研、人才培养、为基础教育改革提供咨询服务三种职能于一体的重要平台，从而对参与研究的高等院校在凝练学术方向、汇聚学术队伍、开展高水平学术交流等方面同样发挥重要作用。

通过研究，我们认识到，尽管学校发展存在差异，但有一点是共同的。那就是随着国家教育体制改革的推进，学校作为办学主体，面临前所未有的生存和发展的压力。实质是，变革的时代要求学校通过变革进行根本性的转型。我国的中小学校，正是顺应时代发展的潮流，不失时机地抓住发展机遇，凭借校长的胆识和战略思想，挖掘学校的优势和潜力，形成应对变革的自我更新机制，提升学校整体的综合实力，从而走出竞争中的劣势处境，构筑起了学校新的竞争优势。创新已成为学校发展的内在生命力。

论丛的撰写是一个大工程，不仅推动了学校对自我办学理念、举措的反思，而且为项目研究在理论的概括提升上提供了丰富厚实的思想资源。研究具有开拓意义，而且是原创性的，是项目研究重要的标志性

成果。

二、项目研究的共识与思考

作为一项国家级的高端科研项目，论丛从实践研究层面反映了研究成果的创新性及实践效益，我们概括为以下几个主要方面。

（一）回应了我国社会转型时期政治、经济、文化变革关于教育的现实诉求

一个具有强大生命力的思想和理论的孕育形成与发展，关键在于它对所处时代改革中重大的理论和实践问题的回答。始于20世纪末的中国社会转型，将现代化、市场化、社会主义改革三重重大的社会变革浓缩在同一时空，构成了一场既特殊复杂又波澜壮阔的社会变迁。正如有的学者所指出的，社会变迁的核心在于人的生存方式的变化。

正是当前中国社会的现代转型，从根本上决定了中国基础教育学校创新发展的主题，而回应中国社会的现代化发展与基础教育改革提出的新矛盾、新问题，在很大程度上又进一步决定了中国学校教育创新发展过程中关注和研究的问题。

现代教育的本质在于解决人自身的发展与价值问题，是人的发展的潜在可能的现实实现，而不是把人作为社会的被动客体来塑造。人的个体与群体的发展是现代教育的出发点和归宿，是使学校实现跨越式超常发展的生命力，是激发教育工作者潜在创造力的原动力。将这一主题置于中国社会的特殊语境中，置于中国基础教育现代化发展的历史进程中，置于多元文化的多种价值选择并存的环境中，从而形成了目前研究的论域（范畴）和主线。这就是在学校教育中，关注学生的文化生存环境和活动方式，关注学生的生存状况和生命价值，尊重学生的主体地位和主体人格，培养学生自主性、主动性和创造性，使他们在掌握人类优秀文化基础上学会学习、学会创造。这一价值目标定位，从根本上反映了学校教育创新发展研究主题从工具理性到价值理性的转化。

学校教育的创新发展，不仅是对工具化的教育追求、人的发展目标偏离、主体缺位的反动，而且是对迷惘的教育理论、观念的价值澄清。正是敏锐地抓住了时代的挑战，回应了时代发展的需求，才形成了学校

现代发展的视阈，导致学校教育进行结构性调整而实现了功能、形态上的根本性转变。

（二）形成我国学校教育创新的基本理论分析框架

1. 学校教育创新是学校教育主体，通过新的创意、新的构想、新的思维和行为方式、新的教育技术和手段，对原有不合理的理论观点、思想方法、技术手段进行突破和超越，在学校变革与发展中更有效地实现教育目的的一种创造性活动。这一定义强调通过创新性活动，构建有变革创新能力的学校教育，从而突破种种阻碍学校改革与发展的限制，使学校实现根本性的变革。

2. 学校教育创新的基本内涵是以科学发展观为核心的现代教育理念，是一种勇于变革的实践活动，是一种先进的学校文化，是一种在不断回答每一时代提出的重大问题的过程中获得发展的内在生命力。创新是一个过程，创新的实质在于变革、超越和发展。

3. 学校教育创新的目标是促进高素质人才的培育成长和学校的现代发展。(1) 培养学生的自主性、主动性和创造性，使他们具有正确人生观、价值观，基础扎实，有创新精神、独立思考和实践能力，从而最大限度地实现每个人的个性与才能的发展。(2) 形成锐意改革、张扬个性、鼓励探索、宽容失误的有特色的学校教育创新文化。(3) 创建具有生成性的学校生态制度与管理系统。(4) 营造内外部良好育人环境。(5) 塑造具有"生成"意识、"理论"气质、"变革"能力的校长。

（三）初步构建学校教育创新力评价指标

学校教育创新力评价指标，旨在用统计体系构建学校教育创新的内涵与本质。通过研究，我们初步构建了由四个要素组成的学校教育创新力评价指标体系：办学理念、办学目标组成的价值目标系统；课程开发、课堂教学、班级建设组成的育人模式系统；人事制度、组织管理制度组成的制度与管理系统；战略性谋划能力、领导者品格组成的校长领导力。通过四个子系统以及系统的优化组合，学校不断调整内部结构，扩大自组织的功能，成为一个自我更新、自我发展的有机体，成为一个具有强适应能力的教育生态系统，以期达到提高质量、增长效益、有序运行的效果。

（四）形成学校育人模式创新的基本思路和举措

立足于读懂变革性实践，我们将“优质高效的学校教育发展模式及育人模式”作为探讨的重要内容。汇集众多学校的实践探索，形成的基本思路是：依据学校的培养目标及办学方略，重点在育人模式的创新。

1. 学校课程系统的创新

取得的主要突破如下。

第一，以人为本的课程目标的创新以及课程功能的创新。

基础教育的课程功能，由普及功能与选拔（筛选）功能、个体功能与社会功能、适应功能与超越功能之间的矛盾关系所构成。然而应试教育在将“课程考试化”的同时，也造成基础教育课程功能关系的错位、扭曲和失谐。学校课程开发首先要正确处理不同功能之间的矛盾，课程的设置应关注学生学习能力、实践能力和创新能力的培养，并坚持能力培养的层次性。

第二，课程领导力的提升以及基础教育课程结构与形式的变革。

课程领导力指学校按照一定的办学定位、培养目标进行课程开发建设，全面提升学校教育质量的能力。课程领导力的内涵，指校长领导教师团队创造性地实施国家课程计划的能力，合理开发和整合教育资源建设校本课程的能力，组织学校课程实践的决策、引领和调控能力。

针对以学科课程为主课程形态的弊端，我们探索新的课程结构体系的构建，使分科课程与综合课程、必修课程与选修课程、普通教育课程与职业技术教育课程相结合，并设置旨在指导学生进行专题研究性学习的综合实践课程、地方自主选择的课程，体现灵活性、多样性和选择性，从而为不同地区、不同学校以及学生发展提供更大的选择余地。

学校课程结构与形式的变革，大致呈现为以学生素养发展目标为依据，按照课程功能和学习领域知识的重新整合来构建学校课程结构，以及基于学校办学特色的体现对国家规定的课程进行重组和改造几种不同的思路，展现了中国课程存在形态的丰富多样性。

课程建设的创新，还表现在面向社会、生活实践的课程内容的创新以及校本课程开发中的创新上。

2. 学校教学系统的创新

学校教学创新发展研究聚焦于从多视角讨论学科教学本质，学生的学习与创造性思维的培养，发展性教学策略，教学内容改革，课堂教学质量观与有效教学的水平评估，教师专业化发展等问题，并形成了若干有创意的认识。

第一，确立现代教学观，关注学生的文化生存环境和活动方式，实现学生的发展。

第二，学生的学习具有选择性、研究性、体验性和反思性，教学设计应体现学生学习的内在机制及学习特点。

第三，教学内容的选择与设计，重在理解和掌握知识，加强学科知识的整合，面向生活实际，体现教学的实践性以及文化性。

第四，通过教与学的行为分析，实施以主体参与、合作学习、差异发展、体验成功为内涵的发展性教学策略。

第五，确立体现学生发展的课堂教学质量观，进行有效教学的水平评估，促进教与学方式变革，使学生会学习、会创造。

第六，揭示现代课堂教学的基本特色，形成教学的不同流派与风格。教师应有发展意识、反思意识、效率意识、特色意识。教学系统要创新就要读懂教师，要培养一批学科带头人并形成教学风格与特色。

3. 学校德育系统的创新

主要包括以下几点。

第一，对德育功能的重新理解。

以“人在社会中生活”为主线，揭示德育的正义功能、意义功能与幸福功能。旨在培养具有独立人格、民主意识、人权理念和公共责任的公民基本特质。对意义的追寻，构成了人之独特的存在方式。通过人性化、个性化和创造性，使人的自由本性得以充分展呈。

第二，构建了“经验—体悟”定向的德育创新体系。

强调通过经验和体悟过程来培养受教育者的价值取向体系，并通过行为实践经验及内在的自我调整和重构的体悟过程，形成稳定的行为驱动体系，并在此基础上逐步养成稳定的行为习惯，形成固化为内在的自觉价值取向体系和外在的习惯化行为方式的稳定品德特点。

第三，在分析当今中国德育实践及其根本性挑战基础上，形成学校德育创新的几个基本命题：

（1）批判德育中的工具论立场，确立“人是目的”的核心理念；

（2）道德教育的逻辑起点、核心是价值取向与行为习惯；

（3）通过对道德教育内容与形式加以审美化改造，实现“价值引导”与“道德主体的自主建构”的统一；

（4）德育实践需要创造性地拓展有促进意义的资源，引导学生积累经验与重构性体悟（体验）。

项目研究实现了15所高校的跨校际、10个专业方向的跨学科整合，以及高校理论工作者、地方教育行政领导干部、中小学实践工作者多方研究力量的整合，组成优势互补的科研群体协作攻关①，从而使研究体现原创性、过程性和整合性。

三、论丛撰写的特色

论丛从历史、现实和未来三个视角把握总体，每一部专著内容框架由三部分组成。第一部分是学校发展历史及传承文化传统的审视，第二部分是全书主体，以学校教育创新力指标为依据，对学校办学的目标与价值系统、育人模式系统、制度与管理系统以及校长领导力几个方面的改革创新进行全面系统总结，第三部分是学校未来发展的设想。

每部专著的撰写前后历时2—3年，是一个再研究再思考的过程。我们深感每所学校、每位校长本身就是一个故事，而每部专著的问世也

① 15所高等师范院校分别为北京师范大学、西北师范大学、哈尔滨师范大学、南京师范大学、华中师范大学、河南大学、东北师范大学、天津师范大学、广西师范大学、首都师范大学、山东师范大学、四川师范大学、上海师范大学、浙江师范大学、江西师范大学鹰潭分院；3所科研机构分别为中央教育科学研究所、天津教育科学研究院、四川省教育科学研究所；7个区域性教育行政部门分别为北京市海淀区、湖北武汉市武昌区、四川成都市、河北石家庄市桥东区、深圳市南山区、甘肃省兰州市、四川阿坝藏族羌族自治州理县的教育行政部门；参加项目研究的中小学共有95所。

是一个故事。要保证著述的质量，关键在于如何对每所学校多年积淀的丰富鲜活的实践研究成果进行筛选、整理与提升，而不仅是对事实材料的罗列。

反思论丛撰写的全过程，在以下几方面呈现出其独特性。

1. 起点高位。立论于“中国具有进行原创性研究的优势，这种优势潜力的挖掘，主要在于充分调动深厚的本土资源、经验和智慧”这一论断，立论于学校的现代发展实质是变革性实践的判断，所以采用从变革实践的经验中提升的研究范式，定位于读懂学校、读懂校长、读懂变革性实践。

2. 立足研究。每本书的问世，都是一系列的选择、提炼、重组、建构的过程。经过多次研讨碰撞，几上几下的反复修改，凝结的是每所学校对变革性实践的基本认识，同时也渗透了热情参与和关注基础教育改革发展的有识之士的心血，它是用“心”写出来的。

3. 理性思考。遵循“问题—思路—举措”这一叙事逻辑，尽可能处理好反思与建构、理论的概括提炼与实际问题的阐述解释、继承与超越、共性与个性的关系，认真搜索和挖掘创新点，在这个过程中不断提升研究意识和研究能力。

4. 个性特色。教育研究需要宽容、尊重和理解。二十余所学校有不同的身份和角色，每位校长也有不同的成长背景和工作风格，正是每个独特的“我”带来了丰富和生动，而在每个个体中展现的是学校锐意改革、开拓创新的可贵精神，因为高尚的心灵都是相通的。

本论丛是教育部哲学社会科学重大攻关项目的研究成果，我们在此谨对教育部社科司批准立项，对社科司杨光司长、张东刚副司长，基础教育司王定华副司长，以及社科司的同志们给予本项目研究的关怀和指导表示衷心感谢。以德高望重的顾明远教授为首的项目指导专家组——谈松华、郭振有、卓晴君、张民生、文喆、谢维和、朱小蔓、周满生、吕达、曹志祥、杨银付等专家，他们四年来对项目研究发表了富有启发性的重要见解并对项目研究寄予了殷切的期盼，他们的很多重要思想和观点对项目研究产生了深远影响，我们将铭记在心。

论丛出版之际，我们还要特别感谢教育科学出版社，感谢李东总编辑以及教育科学出版社的所有编辑出版人员。教育科学出版社热心奖掖学术与创新，他们不仅为论丛的出版付出了辛劳，更难能可贵的是对论丛出版予以无偿支持，从而使我们的成果远离了“文化包装”之嫌而保持了学术研究的纯洁，他们的支持和鼓励是我们做好这一论丛的重要动力。

对中国基础教育学校创新发展这一具有战略性、全局性问题的探讨和研究还刚刚起步。《国家中长期教育改革和发展规划纲要（2010—2020年）》（以下简称《教育规划纲要》）描绘了未来10年我国教育改革发展的宏伟蓝图，特别强调“改革创新是教育事业发展的强大动力”。我们将遵循《教育规划纲要》的指示精神，继续不懈地探索，以求在学校教育创新问题上不断取得新的认识。我们深知，在中国基础教育改革的大潮中我们是“之一”而不是唯一，若干重要的理论与实践问题还需要进一步的展开、充实、挖掘和进行深层次的理性思考。我们坚信，在这条教育改革创新之路上，我们会越走越踏实。

目　录

CONTENTS

前　言

2006年，美国《时代》周刊著名教育记者克劳迪娅·沃利斯和索尼娅·斯特普特以全球视野敏锐地观察美国教育，以教育将从根本上决定着一代孩子是否会在面对全球化经济竞争中失败的深沉思考，发表了著名文章《如何把我们的学校带出20世纪》，下面是这篇文章别开生面的开头：

我们今天的教育是个什么样子呢？教育家们说的一个小笑话很能说明问题：21世纪，瑞普·范·温可（19世纪美国作家华盛顿·欧文一篇同名小说里的主人公）在沉睡了百年之后醒来，当然，他被看到的一切完全搞蒙了。红男绿女们步履匆匆，对着贴在耳边的一个小巧金属玩意儿说着话。年轻人坐在家里的沙发上，眼前的电子屏幕上闪现着运动员的身影。老人们借助放在胸腔中的节拍器和用金属与塑料制成的臂，竟然远离了死亡和残疾。但当他最终走进一间教室时，这位老人则完全知道他身在何处。"这是所学校，"他断言，"回溯到1906年，我们也有这样的学校。只是现在黑板是绿色的。"①

这是一个冷幽默，社会什么都变了，唯有学校没有变。这个反映美国教育现实的小笑话正好印证了波·达林对学校的论述："学校是在一

① 克劳迪娅·沃利斯，索尼娅·斯特普特．如何把我们的学校带出20世纪［J］．安欣，译．译林：文摘版，2007（2）．

定理念指导下，将人类所积累的各种知识代代相传的稳定型组织。全世界的学校基本上都是保守性的组织。当我们处于稳定社会，我们的经验也适于解决未来的挑战之时，学校可以保持其稳定的、保守的组织形态。然而，世界已不再稳定。”① 科学技术的急速发展带来极大物质繁荣与生活便利的同时也产生了环境、社会等诸多问题，市场与资本的逻辑和力量日益渗透到社会生活的各个领域，民主的观念日益得到普遍认同，文化与价值观日益呈现多元化，人们的生活方式也正发生着根本性的变化，凡此诸多力量与方面共同打造出当今的“社会转型”。社会转型对学校变革提出了巨大的挑战，呼唤着学校教育的创新。

20 世纪 90 年代初，正是我国改革开放如火如荼的时期，长沙市已经敞开大门，红红火火地开展对外经济文化交流与合作。1993 年中共中央和国务院颁发了《中国教育改革和发展纲要》，提出必须坚持教育的改革开放，勇于创新，敢于试验；要改革办学体制；中小学要由“应试教育”转向全面提高国民素质的轨道；加强国际教育交流与合作。有着重教传统的长沙市政府和人民群众在倡导和期盼现有学校的教育变革的同时，作出了开办一所国际实验学校的兴学之举。这年秋天，一所集小学、初中、高中于一体，所有权和使用权分离的“国有民办”寄宿制学校——长沙麓山国际实验学校诞生了。

学校成立伊始，就承载着市政府和家长的高期望，担当起了学校教育创新的使命。首先是实行“学校国有、校长负责、经费自筹、办学自主”的“国有民办”的创新办学体制；其次是在教育理念和培养目标上，鲜明而又大气地提出“与国际接轨”，实施素质教育，培养一代豪迈的中国人。十八年的历程证明，这种办学体制的创新是成功的，它曾帮助学校规避了民办学校倒闭的风险，而且在办学自主方面具有了更多的空间。但初期的学校教育创新，在理论上缺乏深入思考，实践上并未形成教育创新的体系与活力，同时学校内部的教育创新与外部的教育环

① ［挪］波·达林．理论与战略：国际视野中的学校发展［M］．北京：教育科学出版社，2002：中文版序．

境没有形成对接，导致学校没有产生高预期的办学成效。

面对学校在创新过程中存在的压力和困境，2001 年 11 月，长沙市政府决定将学校与以高教学质量而著称的长沙市长郡中学一起，组建长郡教育集团，实行强强联合。我作为长郡教育集团董事会成员之一，从长郡中学来到了麓山国际实验学校。集团的组建使两校的资源得到了有效的整合与利用，但两校的办学理念如同一个剪刀口，一所奉行质量就是学校生命线，强调学生学业成绩，一所则以实施素质教育为响亮口号，强调学生综合素质，两种办学理念因认识上的差异，一时找不到交集。当时就有教师抱怨，既要提高学生学业成绩，又要实施素质教育，我们不知道该如何开展工作。我也曾问自己，学校品质和教学质量的高低只是体现在学业成绩的高低上吗？面对这些疑虑，我们只有理清头绪，学校教育创新才会有明确的方向。

把实施素质教育与提高学生学业成绩对立起来，是对素质教育的片面理解。只要是提高学生整体素质的教育教学行为，就是素质教育，应该包括文化基础知识与技能的学习和提高。需不需要提高学生的学业成绩，这是伪问题。我们需要考虑的问题是：如何在不摧残学生健康、不牺牲学生个性、不扼杀学生天赋的前提下提高学习效率；如何让学生在保持兴趣和个性的前提下，用自主与合作的方式取得满意的学业成绩，以提高学生的自信心和自我认同感。我们还需要考虑的问题是：如何把学习和掌握知识与技能作为提高学生整体素质的平台，并在此平台上去提高学生的智力品质和非智力品质。我曾对教师们说：我们眼中不能只有分数，更不能为追逐分数而牺牲学生的全面发展和个性发展，这样导致的结果将是分数离我们更远；我们眼中要有人，当我们朝着对学生进行价值引领和培养学生行为习惯的方向追逐而去时，分数就会随之而来。我们可以认为，素质教育是促进学生学业成绩提高的保障，提高学业成绩的过程是实施素质教育的有效渠道。学校品质和教学质量应该体现在学生整体素质的高低上，体现在学校的育人目标上，体现在为实现育人目标所采取的策略和方法上。

要将这些认识变为现实，只说不做是没有效果的，我们还需要从理念到实践层面为教师教育教学创新提供专业引领和操作技术。于是，我校引进了云南师范大学孟照彬教授的“EEPO 有效教育”的理论和操作方法，开展以课堂教学为重点的育人模式的创新课题研究。通过几年扎扎实实的变革性实践，我校的课堂教学新了，教学评价新了，学生的学习方式新了，创造性思维品质在学习过程中逐渐养成，发展潜力在学习过程中逐渐显露。我校申报的中国教育学会“十一五”科研规划课题“‘EEPO 有效教育’应用推广及研究——学习方式、课型方式、评价方式”在举行结题暨开放活动时，得到教育专家们的充分肯定，创新教育实践让我们看到了学校的进步和发展。

在课题结题鉴定会上，我有幸结识了北京师范大学裴娣娜教授。当得知她不顾高龄、不分昼夜为地震后的汶川理县教师义务培训 15 天时，我们被她的善行感动了。当她怀着一颗真诚的心，希望学校能为汶川理县教师提供教学观摩和教学实践机会时，这正与我们希望为地震灾区提供力所能及的帮助的想法不谋而合。于是，由麓山国际实验学校无偿提供各种资源，促成了汶川理县中小学校 30 名骨干教师来校跟班学习和观摩 10 天的教育之旅。这种缘分，也把我们带进了裴教授主持的教育部哲学社会科学研究重大课题攻关项目“我国学校教育创新研究”之中。在裴教授的亲自指导和不断鼓励下，我们开始对学校的历史和发展进行重新认识和自我反思。当我们认定创新是学校发展的动力时，在探究操作技术层面的创新后，如何实现学校价值层面的创新呢？我们开始从校名入手重新明确学校的办学定位，补充完善和重新诠释学校的办学理念，进一步明确学校培养目标的内涵，并将其分解为分学段的学生行为表现，认真反思建校以来提高教育国际化水平的历程，并以此开展系统的变革性实践。

实践证明，当学校的办学理念和目标系统，与课程、教学和德育组成的育人模式系统，以及制度与管理系统协同运作、变革创新和优化组合，学校的教育创新体系和创新活力会基本形成，这也是学校持续发展的动力所在。学校通过教育创新，实现了从规模发展到内涵发展的跨越。如今，学校不仅享誉三湘，而且初步形成教育国际化、培养“世界公民”的办学特色，成为湖南省接纳外国学生就读的国际实验学校，学校参与国际教育交流与合作也进入常态化，为“世界公民”的人生奠基的教育理想正在逐步成为现实。学校因风景名胜岳麓山而得名，如今，学校本身也成为岳麓山下一道亮丽的风景。

“我国学校教育创新研究”课题就像一面镜子，让我们发现镜子中的自己在变革中进步，在学习中提高，在创新中发展。正如裴教授所说：这本书不是写出来的，而是研究出来的。我们把学校在教育创新实践中所思考和研究的成果汇集于书中文字的过程，也是我们读懂学校、读懂教师、读懂学生、读懂自己的过程，在这个过程中，我们被带到了一个新的高度。我们知道了自己从何而来，现在到了哪里，未来将向何处去，这正是本书给我们带来的收获，也是我们参与“我国学校教育创新研究”课题研究的意义所在。

2010年，中共中央政治局和国务院审议通过的《国家中长期教育改革和发展规划纲要（2010—2020年）》，让我们获得了一种强大的支持力量：“把改革创新作为教育发展的强大动力”；“支持民办学校创新体制机制和育人模式，提高质量，办出特色”；教育学生“学会生存生活，学会做事做人”；“加强国际理解教育，增进学生对不同国家、不同文化的认识和理解”……这些指导性意见，更加增强了学校进行教育创新变革性实践的信心和动力。

几年前美国《时代》周刊的两位记者发表《如何把我们的学校带出20世纪》的文章，表达的是对21世纪教育创新的个人憧憬；我感到我们现在的使命是要把学校带入《国家中长期教育改革和发展规划纲要（2010—2020年）》所描绘的蓝图里，因为这份划时代的文件表达的是中国对21世纪教育创新的国家意志。

李素洁

2011年12月于长沙

为『世界公民』的人生奠基

第一章 历史审视

岳麓山位于长沙城郊，湘江西岸，是南岳衡山七十二峰之一，“岳麓之胜，甲于楚湘”。长沙麓山国际实验学校就坐落在“碧嶂屏开，秀如琢玉”的岳麓山下，湘江之滨。时间不是历史，但岁月的犁铧在湖南长沙岳麓山下的这片热土上翻越了道道历史年轮。长沙麓山国际实验学校，这朵东临湘水、南依岳麓、北偎王陵的教育奇葩，在改革开放的春风中绽放。没有历史的重负，没有传统的沉疴，学校以新的教育理念、新的办学体制、新的育人模式，承湖湘文化一脉，放眼世界，海纳百川，顺时应势，探索实践，虽遭遇困境，但坚持办学理想，不断创新发展，焕发勃勃生机。

一、诞生与创新实践

回顾历史，我们不敢忘怀教育先辈们筚路蓝缕的艰苦创业，不敢忘怀教育工作者们栉风沐雨的杏坛耕耘和卧薪尝胆的矢志奋发，这一切都是谱就学校发展不可或缺的厚重篇章。历史机遇总是垂青相时而动者。十八年前，一批教育先辈，在教育改革大潮的推动下，发扬湖湘文化“敢为人先”的创新精神，开创了长沙市乃至湖南省基础教育学校创新发展之先河。

（一）时代的呼唤

20 世纪 90 年代初，在改革开放的大旗指引下，我国社会主义现代化建设如火如荼，经济社会已发生了翻天覆地的变化，在基本完成了由计划经济向中国特色的社会主义市场经济过渡后，又进一步对外开放，市场经济与国际接轨，并积极争取成为 WTO 的成员。在“让一部分人先富起来”的政策激励下，人们创造财富的热情和欲望极大地被调动和释放，时代造就了一大批率先脱贫致富者，他们对优质教育资源抱有强烈的需求。教育是适应一定政治和经济结构的育人活动。我国经济的高速发展必然推动教育的改革与发展。1993 年 2 月，中共中央、国务院颁布的《中国教育改革和发展纲要》强调指出：“中小学要由‘应试教育'转向全面提高国民素质的轨道。"这是对此前教育界的有识之士提出的素质教育理念和在一定范围开展的主体性教育、成功教育、新基础教育等实验探索的肯定。由此，素质教育正式成为一项教育的基本国策，成为我国教育改革发展的战略主题。《纲要》还明确提出"改革办学体制。改变政府包揽办学的格局，逐步建立以政府办学为主体、社会各界共同办学的体制"。由此，社会力量的办学热情得到了极大激发。这些都为新型学校的创立准备了必要的条件。

（二）学校的诞生

在改革开放取得经济建设成效的同时，发展长沙教育事业提上了市委市政府的日程。1993 年年初，时任中共长沙市委书记的夏赞忠同志亲自带队远赴美国考察教育，当他们深切地感受到我国与西方发达国家的教育存在着较大差距时，认为有必要在长沙创办一所与国际接轨的实验性学校。

回国后，长沙市委市政府立即召集教育界的一批资深人士商谈，又组织一批即将从教育战线退休的老局长、老校长赴南京、苏州、常州等地参观考察民办教育的发展情况，并撰写了沿海地区吸纳民营资本办教育的考察报告——《南京等地社会办学考察报告》，该报告为长沙市委市政府决定创办新型学校提供了实践参照。

1993 年 6 月 25 日，市委市政府决定由长沙市教育局负责筹办新型学校。

1993 年 7 月 17 日，长沙市教育局向长沙市人民政府递交《关于创办长沙麓山国际实验学校的请示》。请示立即得到时任长沙市市长张明泰同志签发，同意创办"长沙麓山国际实验学校"。要求学校以党和国家倡导的素质教育为办学方向，以创新的办学体制——"国有民办"体制突破单一公办教育管理体制的束缚，在全省基础教育领域率先创办一所与国际教育接轨的实验性新型学校。1993 年正是邓小平同志提出教育要"三个面向"10 周年，长沙市委市政府创建麓山国际实验学校的决定，表达了湖湘后人在世纪之交"面向现代化，面向世界，面向未来”的“麓山”办学理想。

1993年8月5日，《湖南日报》刊登长沙麓山国际实验学校成立公告暨招生招聘启事，并同时公布学校顾问、董事会及校长名单。在长沙市委市政府领导的正确领导下，在长沙市教育局的大力支持下，在教育先辈们对教育理想的追求和责任感、使命感的感召下，长沙麓山国际实验学校应运而生。

1993年10月2日，以创办小学为起点，长沙麓山国际实验学校正式开学。以后逐步扩大招生规模，发展成为小学、初中、高中12年制的全寄宿学校。

（三）办学理想的初步实践

将“麓山”办学理想付诸实践，是学校创业者们肩负的重大使命。他们敢想敢干，不畏艰难，开拓创新，开展了创办理想新型学校的初步实践。

1. 确立办学思路

长沙市政府以“国际实验学校”对学校的命名，就确定了探索对外开放、与国际教育接轨、成为湖湘国际化实验性学校的办学定位。以邓小平同志关于教育要“三个面向”的指示为指导思想，结合自身实际，学校提出了“面向世界，博采众长，走向辉煌”的办学理念。从未来社会对人的素质要求出发，以联合国教科文组织面对人类未来发展提出的“学会生存”、“学会关心”为校训；以“做豪迈的中国人”为誓词，并以此作为学校的培养目标。同时在全体教职员工中倡导“追求卓越、永不满足”的工作作风。学校创办初期的上述办学思路，逐渐形成学校的精神文化。

2. 大胆创新体制

长沙市教育局在呈交市政府《关于创办长沙麓山国际实验学校的请示》中，将“国有民办”的学校性质具体表述为“学校国有、校长负责、经费自筹、办学自主”的办学体制的四个具体实施的创新点。

“学校国有”一是指学校校园土地国有。这意味着建校的土地由政府直接划拨。学校基础建设历经了几易几扩的发展过程，从租借校舍到多次划拨土地，长沙市政府都给予了大力支持。从 1994 年在望月湖西湖农场开始征地，到 1999 年新址扩建工程全面完成，政府共划拨 148 亩土地无偿支持学校建设。二是指学校管理团队成员和教师队伍中的骨干成员，属于国家事业编制。

“校长负责”指完全实行校长负责制。校长对学校的人、财、物和课程教学、经营管理实行独立于市教育局学校管理系统之外的自主管理。

“经费自筹”是指在资金筹措方面不依靠政府投入，也不依靠自然投资人的投资，而是依靠家长对学校的信任和对优质教育的需求，在长沙市政府的政策支持下，采取多种融资方式筹措办学资金。在基础建设方面，采取“借鸡下蛋”的融资策略。一方面，用收取教育储备金的方式，即每位学生入校时先缴纳 2 万—8 万元的教育储备金，待学生毕业离校后返还全部本金；另一方面，由长沙市政府担保，向银行贷款。通过向家长借资和银行贷款等融资方式，保障了学校基础建设资金需要。到 1999 年 9 月，一所占地面积 148 亩，建筑面积 11 万平方米（不含教工宿舍）的学校全面竣工。中央空调、游泳池、网球场、体操馆等高标准设施建设，均在湖南省中小学首开先河。在学校运转方面，采用民办学校的收费政策，由家长承担学生的教育费与生活费，确保学校的运转开支。

“办学自主”主要指学校自主规划办学，在国内外自主招聘教师和招收学生，真正成为湖南省聘请外籍教师最多、唯一一所招收外商子女的国际化实验学校。“办学自主”还体现在自主开设“与国际接轨”的课程和制订教学计划，自主考试评价，自主经营管理，自主开展国际交流与合作等。“办学自主”给了学校完全的办学自主权和巨大的自我塑造空间，有利于学校按照“麓山”的教育理想，创新发展。

3. 广纳贤才组建队伍

为组建一支优秀的学校管理团队和教师队伍，长沙市教育局除选择一批即将退休的老局长、老校长作为学校的创办者和管理者外，还通过行政手段，从多所公办学校调配优秀教师充实我校教师队伍。经学校考核合格的教师，长沙市人事局给予了事业编制，为吸纳优秀人才、稳定教师队伍提供了政策支持。教师实行聘任制，以优劳优酬制度广纳国内外贤才，其相对灵活的用人机制，不仅吸引了省内外的优秀老师，美国、英国、加拿大、澳大利亚等国的外籍教师也纷纷前来。

4. 课程教学自成特色

学校从课程建设入手推进教育教学创新，除开设国家必修课程外，着眼于国际化教育，小学一年级起，每天开设英语课程，小学二年级起每周开设信息技术课程；着眼于形成我校特色，各年级还分别开设了书法、形体等校本必修课程及美术、钢琴、足球、厨艺等 20 多门校本选修课程。在教材选用上也与众不同，语文和数学不选用全国通用的人教版教材，选用了未来教育教材编辑委员会编写、商务印书馆出版、富有时代气息和创新色彩的《新世纪小学教科书》语文和数学教材；英语选用了香港朗文教材。同时，不少校本课程的“教材”都是由我校教师自己编写。当时学校倡导“赏识教育”，积极推进教学改革。在教学管理方面，实行小班制，每班控制在 30 人左右，除配备班主任外，还配备副班主任，教师每晚下班辅导，为学生提供优质的教育服务。同时开展丰富多彩的课外活动，让学生享受学校生活的愉悦、成长的快乐。

5. 后勤服务周到优质

在后勤服务方面全方位满足家长和学生需要，吃穿住行只要家长想到的，学校都想到并做到了。学校实施高标准全方位的寄宿制服务管理模式。如：每周校车接送，每天三餐三点，每 24 人配备一名生活老师，每人配备床上用品和洗涤用品；四季服装统一定制、统一洗涤；中央空调、热水系统直接进入学生寝室，为学生提供全方位优质的生活服务。

创新带来了学校发展活力。创立初期的长沙麓山国际实验学校，不仅硬件设施绝冠三湘，其前瞻的办学思路，以及从课程教学到后勤服务所形成的办学特色均领当时湖南基础教育风气之先，成为长沙市乃至湖南省对外开放的“窗口学校”。学校不仅赢得了湖南省内外中国学生和外籍学生的青睐，还吸引了全国各地的教育同行来校参观学习和外国友人纷纷到访。

二、现实困境与反思

办学初期的艰苦创业和改革创新，成就了学校发展的良好开端。但八年后，繁荣景象的背后却隐含着艰难的困境。

（一）外部环境的压力

随着《中国教育改革和发展纲要》的颁布，湖南各种类型的民办学校如雨后春笋般涌现，但也出现了以营利为目的，收费行为不规范，教育质量参差不齐、鱼龙混杂的混乱局面。

2001 年，为了规范民办学校的办学行为，《湖南省人民政府办公厅转发省教育厅关于中小学办学体制改革意见的通知》明确规定“学校收费严格执行国家、省有关规定，严禁乱收费，民办学校一律不得向学生收取‘教育储备金’”。这项规定成为湖南民办学校纷纷倒闭的导火索。这年秋季开学前后，长沙的华康、天英、新世纪、青园和冠亚等民办学校相继倒闭，家长和社会对民办学校一度产生普遍不信任和歧视的心理。

当年的长沙麓山国际实验学校也随着教育储备金融资方式的叫停，导致资金链断裂，2.3 亿元的负债和资金周转的困难，成为学校生存和发展的硬伤。民办学校的相继倒闭，也波及了我校，对学校失去信任导致学生流失的情况也越来越严重。随着在校学生的流失和招生工作的困难，教师也处于彷徨状态。学生和教师的不稳定，成为学校生存和发展的软肋。

（二）走出困境的对策

在民办学校纷纷倒闭之时，长沙麓山国际实验学校得益于其“国有”性质而幸免于难。长沙市政府和长沙市教育局对学校困境高度重视，积极想办法寻出路，再次创新办学模式，将具有卓越质量品牌的长沙市百年名校长郡中学与长沙麓山国际实验学校整合，组建长郡教育集团。

2001 年成立了集团董事会，确定长郡中学校长为集团董事长兼长沙麓山国际实验学校校长，长沙麓山国际实验学校以“长郡中学寄宿部”名义对外宣传和招生；以“经费独立核算和教师互派交流”的方式开展合作；以统一教学管理，强化教学质量；以长郡中学信誉担保，向银行贷款返还家长教育储备金。这一系列举措提高了学校的社会信誉度，遏制了生源流失，缓解了资金周转的压力。

（三）八年办学的反思

我们的反思是从我校中学教学与长郡中学实行教材选用、教学进度、教学检测内容、考试评价标准“四统一”开始的。在实施教学“四统一”的过程中，所遇到的几件事情促使我们开始反思。

校长亲历记（1）：成绩“见面”风波

我于 2002 年 1 月从长郡调到麓山担任教学副校长。上任碰到的第一件事就是刚刚合并的两所学校面临期末考试。对于麓山中学部与长郡教学进度相当的学科，我决定与长郡同卷考试。尽管我对两校的教学差异有足够的思想准备，但成绩出来后所发生的事情让我始料不及。

首先是教师对考试成绩的态度和认识，有教师善意地提醒我说：“这样的考试成绩不能跟家长见面，我们过去的做法一般是教师讲评后学生更正，然后让学生再考一次。或者是换一套试卷再考一次。这样才能确保成绩让家长满意。”还有教师提醒我说：“麓山是素质教育的窗口学校，不要把考试成绩和分数看得太重，长郡的‘应试教育’不适合于麓山。”

直觉告诉我，教师的这种做法和想法很危险。为了让家长看到满意的考试成绩，无原则地降低教学基本要求，导致的结果将会是：教师没必要再认真教书，学生没必要再认真读书，反正会有“优秀”成绩与家长见面。但我也能理解当时学校的无奈，担心家长看到不满意的成绩，就会领走学生，学校将面临更大的生存压力。面对这种情况，我想，与其这样让学校逐渐失去信誉，还不如凤凰涅槃般先死而后生。于是，决定将成绩原封不动地呈现给家长，让家长了解学生真实的学业水平，以期得到家长的支持与配合。

其次是家长对考试成绩的态度和认识。这次成绩与家长见面后，在家长中引起了轩然大波。放寒假的那一天，一位学生家长拿着成绩单怒气冲冲地来到我的办公室，质问：“我们出了这么多钱，只打四十多分，我们到哪里都买得到这点分数！还在你这里读书干什么？请你给我们家长一个说法。”在长郡工作十五年，我还从来没有听到过把金钱与分数如此对等的质问，看来家长已经习惯了高分，并不在乎学生学到了什么。于是，我问：“你要多少分？我现在就可以给你。”家长似乎领悟到了什么，带着孩子离开了办公室。但很多不理解的家长并没有与我面对面地交流，寒假过后，学生大量流失，在校学生人数出现了负增长，给学校稳定带来的是雪上加霜。

校长亲历记（2）：家长“质问”风波

2002年春，新学期开学不久，一位高中学生早晨赖床，没有参加晨跑，于是，班主任要求学生在早自习时补跑，学生一气之下冲出了校门。不久，家长领着孩子找到班主任理直气壮地质问：“我的家庭是高素质的民主家庭，最讲平等，如果要学生补跑，教师应该陪着一起跑，这才是公平的。”由于不能接受家长的观点，班主任与家长发生了争执，学生处主任希望我出面做工作。面对家长，我希望他能配合教师帮助小孩纠正懒散的毛病，告诉家长适当的惩戒有利于帮助小孩成长，教育中的民主不是无原则的迁就和放任，学校有责任对学生进行习惯养成教育。面对教师，我希望他多理解学生，用更适合该生的方法帮助他改进不足。通过对双方做工作，相互达成了谅解，争执得到了平息。

这两次“风波”，让我们开始反思，我们的教育质量和办学理念与实践存在着怎样的问题？我们需要找到原因。

一是对素质教育的肤浅理解导致实施中的偏差。素质教育是我校明确的办学方向，麓山人以真心实意实施素质教育引以为豪。但由于当时人们对素质教育从理论到实践的研究还不够深入，对素质教育的理解处于一种比较肤浅的水平。当时普遍认为素质教育就是增加活动课，开设选修课；就是增加某些愉快教学的方式，不要负担，淡化考试；就是补充某些技能、才艺或素养，让学生达到所谓"全面发展"；甚至将素质教育理解成为一种无约束的自由教育。理解的肤浅必然导致实施的偏差，那就是追求表面的活跃，而忽视教学的有效性，导致学生基础知识、基本技能掌握不扎实，学生群体的学习结果没有达到应有教育质量的要求。其结果必然是学生无法面对学校外部教育质量的检测和评价。

二是学校在"经费自筹"的新型体制下运作，办学上依赖于家长的资金投入，因此，教育产业化的思想很容易为麓山所接受，"顾客是'上帝'"的企业经营理念在麓山成为"学生是'上帝'"的办学思想。秉持这种办学思想，一方面，学校建立起全方位保姆式的学生生活服务体系，不但聘请了大批生活服务人员，而且教师常常要承担很多学生服务工作。本来来自富裕家庭的孩子，在学校里同样过着"贵族式"的生活，当时，就有自己开轿车来校上学的高中学生。外界看着每周接送学生的家长豪华车队的"麓山风景"，"贵族学校"的"美誉"不胫而走。另一方面，学校被家长的金钱捆绑，办学失去了"定力"，教师失去了尊重，老师更多的是宠着学生，不敢大胆管教和严格要求学生。

三是封闭的"国际实验"脱离了当时当地现实的教育环境。按照麓山教育理念，八年"面向世界"开放办学，教育交流与合作取得了积极进展，初步实现了"国际实验"的办学定位。麓山人孤军走向世界的同时，忽视了"博采众长"也包括与国内、与周边教育环境的沟通、交流和互动，实际上是一种封闭的"国际实验"。造成的直接结果是毕业生参加市里统一组织考试时的困难，意味着我校学生无法正常流动。

"封闭"对于学校虽然也有保住生源不外流的好处，但对于学生却限制了他们向多方面发展的可能性。

麓山国际实验学校应往何处去？我们面临三种选择：一是放弃麓山的办学传统，把麓山办成第二个长郡；二是一以贯之，坚持麓山的办学初衷，重复过去的“故事”；三是坚持“国际实验”的办学理想，与时俱进，通过深化改革和创新，解决学校发展过程中存在的问题，走出困境再出发。正当我们徘徊之时，一场高三“撤退”风波促使我们作出了抉择。

校长亲历记（3）：高三“撤退”风波

2002年暑假，即将进入高三年级的学生由高一入校时的4个班流失到只剩下48名学生。我考虑到文理分科后，每班人数更少，学习气氛难以形成，本着对学生负责任的态度，决定将他们全部转到长郡高三插班就读，以退为进，“撤销”高三年级。长郡中学克服重重困难，顾全大局，接纳了我的建议。让我没想到的是，当我把这一消息告知家长和学生时，却遭到集体反对。他们说：我们为什么要去长郡？长郡能给我们提供麓山这样的服务、能吃得这么好吗？长郡能有麓山这样的细致管理，让家长放心吗？长郡能对我们这样宽容，会让我们这么快乐和自由吗？我们不在乎参加高考，我们可以继承家族事业或出国留学，为什么一定要去长郡呢？等等。为此，我召开高三年级家长会、学生会、年级教师会，层层做工作，并从麓山派专职教师到长郡安抚学生，希望学校的决定得到家长和学生的理解。

学生到长郡以后，传来的信息不容乐观：他们接受不了学习竞争带来的压力，原有的教学要求和考试标准两校差距很大，学业成绩明显落后；他们接受不了长郡的管理方式，生活上全靠自己，失去了全程的生活服务。由于学习和生活均不适应，原有的自信心备受打击，过去被麓山老师宠爱有加的他们失去了优越感。尽管后来在高考中取得了可喜成绩，但他们始终没有融入长郡的文化氛围，他们坚持穿麓山校服，成为长郡当时的特殊群体。

高三“撤退”风波将我们对八年办学的反思引向更深层次。

一是长沙市政府和市教育局的“包办婚姻”，尽管使两所学校在形式上有了良好的合作，但两校的办学体制不同，学生家长对教育的需求不同，尤其是多年形成的办学传统和学校文化差异，要将麓山办成第二个长郡，让两校完全实现合二为一是行不通的。

二是让麓山的学生到教学质量很好的长郡中学插班就读反而不领情的事实，既让人感到意外，但又在情理之中。这不仅仅是他们接受不了学习竞争带来的压力和压抑，也不仅仅是麓山的生活服务和周到管理让他们的家长放心，更让他们怀念的是麓山老师对他们的宽容和爱护，麓山的学校生活环境让他们快乐和自由，麓山的课程、教学和学校文化让他们个性发展，人人自信、活泼、阳光。他们甚至不在乎参加高考，而在乎在怎样的学校里生活和成长。这些高中生有学业成绩落后、竞争意识淡薄的弱点，但他们喜爱和怀念的某些东西，不正是素质教育的价值追求吗？

三是回到麓山办学的起点，长沙市委市政府和学校开创者们建立起的教育理想，当年确定的学校定位、办学理念和培养目标，理论上体现了素质教育的方向，实践中虽然存在问题和偏差，但也取得了一定的成效，八年来所形成的“敬业奉献、追求卓越、永不满足”的学校精神值得我们麓山后人继承和发扬。

三、沿着理想再出发

审视历史，反思八年办学的得失，是为了确定前进的方向，探寻沿着麓山教育理想再出发的途径。十年来，我们经历了学校创新发展的以下三个阶段。

（一）梳理问题，统一认识

我们梳理麓山前八年办学历程中存在的不足，归结起来主要是“学校”与“家长”以及“教师”与“学生”的关系被扭曲，教学质量不被社会认同这两个方面的问题。因此，只有将学校从“金钱”的捆绑中解放出来，与家长建立“合作”与“共担责任”的关系，将教师和学生的地位摆正，与学生建立“主导”与“主体”的关系，才有可能调动教师的主观能动性，旗帜鲜明地抓教学、管课堂，提高教学质量，充分发挥学校的育人功能。学校、家长与教师应该统一认识、形成教育合力，共同实现育人目标。

校长亲历记（4）：中学生家长会

在决定召开中学生家长会之前，学校为摆脱家长的金钱制约，在长郡中学的支持下，贷款三千万元，决心“背水一战”，为部分家长退学退款做好了充分准备。

会上我阐述了自己的观点：都说我们是“贵族”学校，真正的贵族是经过家族世代文化积淀和精神传承才形成的，而不是简单的金钱积累。如果仅仅把暴发户当贵族的话，我们学校不是培养贵族子弟的地方，而是改造贵族子弟的地方。家庭是孩子的第一所学校，家长是孩子的终身教师，我们学校可以代替家长做所有的教育服务工作，但父母的教育责任是谁也不可替代的，每位家长都应该与学校和教师合作，共同承担起对子女的教育。学生不是“上帝”，他们是受教育者，他们必须接受教师的教导，必须尊重教师的劳动；不论学生未来如何发展，掌握基础的文化知识和技能是他们在校读书的基本任务，也是素质教育的基本要求。我们将在相当长一段时间内把学校工作重心放在提高教学质量上。会上，我坦率地分析了学生学业成绩不高的原因，谈到了应树立正确的人才观和质量观，谈到了提高教育教学质量的方法和措施等。我的讲话获得了教师们的支持，有老师说：“我们今天扬眉吐气了，以后敢管教学生了。”他们感到有了底气和尊严。我的讲话虽获得了绝大部分家长的支持和理解，但也有家长难以接受，有家长说：“我们今天是来‘受训’的。”家长感到了学校的内在变化。

（二）找准抓手，质量兴校

为了充分利用两校合作的机遇，我们努力找到麓山与长郡的对接点，借助长郡的优势提升麓山的品质。我们从抓教学质量入手。教学质量从何抓起？怎么看待教学质量？谁来评价教学质量？在当今社会"考选"文化的大背景下，在教育评价体系还不健全的情况下，让学生"不怕考"和"考得好"是衡量学校教学质量的一个重要标准。

一方面，从教学常规管理入手。借助长郡教学优势，在教学方面坚持两校"四统一"策略，邀请长郡教师与麓山教师一起备课，要求教师们虚心学习长郡中学的教学经验。同时，借鉴长郡中学的教学管理经验，采取一系列行之有效的措施，加强教学常规管理，如对教案和作业批改采取随机抽查和定期评比相结合的办法进行监控，对教学质量采取横向对比与纵向对比相结合的办法进行跟踪等，促进教师提高质量意识。

另一方面，从课堂教学方式入手。为了提高教学质量，我们特别提出"在课堂教学中实施素质教育，向 40 分钟要质量"的要求。为此，我们积极引进和实施"EEPO 有效教育"的理念与方法，校长亲自给老师们上示范课，探究课堂教学新方法；亲自设计体现三维教学目标的新型"教案本"，把传统教案中"以知识为本"的备课思维方式转化为"以学生为本"的备课思维方式；亲自组织和参与构建各学科课堂教学评价方案，提出"以学评教"、"教与学分评"的课堂教学评价策略。通过课题研究，探索课堂教学的有效性，将教师引导到"以研促教"，提高课堂教学效益的道路上，为整体提升学校的教育教学质量打造共同探究的平台。

经过连续几年的"质量"强化，麓山教学质量经受住了学校外部教育部门组织的统一检测和评价。近十年来，学校义务教育学段的毕业生在长沙市岳麓区小学毕业生摸底考试和长沙市初中毕业会考中，生均分、合格率、优秀率连年攀升，各项指标均名列前茅；高中毕业生参加湖南省高考，一本和本科上线率均超过湖南省重点中学的平均水平。如 2011 年，学校初中毕业生参加长沙市初中毕业会考，全优学生占长沙市全优生的 1/4；高考一本上线率达 53.4%，本科上线率达 95.6%，学校获北京大学校长实名推荐资格；学生参加市级及以上各类竞赛，获奖达 1490 人次，教师获奖达 118 人次；学校在综合、教研、德育、体育、艺术等方面获得 20 余项市级以上荣誉。随着教学质量不断攀升，社会和家长对学校的认同度也越来越高，生源的稳步增长带来了资金的稳定，在偿还家长教育储备金 1.4 亿元后，学校摆脱了生存危机，迎来了创新发展契机。

（三）服务育人，提升优势

对学生的周到服务既让家长放心，也是学校生源不断增加的重要原因。对于一所民办学校，这是难得的“优势”。但是经过反思再出发的麓山人，已经清醒地认识到这种“优势”里面隐藏着令人担心的问题，那就是这种沿袭小学低年级的保姆式服务，在小学高年级和中学已经偏离了学校“学会生存”的培养目标。既要保持优良服务的特色，又要追求培养目标的实现，我们努力将保姆式服务转变为服务育人。变生活老师“替”学生做为“教”学生做，变保姆式生活管理为学生自主管理，让学生从享受服务转变为力所能及的自我服务，根据学生年龄特征，逐步培养其“自理”的生活习惯和能力。

在此基础上，学校提出“两条腿走路”，以“服务＋质量”作为办学策略。我们看到：优质民办学校虽拥有良好的“服务”，但难有优质的“质量”保证；优质公办学校拥有“质量”保证，却难有优良的“服务”条件。实施“服务＋质量”双轨办学策略，满足了社会对教育的多元需求，学校在保存“服务”特色的基础上，强化“质量”意识，极大地提升了学校的竞争力。

（四）继承传统，建设文化

缺少深厚的文化底蕴，常常是建校历史短的学校的不足，但在“麓山”不同。建校初期的创业者和学校的后继者，他们或一路从湖湘优良教育传统中走过来，或身处麓山教育文化圈，朝夕耳濡目染，十八年来，他们在办学、学风、德育、师德等方面将重教兴学、经世致用、忧国济民、磨血育人等湖湘优良教育传统传承了下来，自然形成了“麓山”的学校文化。这种教育文化与千年湖湘文化一脉相承，使新学校同样具有深厚的文化底蕴。同时，这种文化又孕育了“敬业奉献、追求卓越、永不满足”的学校精神。建设学校文化，发扬学校精神，为麓山人朝着自己的教育理想再出发增添了精神力量。

（五）创新活力，实践理想

“再出发”意味着前进和发展，追求学校在改革实践中获得一种发展的内在生命力；“再出发”意味着对学校现有发展水平的超越，追求通过创新性实践，形成一种具有创新活力的学校教育。为了实现麓山教育理想，我们开展了如下方面的理性思考、实践探索和教育创新。

1. 深度解读麓山国际实验学校的教育价值和目标，形成学校教育创新的思路

一是从办学传统和建校初衷出发，重新确认办学定位；二是深化对办学理念的认识，明确我们的学校观、教育观和学生观，让它们成为麓山人的共同愿景；三是进一步清晰地理解学校培养目标的内涵，将培养目标分解为具体的学生行为目标。从而对学校发展有一个清晰的构思和规划。

2. 对学校培养模式进行系统改革和创新

一是进行课程改革，建设了学科基础型课程、拓展丰富型课程、活动实践型课程三个层级的课程结构，探索了相应的课程实施和管理评价策略，将国际理解教育纳入学校课程体系，凸显了“国际实验”的办学特色。二是开展教学改革，从课堂教学评价、教学准备、教学实施、学习方式、学生作业五个维度，进行有效教学的理念和教学方法的探索与实践，形成了体现学校育人目标的学科特色。三是学校德育围绕培养学生做负责任的未来“世界公民”，形成高尚的道德情操和创造力，以及对多元文化的理解与欣赏能力等，进行目标价值引领；从养成学生的良好行为习惯开始，从班级建设入手，结合生活服务和自理，培养学生

良好的道德品质。

3. 加强学校制度建设和管理创新

一是建立共同的愿景，探索人本管理。二是建立教师激励制度、考核评价制度、研训学习制度，形成促进教师成长和自我完善的管理机制。三是从制度设计，到制度执行，到制度反馈，进行系统的民主参与的制度建设。

学校通过以上三个方面的优化组合和内部结构调整，成为一个具有自我更新、自我发展的有机体，成为一个具有较强适应能力的教育生态系统，增强了创新活力，进一步实践着麓山的教育理想。

第二章 发展思路

审视十八年的办学历史，我校大体经过了"麓山创始人教育理想的初步实践——教育理想与现实环境碰撞后产生困境——有了'质量'，摆正'服务'位置后，继续沿着办好国际实验学校的麓山教育理想再出发"的历程。将学校办成"国际实验"，学校不是沽名钓誉，而是真正要探索湖湘现代教育的发展道路。因此，在二度出发的历史节点上，我们必须认真反思原来的办学思路，弄清哪些该继承、哪些该发展，哪些该坚守、哪些该创新；必须重新明确办学定位、办学理念和培养目标，理清学校的发展思路。

一、办学定位

学校创新发展的第一个问题是明确它的办学定位。建校时长沙市政府为我校起名为"长沙麓山国际实验学校"，其中"麓山"不仅是地名，而且是指代从麓山发源的湖湘文化及其优良教育传统，"国际实验"则寄托了市政府对湖湘第一所"与国际接轨"的窗口学校的办学期望，从而确立了我校大体的办学定位。今天我们要追问自己以下几个问题：这所学校从哪里来？经过十八年的发展和积淀，形成了怎样的办学传统和精神？我们要把这所学校带往哪里？我们如何让它到达那里？如何让它不是通过自我标榜，而是在办学的实际运作和学校发展的进程中实实在在体现素质教育的办学方向？根据学校所呈现出的内在特质和外部形象，我们把回答上述问题的答案精练表述为办学定位，那就是把我校建设成一所"继承湖湘优良教育传统，具有较高教育国际化水平的实验性学校"。

（一）继承湖湘优良教育传统

"继承湖湘优良教育传统"回答的是：我们学校从哪里来？经过十八年的发展和积淀，形成了怎样的办学传统和精神？

两宋以来，湖南的教育一直处于兴盛时期，特别是在近代百余年中，湖湘文化的育人功能得到充分发挥，造就了各个时期（鸦片战争、太平天国、维新运动、辛亥革命和新民主主义革命）的五大人才群体，出现了“惟楚有材，于斯为盛”的局面，创造了湖南教育史上的辉煌。这一优良教育传统代代相传至今。

1. 重教兴学的风气

近现代，湖南形成了世所罕见的重教兴学的风气。一是族学蓬勃兴起；二是书院快速发展；三是私人办学蔚然成风，创办了一大批久负盛名，至今仍在发挥示范作用的学校。民国元年，政府明确规定，各族族长、族正和族众如有阻挠办学者处以罚金，认真办学者予以奖励。新中国成立后，这种优良教育传统更加发扬光大。我校就是在我国改革开放的社会大背景下，由政府和民间力量创办的，是从现代湖湘重教兴学的民风士气中诞生的。因此，我们十分珍惜这种民风士气，过去和现在如此，今后更要把保持学校与社会的良性互动视为学校发展的不竭动力。

2. 经世致用的学风

经世致用是宋代以来湖南书院盛行的一种学风，教诲学子“不读死书、讲求实学”，掌握“齐家治国平天下”的真实本领。废除科举，提倡新学以后，这种学风和办学思想更成为湖南教育界的一种风尚。我校创办初期，就特别重视培养国际化人才的“经世之学”，把英语和信息技术作为重点课程加以建设。21 世纪以来，伴随着教育改革的深入和新课程的实施，国内外各种教育理论和方法纷至沓来。我校“讲求实学、不课时文”，只接纳能被广大教师理解的教育理论，只选用能为广大教师操作的教育方法，让先进的教育理念“落地”。如引进“EEPO 有效教育”的理念和方法，使它在我校落地生根，取得了改革课堂教学、提高教育质量的实际效果。经世致用的学风也成为我校的办学传统。

3. 忧国济民的德育

在近现代史上，湖南教育另一个显著的特点是重视对学子的道德教育，将忧国忧民、忧乐天下的忧患意识和以国家兴亡为己任的民族责任感与使命感作为最高境界。早在张栻和朱熹于岳麓书院讲学时，就将屈原忧国忧民的思想作为首要内容，提出书院要培养“传道济民”的人才。近代，无论是官学、公学还是私学，都对学生持久地进行“救国救民”的教育。新中国新时代，继承“忧乐天下”、“爱国济民”的传统，使德育成为湖南实施素质教育的亮点。我校注重学生品德和价值观的培育，把“学会关心”确立为培养目标，创造了全体教师参与，协作育人的德育研讨会新形式，在日常生活中培养学生的爱心和社会责任感。我们传承了湖湘忧国济民的德育传统，更赋予了它新时代的内涵。

4. 磨血育人的师德

湖南教育在近代兴盛的一个重要原因，就是有一批忠诚于教育事业的校长和教师。他们在艰难困苦的环境下，淡泊名利，看重事业，以磨血奋斗的精神办学育人。首先提出“磨血育人”的是创办明德中学的教育先贤胡元倓，他为了募捐办学，不惜对人长跪乞求，被传为佳话。还有朱剑凡、徐特立、杨昌济等一大批“磨血育人”、“呕心育人”的典型，其师德风范至今深深影响着湖湘教育后人。我校当年的崛起与今天的兴盛，也源于这种磨血育人的精神。以学校前任老校长陈绪常先生为代表的一批优秀教育工作者，怀着对教育事业的满腔热情，开拓创新，他们把自己人生中最宝贵的时光、智慧和经验都交付给了创建麓山国际实验学校的事业之中，培育了一支爱生敬业的教师队伍，形成了“磨血育人、追求卓越、永不满足”的学校精神。

（二）具有较高教育国际化水平

“具有较高教育国际化水平”回答的是：我们要把这所学校带往哪里？

“提高我国教育国际化水平”是《国家中长期教育改革和发展规划纲要（2010—2020 年）》提出的目标，作为国际实验学校，应该通过不断探索实践，率先成为具有较高教育国际化水平的学校。

1. 以全球化作为办学的背景

自2000年起，人类进入了个人层面全球化的时代。这意味着无论是企业还是个人均需要深刻地去理解和应对全球化带来的影响，以更好地趋利避害，把握未来。自20世纪晚期，随着冷战的告终，“全球化”，尤其是“经济全球化”成为当今世界发展的一种必然趋势。经济全球化改变了劳动价值的实现途径和形式，导致劳动价值的实现体现出国际化、隐形化的特点，推动了人力资源的跨区流动，服务贸易得到迅速发展，对劳动力的国际化要求越来越突出。劳动力的国际交往能力、国际市场的适应能力变得越来越重要。全球化也在迅速创造过去没有的劳动形式，其中智力劳动的多样化尤为突出，其价值实现途径变得日益复杂。麓山国际实验学校就是在这样的全球化大背景下办学，培养学生必须适应国际化对劳动力和劳动形式的要求。

2. 形成为国际化人才成长奠定基础的育人模式

经济全球化对人才标准提出了新的要求，而我国现行的人才培养模式还不能完全适应国际化的需求。构建为国际化人才成长奠定基础的育人模式，正是我们国际实验学校教育创新探索的核心内容。我们认为，首先是要有一个鲜明的国际化教育的总目标和明晰的分学段的可观察、可操作、可评价的培养目标，突出培养学生的国际视野、全球思维、跨文化沟通能力、国际化人格和爱国情操；其次是全面的课程建设，包括形成落实培养目标的完整的课程结构，有效的课程实施与评价体系；再次是深入的教学改革和创新，切实培养学生适应经济全球化需要的21世纪技能和国际交往能力；最后是以全球为范围的“学会关心”的德育实践探索，培养学生良好的道德品质和热爱祖国、关心全人类的胸怀。

3. 将国际教育交流与合作作为学校发展的平台

全球化使国际合作与交流成为经济和社会活动的显著特征。国际实验学校应该在国际化与自身特色这对矛盾中把握正确的育人方向，坚守我们自己的传统，同时广泛学习其他国家成功的教育经验，把传承中华优秀文化和开展多元文化交流结合起来，将中西方育人模式的长处有机整合。我校国际教育交流与合作已经常态化、制度化，使我们视野开阔，从中受益良多，成为一种办学传统。我们将珍惜这个促进学校发展的平台，以此提升学校教育的国际化水平。

（三）实验性学校

办成一所具有较高教育国际化水平的学校，是我们的目标，而“实验性”回答的是：如何到达那里？

我们这所实验学校有政府、人民群众和我们自己的办学期望，但是既没有某种专门的教育理论作先导，也没有一套现成的教育经验拿来应用，因为麓山国际实验学校是具体的、独特的、不可替代的“这一个”。它所具有的复杂性是其他学校的经验不能说明的，也不是哪一种教育理论所能充分验证、诠释的。因此，所谓“实验性学校”，主要应该依靠“为了学校、在学校中、基于学校”的校本研究，让办学成为一种教育实验探索。

1. 用课题研究的成果解决问题

我们把办学中遇到的无法用行政手段一次性解决的重点问题、难题，提炼成大大小小的课题，建立四级课题研究制度，用科学研究的成果解决问题，推进学校创新发展。一是全校性整体改革创新的课题，由校长牵头，学校承担研究任务，向国家教育科学规划办、中国教育学会申请立项，或作为成员学校参加由著名教育专家主持的教育部哲学社会科学重大课题攻关项目；二是研究教育教学和管理中的共性问题的课题，一般由部门、年级组、学科教研组承担研究任务，向省教育科学规划办、省教育学会申请立项；三是希望在全市范围交流的教育教学课题，一般由备课组、教师小群体、骨干教师承担研究任务，向长沙市教育科学规划办申请立项；四是个人在教育教学过程中遇到的具体问题，一般由教师个人承担研究任务，向学校教科室申请立项。以上把校内课题拿给外面的机构管理，目的是为了争取教育专家的专业引领，让这些课题的研究工作接受上级教育科研机构的检查督促，研究成果得到严格的科学鉴定。而众多的教师个人主持的小课题，研究周期短，解决问题及时有效，对活跃校本研究，形成实验探索的学校文化能够发挥积极的作用。

2. 自我反思推进变革性实践

在多年的办学实践中，我校形成了“反思—确定问题—改进行动—再反思”的不断推进变革性实践的校本研究的循环流程。我校课堂教学研究就经历了这样一个过程。研究始于对办学初期课堂教学的反思，通过对课堂教学观察结果和外部对我校教学质量评价的分析，找出课堂表面活跃，但效率低、效果差的问题。怎样提高课堂教学的有效性？第一次改进行动是加强常规教学的管理。再反思是在强化常规教学管理，学生学业成绩提高之后，通过对课堂观察结果和学生发展状况的分析，找出课堂教学沉闷，学生自主学习、主动发表不同见解的场景不见了，学生综合素质的发展令人担忧的问题。怎样看待课堂教学一放就“乱”，一收就“死”的钟摆现象？什么样的教学才是真正促进学生发展的有效教学？我们走出去，请进来，学习“EEPO 有效教育”的理念和策略，结合麓山教师和学生的实际，通过科学组织，调动全体学生参与的积极性，进行从备课、上课，到学生学习、课堂评价的系统全面的教学改革。这一轮以转变学生学习方式为核心的课堂教学的校本研究，取得了良好的效果，回答了什么是既有效率，又有育人价值的有效教学的问题。自我反思推进变革性实践，学校就是在这样的“实验探索”中创新发展。

3. 提升对学校办学特色和学校潜在创新能力的认识

在“教育实验探索”中，国际教育交流和集体研讨会，帮助我们提升了对学校办学特色和学校潜在创新能力的认识。作为国际实验学校，常态化的国际教育交流给我们提供了了解世界和认识自我的最好的平台。一次是带领学生回访美国亚利桑那州图森市，当我们走进 Accelerated Learning Laboratory 学校时，走廊墙上的宣传栏吸引了我们。那里展示了他们一年前访问我校时，在我校学习和生活的丰富图片，以及对长沙市人文历史所作的图片介绍。我们在感到亲切的同时，更感到美国学校在培养全体学生对异国文化的接纳和开阔国际视野的良苦用心。另一次是我校京剧社的学生应邀赴日本参加“日本鹿儿岛·第四届亚洲青少年艺术节”，我们到向阳小学、名山小学交流访问。当向阳小学的学生唱起中国民歌《茉莉花》，当名山小学的走廊上再一次出现介绍长沙历史人文的宣传展览时，我们更深刻地感到他们是在利用一切机会，让所有学生了解别国的历史、文化，学习与外国人交往，培养具有人类共同价值观的“世界公民”。反观美国亚利桑那州图森市 Accelerated Learning Laboratory 学校师生对我校进行交流和访问时，我们却没有意识到可以通过他们，让我校全体学生加深对别国的历史、文化和社会习俗的了解。美国和日本的学校虽然并未对外宣称自己是国际实验学校，但却实实在在地在实施国际理解教育，而号称国际实验学校的我们，在国际教育方面和他们的差距在哪里？这两次交流访问大大促进了我们对自己学校办学特色的深刻反思。

为了增强德育的针对性和实效性，我们曾在举办首次学校德育研讨会过程中采取先预告主题、会议形式和发言要求，之后精心组织，让全体教师以各自自愿组合的竞争团队参与研讨的形式。结果涌现出了各种各样的好点子，首次德育研讨会大告成功。从此，这种形式的德育研讨会成为一年一度的例会，我校德育从内容到形式越来越贴近师生实际，体现时代特点。后来我们把这种集体研讨会用于学校课程开发研究，也收到了非常好的效果。更重要的是，它让我们看到了推进学校发展的创新活力就蕴藏在我们自己的教师队伍之中，从而大大提升了我们对学校潜在创新能力的认识。

二、办学理念

美国教育家鲍伊尔认为，在任何一所学校有一个共同的奋斗目标比什么都重要。鲍伊尔所说的共同的奋斗目标，就是办学理念的核心内容。提炼办学理念是学校创新发展需要审慎思考并追寻的基本问题。建校初期，麓山创始人提出“面向世界，博采众长，走向辉煌”的口号，表达了一种开放、包容、走向成功的办学理想，激发麓山人办一流国际实验学校的雄心壮志。这是我校前期的办学理念。后来随着学校的发展和我们对办学理念研究的深入，认识到表达我们学校的教育理想和教育信念的办学理念应该沉淀学校的历史传统，反映学校的办学背景，以及全体麓山人的共同愿景。办学理念的内核是学校观、教育观、学生观，它应该告诉人们我们的学校、我们的教育、我们的学生是什么。因此，我们对原来的办学理念进行了修改和补充，现在的表述是：“面向世界，博采众长，发展个性，奠基人生。”

（一）学校的精神与品位

“面向世界，博采众长”，反映了我们学校的精神气度和文化品位。

“面向世界”表达学校要以邓小平“教育要面向现代化，面向世界，面向未来”的教育思想作为办学的指导思想，结合我校国际实验的实际，突出“面向世界”这个维度。我校提出的“面向世界”，是从理念与实践相结合的层面上面向世界开放办学。它已经远远超出那种在本地狭小的地域与周边学校比升学率的办学旨趣，是把学校放在世界教育的平台上，让它在国际教育交流与合作中，在现代教育理论的指导下，借鉴发达国家先进的教育经验高水平发展。这种放眼世界的宏大气度和敢为人先的“学校精神”，已经和正在转化为凝聚学校发展的力量和行动。一是把学校办成湖南省唯一的一家“外商子女就读学校”，每年接纳来自美国、英国、韩国等外国学生就读；二是聘请英国、美国、加拿大、澳大利亚等有资质的优秀外教担任英语口语课程和国际部数、理、化等基础文化课程的双语教学；三是走出国门，先后与日本、英国、美国、加拿大、澳大利亚、韩国、新加坡等国家的学校开展国际教育交流活动，每年组织学生出国游学，教师和学校管理人员境外考察；四是与美国、英国、加拿大、澳大利亚等国家的20多所大学和中学建立了友好合作关系，举办国际英语夏（冬）令营，试行中外联合办学项目，输送部分高中毕业学生出国深造。

“博采众长”是湖湘文化的精神特质，指湖湘文化中不同民族、不同地域、不同学派之间的文化融合，以及湖湘文化与外国文化沟通与融合的创新意识。作为办学理念，表达的是我校兼收并蓄的文化融合的创新精神，也就是博采本土文化与众多外国文化之长，从多方面汲取国内外学校的先进办学经验，形成一种合作与交往的文化、研究与创新的文化。这是对学校文化品位的追求。基于这样的理念，作为文化组织的学校，“博采众长”具体体现为：

一是文化学习。定期派遣优秀教师到国外参观、访学，学习外国教育研究成果，参观世界博览会，观看外国教育电影，开拓国际视域，感知丰富多彩的世界文化，促进教育教学的研究与创新；开设湖湘文化和英语文化课程，让学生同时学习本土文化和欧美文化，汲取两种文化之长。

二是文化交流。组织我校京剧社等中国民族特色文化学生社团出国，参加国际青少年艺术节，开展国际文化交流活动。

三是文化体验。每年安排一批学生出国游学，走进外国中小学校园，感受不一样的课堂文化；走进外国同学家庭，参观当地著名景点，体验不一样的历史文化、风土人情和家庭生活；定期举办国际合作的英语夏（冬）令营，组织模拟联合国活动，让更多的学生获得一种英语文化和多元文化体验。

四是文化融合。在我们校园里，建立我国学生和外国教师、外国同学和谐共处的多元文化交流的人际关系，营造团结合作的集体生活环境，建设促进国际理解的校园文化，形成以本土湖湘文化为主体，多元文化融合的学校文化氛围，使我们的学校文化能够与世界、与人类普遍的文化共识接轨。

（二）教育的价值追求

“发展个性，奠基人生”，表达的是我们学校教育的核心价值追求，它包括三层含义。

第一，把培养人、发展人、成就人作为教育根本目的。这是继承了岳麓书院“成就人才，以传道而济斯民也”的教育宗旨和理念，强调“人才”内在人格的精神力量。南宋时期，岳麓书院山长张栻强调这种理想人格的价值实现包括两个方面：内在的自我价值和外在的社会价值。当年书院教育的目标就是要使每一个受教育者能够表现出人性的潜能，使道德自我日臻完善并促成内在人格的养成；另一方面，道德人格必须完成外在社会价值的实现，两者必须具有一致性。这样，才能将“内圣”与“外王”、“明德”与“新民”、“正心诚意”与“治国平天下”统一起来。此外，我校教育的价值追求也受到鲁迅先生“立人”教育思想的影响。所谓“立人”是强调教育必须发展每一个人的个体精神自由，即教育要培养人的独立的人格、自由的思想、创造的精神。用鲁迅自己的话来说就是：“其首在立人，人立而后凡事举。”因此我们认为，把人的外在形象、人的人格气象、人的内在生命立起来，把“真正的人”立起来，是我校教育的责任，也是学校时刻要践行的教育理念。

第二，要为满足学生个人发展需要奠定基础。这是从人性的内在向往和本能的自然追求出发的，因为人总是倾向于不断追求尽可能的全面而有个性的发展。从这个理念出发，我们能够比较深刻地理解“为了每一个学生的发展”的新课程理念，使面向每一个学生，发展学生的个性成为一种自觉的办学行为。我们的教育实践追求是：要让每一个学生都有自己特别感兴趣的课程（包括国家课程、学科拓展课程和校本选修课程）、学习领域和实践活动；要让每一个学生都有经常在小组和全班展示自己学习成果的机会；要让每一个学生都学会独立思考，敢于提出不同观点和见解，遇事有自己的主见；要让每一个学生都有一项堪称优秀的特长；要让每一个学生都获得来自不同方面的肯定和奖励；要让每一个学生都享受学校生活的自由舒畅。从而进一步树立坚定地把学生培养成有独立意识、有判断能力，同时性格又是非常阳光的那样的人的教育信仰。

第三，要为满足未来社会对人的发展需要奠定基础。这是基于社会进步和发展的外在要求。因此，要为学生提供未来社会对人的发展需要的必备的基础知识和基本技能，激发学生终身学习的愿望，发展他们终身学习的能力，引导学生占有人类共享的普遍价值观，养成负责任的生活态度，具有基本的创新精神和实践能力，从而具备思考并规划人生的能力。并且，从为学生“奠基人生”出发，学校的课程、教学和德育都围绕未来全球化社会对人的发展需要设计内容、形式和学习方式。首先是开齐、上足、教好全部国家课程，让学生形成扎实的基础学力，打下宽厚坚实的“通才”基础；同时，从小学入学开始持续开设英语和信息技术课程，让学生掌握终身不断学习的工具。其次是通过转变学习方式的系统的教学改革，培养学生自主、合作、探究和批判性、创造性学习的能力，让学生掌握作为未来社会和世界公民生存与就业的技能，即21世纪基本能力。最后是通过持续不断的德育实践活动，让学生增进国际理解，形成爱心、社会责任感和与人共处的意识，发展良好的人际关系能力，以主动适应新的全球经济形势下的竞争与合作。总之，让我校教育成为使人能动地适应他所生存的生活世界的活动。

（三）学生观的时代特征

“发展个性，奠基人生”，同时也表达了我们的学生观，表达了体现时代特征的学生观。我们认为：

第一，学生是全球化时代世界背景中的人。当今世界的一个重要特征就是全球化。人与人之间、民族与民族之间、国家与国家之间相互依存的程度越来越高，国际合作与交流成为经济和社会活动的显著特征。正如国际21世纪教育委员会主席雅克·德洛尔所指出的：“世界是我们的村庄：一家着火，我们所有人头上的屋顶马上都受到威胁。一人想独自重建，那他的努力只有象征性意义。团结互助应成为我们的口号：我们每个人都应承担起自己对集体负有的责任。”① 这种时代的发展与变化，需要人们用一种开放的视野、平等的态度、相互包容的心胸来加强彼此之间的理解与合作，促进世界各国的合作与交往。在我国，随着全球化进程的加快，特别是加入 WTO 和成功举办奥运会与世博会，中国与世界的联系愈加紧密，我国与世界文化的接触正日益广泛而深入，而不同文化的碰撞也必然相伴而生。同时，未来的经济是知识经济，它是建立在获取知识、应用知识、更新知识的基础之上的；未来的社会是学习社会，在这个意义上，每个人都是终身学习者，而这种学习不再只是完成某种功利目的、实现经济回报的手段，它同时将成为人自身发展和社会发展的目标，成为高质量生活的有机部分。我们的学生恰好就生长在这样一个全球化的时代，他们虽然身在长沙麓山国际实验学校，但却是世界背景中的人。

第二，学生是现代社会的“世界公民”。我们认为，每个学生都具有可发展性，为学生的发展“奠基人生”是我们的责任。《国家中长期教育改革和发展规划纲要（2010—2020 年）》提出了“加强公民意识教育，树立社会主义民主法治、自由平等、公平正义理念，培养社会主义合格公民”的要求。教育部《关于积极推进中小学评价与考试制度改革的通知》要求“建立以促进学生发展为目标的评价体系”，把“公民素养”列入“基础性发展目标”，有没有现代公民的素养，成为学生毕业合格与否的重要标志之一。然而“公民”这一概念在西方有一个漫长的、曲折的变迁过程，在中国则经历了从臣民到国民再到公民的变迁：臣民与一种身份依附联系在一起；国民与民族国家的形成联系在一起；公民则是当代政治文化和法律的一个概念，是指具有一个国家的国籍，并依据宪法或法律规定，享有权利和承担义务的人。我国宪法规定，凡具有中华人民共和国国籍的人都是我国的公民。但是中国几千年

① 国际 21 世纪教育委员会．教育：财富蕴藏其中［M］．联合国教科文组织总部中文科，译．北京：教育科学出版社，1996：238.

臣民教育积淀下来的“臣民意识”，使我们自卑、自贱，自我压抑，胆小怕事，不敢昂头坦然说话，也不敢说我们内心渴望表达的真话。这已经不能适应现代社会的要求。今天的中国是开放的中国，是走向世界的中国。开放于中国社会、经济、文化的发展，于中华民族的未来，都具有深刻而久远的影响。因此，教育必须顺应时代的需要，着眼于受教育者未来的生存与发展，为我们的国家和民族培养新一代优秀的公民。我国日益增长的国际地位要求我国的公民具有日益开阔、超前、优秀的素质。这其中，具有国际视野，懂得国际竞争与合作的法则，树立为世界人民多作贡献的国际主义思想成为重要的组成部分。因此，公民的国际理解的意识、知识、技能和态度成为综合国力的一项指标，成为一代新人文化素养的组成部分。随着信息网络技术的蓬勃发展，全球化趋势不断加强，世界已经成为一个“地球村”，个人正在从过去民族的、国家的一员转化为“世界公民”，就是《学会生存——教育世界的今天和明天》提出的“世界的公民”①。“世界公民”的概念最早是由古希腊斯多亚学派的哲学家提出来的。当时的意思是：每一个人既是城邦的公民，又是平等的世界公民②。而后，从康德、马克思到梁启超、鲁迅，都公开宣称自己是世界公民或世界人。这些中外哲人对千古一问“我是谁”作出的肯定回答是：我是有自由思想、独立人格的公民，是视野宽阔的世界公民。其中蕴含着时代和历史的大智慧③。在英国培格曼公司出版的《邓小平文集》序言中，邓小平曾满怀深情地说：“我荣幸地以中华民族一员的资格，而成为世界公民。”他以世界眼光审视自身，追赶世界发展潮流；以积极的姿态融入世界，为世界和平发展担当责任；他珍视国家的独立主权，树立民族自信心。他反复强调，我们必须以对世界负责任的形象努力争取“世界公民”资格，确立自己应有的“世界公民”地位④。今天，生活在面向世界开放、多元文化融合的麓山国

---

① 联合国教科文组织国际教育发展委员会．学会生存：教育世界的今天和明天［M］．华东师范大学比较教育研究所，译．北京：教育科学出版社，1996：197.

②④ 成龙．邓小平的“世界公民”思想［J］．领导文萃，2011（15）．

③ 袁纬时．以世界公民的眼光审视一切［J］．文明，2009（7）．

际实验学校的学生，尽管他们毕业后会走向国内外四面八方，从事各种不同的职业，但我们有理由期待他们会有一个共同的人生，那就是成长为现代社会的“世界公民”。我们现在需要做的就是为他们的人生奠基。

第三，让学生主动发展，成为他自己。我们认为，主动性是学生生命的本质构成。每个学生都有向往美好、追求成功的愿望，都能够主动“按照美的规律来构造”自己。“主动性”是实现学生全面发展和个性发展的重要前提。学生个体具有“独特性”，也叫差异性。学生之间的差异明显的表现是性向、兴趣、特长，以及学习和思维方式、认知结构等，每个学生都存在多种发展的潜在可能性。“独特性”让我们充分认识到学生发展需要的差异，真正读懂学生，使我们的教育策略建立在学生个体身心发展的特点上。马克思主义认为，人的发展实际上是人的全面发展与人的自由发展的统一，是在全面发展基础上的“个人独创的和自由的发展”，全面发展的人同时也是具有个性和主体性的个人。激发学生的主动性，读懂学生的独特性，实现学生的全面发展和个性自由发展是我们的教育理想和行动指南。一是营造一个多元文化交融、科学与人文荟萃，中国与外国师生和谐共处，民主、开放、朝气蓬勃的校园文化氛围，激发学生发展的主动性。二是整合相关领域学科课程，培育学生科学素养、人文素养和健康向上的心理等素养，促进学生全面发展；开发学科拓展课程和丰富多彩的具有差异性的校本课程，供学生自由选修，发展个体的特长，使学生群体呈现出丰富的统一，为各种人才的成长创造条件、打好基础。三是把课堂教学建立在教师精心组织，学生积极主动参与的有效教学上，创造了英语对话表演课、语文文学作品课本剧编演课、政治时事讲评与辩论课等激发学生学习热情的新课型，同时，鼓励学生对文本的个性化解读，对教学内容的质疑问难，着力培养学生的创新意识、批判性思维和独立解决问题的能力。四是组织研究性学习、社会实践、社区服务、国际交流等实践活动，培养学生的创新精神和技能、社会适应与实践能力、信息素养、团队精神、社交及跨文化技能等，更重要的是为学生提供发展自己潜能的实践活动平台。五是丰富校园生活。学校举办体育运动会、文化艺术节；班级组织学生的自我管理和服务性的值周活动；学生凭自己的兴趣、爱好和特长，自行组织、自我管理名目众多的社团活动，为学生个性的发展、特长的形成、才干的展露创设了一个开放的大舞台。六是确立发展性学生评价理念，用“多把尺子”和过程性评价评出更多的优秀学生。品德行为、公民素养、学业成绩、实践能力、创意作品、运动水平、才艺表演、团队合作、国际交流、管理才干、爱心奉献等，行行可以出“状元”，形成“麓山学生多自信，人人都是独特的我”现象。对学生个体“独特性”的解读，学生“主动性”的发展，使我们更深刻地理解《学会生存——教育世界的今天和明天》中所指出的“教育的目的在于使人成为他自己，‘变成他自己’”①，更深刻地理解教育的目的“就是要造就学生性格上的某种发展，个性发展的某种完成”②，就是要帮助学生“修养本性，从而使受到滋养的本性变得有教养和有文化的内涵”③。

三、培养目标

培养目标是学校办学定位和办学理念的具体落实，是学校对育人质量的预期，必须符合学校的实际，具有独特性。在回顾办学历程、反思培养目标上，我们需要回答三个问题：为什么要提出和沿用这样的培养目标？培养目标的内涵是什么？培养目标是如何分解和具体呈现的？

（一）培养目标提出的背景和沿用的依据

20世纪90年代初，我校建校初期，学校创始人根据“麓山国际实验学校”校名所承载的政府和人民群众对办学的期望，提出了“面向世界，博采众长，走向辉煌”的办学理念，与之配套，将联合国教科文

① 联合国教科文组织国际教育发展委员会．学会生存：教育世界的今天和明天［M］．华东师范大学比较教育研究所，译．北京：教育科学出版社，1996：14.

②③ 刘培育．金岳霖的教育理念：讲述专家的故事（一）［N］．光明日报，2011－07－25.

组织提出的国际教育的主题思想“学会生存、学会关心”作为校训，而后又以世界眼光，将“做豪迈的中国人”作为对学生发展的总体期望。当时虽然没有明确“学会生存、学会关心”，以及“做豪迈的中国人”的具体内涵，没有作出结合本校实际的解读，但在办学过程中，这些提法已经为麓山人所接受、认同，深入人心，它们作为培养学生的统一要求，体现在教育行为中，实际上成为学校的培养目标。在我们反思办学历程，准备在继承的基础上开拓创新，谋划学校发展的时候，对学校培养目标这样的重大问题，需要明确哪些该继承，哪些要创新。

当初提出“学会生存、学会关心”，“做豪迈的中国人”这个系列培养目标，一是基于让麓山教育与国际接轨；二是当时麓山学生来自富裕家庭，养尊处优，缺乏生存能力，也不知道关心别人，让他们“学会生存、学会关心”，具有现实针对性。但由于对上述培养目标缺乏背景、内容的学习研究，没有落实到学生行为的目标分解，缺乏可操作性，也没有以此作为学生发展的评价依据。

进入21世纪，日益激烈的国际竞争，经济全球化的国际合作，中国社会的现代转型，工业社会和信息社会发展的要求，以及多元文化价值取向、伦理道德问题、复杂的文化生态环境等，对现代人的素质，对人才的培养提出了更高的要求。现代教育的本质在于解决人自身的发展与价值问题，是人的发展的潜在可能的现实实现，人的个体与群体的发展是现代教育的出发点和归宿点。

“学会生存”与国内早些年就出现的生存教育的理念和目标不一样，是1972年联合国教科文组织国际教育发展委员会报告《学会生存——教育世界的今天和明天》的主题思想。这个20世纪的教育主题所反映的是经济和科技发展、产业结构调整和劳动力市场的波动对个人的挑战，它的立论基础就是对教育目标的阐述。“学会生存”又是1996年国际21世纪教育委员会向联合国教科文组织提交的报告《教育——财富蕴藏其中》提出的“教育的四个支柱”之一，是建立在“学会学习、学会做事、学会共处”基础之上的一种基本进程，是教育和学习的根本目标，是学生可持续发展所必备的基础。为了应对21世纪知识经济时代对教育提出的要求，我国和多数国家一样，都将包括“学会生存”在内的“四个学会”作为学校教育的主要任务①。“学会关心”是1989年联合国教科文组织在我国北京召开的“面向21世纪教育国际研讨会”提出的21世纪教育的主题构想。会议认为，人类面临的生态环境危机、人口危机、资源危机和能源危机等世界性难题，绝不仅仅是对个人的生存挑战问题，而完全是人类面临的共同挑战。因此，21世纪教育应以“学会关心”为根本宗旨和主要内容。而现实的教育状况是：“今天人们对学生考试成绩的重视到了无以复加的程度，学校视学术为唯一目的。而在现实生活中，我们却生活在一个充满暴力的世界，人们苦苦寻觅精神家园。我们的孩子成长在一个缺乏关心的年代。”② 美国学者内尔·诺丁斯博士对20世纪90年代初美国教育的批评，具有普遍的现实针对性。“做豪迈的中国人”是在我国改革开放，我校面向世界办学的背景下提出的，它强调的是在全球化时代，面对国际竞争与合作，我们的学生将要做一个怎样的中国人。基于上述理论与现实需要的依据，我们决定沿用“学会生存、学会关心，做豪迈的中国人”作为学校的培养目标。

（二）培养目标的内涵

1. “学会生存”

对我校学生的目标要求：一是每个人的全面发展。落实《学会生存》报告提出的“教育应该促进每个人的全面发展”③ 的基本原则，促进学生在适合个人和社会需要的情感、精神、交际、亲和、合作、审美、体能、想象、创造、独立判断、批评精神等方面相对全面而充分地

---

① 于波，宋乃庆．中小学校长在实施素质教育中的办学角色定位［J］．教育研究，2011(6)．

② ［美］内尔·诺丁斯．学会关心：教育的另一种模式［M］．北京：教育科学出版社，2003：240.

③ 国际21世纪教育委员会．教育：财富蕴藏其中［M］．联合国教科文组织总部中文科，译．北京：教育科学出版社，1996：85.

发展。二是学生具有丰富内涵的多样性个性的发展和独立人格的形成。要求学校防止教学的功利倾向，给学生提供各种可能的发现机会和实践机会，以及发展想象力、创造力和革新活力的机会，落实《学会生存》报告提出的“学会生存，以便更充分地发展自己的人格，并能以不断增强的自主性、判断力和个人责任感来行动”、“发展的目的在于使人日臻完善；使他的人格丰富多彩，表达方式复杂多样”①。三是发掘每个人的所有潜力和才能。要求学校深刻理解学习就是人类的内在财富的观念，把着眼点从教育转向学习，从外部的“教”转向内在的“学”，强调教育的使命就是使人学会学习，从而使每个人的所有潜力和才能得到开发和发挥。

“学会生存”是一种现代教育理念，上述总目标是一个理论层面的培养目标，怎样让这样的教育理念“落地”到实践中来，怎样让这样的培养目标为老师和同学们所理解、能把握、可操作？我们基于本校学生群体已有的行为表现和发展需求，基于学生发展的主动性理念，提出了一个简约的，一听就懂，能操作、可观察、可评价的学生自我发展要求，即“自主”、“自理”、“自信”，简称“三自”。

（1）“自主”。即自己做主，有自己的主见，能对自己的行为负责。“自主”是一种权利，更是一种能力；“自主”是人的主体性的基本精神品质。我们认为中小学生“学会生存”，首先是要学会自主学习，成为学习的主体，通过独立的分析、探索、实践、质疑、创造等方法来实现学习目标，体现“主体”所具有的“能动”品质。学习的自立性、自为性和自律性是“自主学习”的三个基本特征。一个能自主学习的人，才能够不断完善自我，成为“自己教育自己的主体”②。同时通过自主学习，达到“学会学习”，即学会掌握终身不断学习的工具和应用知识于有意义实践的手段，形成探求未知的热情和实事求是的科学态

---

① 国际21世纪教育委员会．教育：财富蕴藏其中［M］．联合国教科文组织总部中文科，译．北京：教育科学出版社，1996：86－87.

② 联合国教科文组织国际教育发展委员会．学会生存：教育世界的今天和明天［M］．华东师范大学比较教育研究所，译．北京：教育科学出版社，1996：200.

度，打下宽厚坚实的“通才”基础。

（2）“自理”。首先是包括生活服务自理在内的自我管理。让学生在实践中学会《学会生存》提出的“共同管理和自我管理”①。学生在实践锻炼中形成的“自理”的理念和生存技能，是“学会生存”对人的素质的基本要求。着眼于21世纪知识经济对劳动力的要求和终身学习社会对公民的要求，对于将要成为未来社会主人的学生来说，“自理”就是“学会做事”，即：养成适应劳动世界变化的综合素质，包括狭窄的劳动技能以外的合作精神、创新精神、风险精神、交流能力等；掌握社会行为技能，包括处理人际关系、解决人际矛盾、管理人的群体等能力；发展适应未来职业变动的应变能力，包括在工作中的革新能力和在具体的市场环境中创造新的就业机会的能力。

（3）“自信”。“自信”是一种积极性，是在自我评价上的积极态度；是一种信念，是发自内心的自我认同；是对自身力量的确信，深信自己一定能实现所追求的目标。“自信”是人类文化特别需要的促进人性中积极进取的品质，以此获得勇气去面对复杂的外部世界。《学会生存》的主题思想是人的全面而充分的发展，是人的多样化“个性的完整实现”，而“自信”正是学生全面发展和个性发展，形成独立人格的良好心理基础，是学生真正成为教育的主体和“学会生存”的必要心理素质。正如《学会生存》指出的那样，“虽然一个人正在不断地接受教育，但他越来越不成为对象，而越来越成为主体了”②。

2. “学会关心”

总的目标是培养有能力、关心人、爱人，也值得别人爱的人。内容包括：明确“关心”的内容，“关心自我”，“关心身边的人”，“关心

---

① 联合国教科文组织国际教育发展委员会．学会生存：教育世界的今天和明天［M］．华东师范大学比较教育研究所，译．北京：教育科学出版社，1996：108．

② 联合国教科文组织国际教育发展委员会．学会生存：教育世界的今天和明天［M］．华东师范大学比较教育研究所，译．北京：教育科学出版社，1996：200.

陌生者和远离自己的人”，“关心动物、植物和地球”，“关心人类创造的物质世界”，“关心知识”①；培养关心他人的态度与能力，能用尊重、信任、友爱、宽容的态度与人相处，能分享、接受、给予爱和友谊；建立关心和被关心的双边关系，形成一种关心的文化；培育国际理解素养，形成多元文化意识和全球责任感，增进对远在异国他乡的陌生人的关爱之情。

“学会关心”的具体培养目标是“爱心”、“责任”与“合作”。

（1）“爱心”。“爱心”是人类的基本需要，是“学会关心”表现出的基本品质。“爱心”表现为：认识自我、接纳自我，能体验到自己的存在价值，乐观向上，从而关心自己，关爱生命，落实学生心理健康的第一条标准；关爱他人，增进对陌生人以及外国人的理解和友谊，具有被关爱的经历和关心他人的态度与能力；建立教师与学生、学生与学生之间相互关心的关系，使关心成为“处于关系之中的一种生命状态”②，一种关心的文化。“当充满信任和关心的人际关系在孩子的生活小圈子里建立起来，他们才有可能在更广泛的环境里学会关心偶尔遇到的人、陌生人以及外国人”③。

（2）“责任”。“责任”是指个人对自己和他人，对家庭和集体，对国家、社会和世界所负责任的认识、情感和信念，以及与之相应的遵守规范、承担责任和履行义务的自觉态度；“责任”体现一个人的心智和胸怀、使命和追求，体现一个人人生观、价值观和世界观，是一个人对待人生和生命环境的态度。“学会关心也必须要接受责任”④，因此培养责任感是“学会关心”的重要内容。《学会关心》主张“关注共同的人生和责任”，“为自己和他人负责”；要求教师在关心知识的同时，更关心“学生们在这个课上是否学会了认识自己的潜力，是否学会了同学间

---

① ［美］内尔·诺丁斯．学会关心：教育的另一种模式［M］．于天龙，译．北京：教育科学出版社，2003：目录．

②③ ［美］内尔·诺丁斯．学会关心：教育的另一种模式［M］．于天龙，译．北京：教育科学出版社，2003：26，142.

④ ［美］内尔·诺丁斯．学会关心：教育的另一种模式［M］．于天龙，译．北京：教育科学出版社，2003：223.

互相帮助，是否学会了承担责任和义务”，提出对那些远离我们的人负有责任，对人类创造的世界负有责任。

（3）“合作”。“合作”是个人与个人、群体与群体之间为达到共同目的，彼此相互配合的一种联合行动，是社会互动的一种形态。在全球化成为21世纪重要特征，人与人之间、民族与民族之间、国家与国家之间互相依存程度越来越高的时代，国际21世纪教育委员会向联合国教科文组织提交的报告《教育——财富蕴藏其中》提出了著名的“教育的四个支柱”的概念，其中之一就是“学会共同生活，学会与他人一起生活”①，即学会合作。“要成为一个真正的关心者，你必须敞开心扉接纳另一个人”②。因此，在学习和生活实践中，只有彼此合作才能建立关心和被关心的双边关系，要成为一个真正的关心者，必须学会合作，学会与他人沟通与交流，与他人同心协力完成学习和工作的任务。

3. 做豪迈的中国人

“做豪迈的中国人”是一个具有民族性、时代性和国际性丰富文化内涵的培养目标，是建立在“学会生存”、“学会关心”基础之上的一种基本进程，是对我校培养目标的总述。它要表达的是，学生在“学会生存”、“学会关心”的基础上，要做一个什么样的人。在全球化时代“做豪迈的中国人”，对麓山国际实验学校的学生有三个层次的目标要求。

第一个层次是做一个中国人。要求：一是“知”，学懂中国历史文化知识，知道中国现实国情，了解中国与世界的关系；二是“情”，具有中国灵魂、民族情结、爱国情怀；三是“意”，有捍卫中国主权，保护中国历史文化和自然环境资源，为中国人民谋幸福的坚强意志；四是“行”，在学习生活、社会实践、国际交流中为中国的改革开放和社会发展做出力所能及的实事。

---

① 国际21世纪教育委员会．教育：财富蕴藏其中［M］．联合国教科文组织总部中文科，译．北京：教育科学出版社，1996：82.

② ［美］内尔·诺丁斯．学会关心：教育的另一种模式［M］．于天龙，译．北京：教育科学出版社，2003：26.

第二个层次是做一个现代中国人。目标要求：全面发展、学有特长、全球胸怀、独立人格。这是我们从学生的行为中总体提炼出来的优秀表现，也是我们对麓山学生个体发展和群体精神特质的总体期望。“全面发展”的目标涵盖国家规定的包括道德品质、公民素养、学习能力、交流与合作、运动与健康、审美与表现六个方面的基础性发展目标和学科学习目标，我们要求麓山学生达到和超过学科课程标准要求的学业水平，具有扎实宽厚的基础学力。“学有特长”，我们认为，学生的特长已不限于传统意义上的艺术和体育特长，而是扩展到学生的课程学习、实践活动、国际交流、社团组织、管理服务等各个领域，演讲与口才、文学创作、科技制作、英语口语，以及沟通与协调能力、组织与领导能力、跨文化交际能力、信息收集与处理能力等都是我校具有现代特征的学生特长。“全球胸怀”就是作为“世界公民”的国际理解素养。“独立人格”指人的有形的独立（即生活上的自立）和无形的独立（即精神上的自立）。更主要的是在于精神上、思想上和心理上的独立。也就是自己支配自己，有独立的生活态度和独立的思考能力，不随便附和别人的意见和行动，自己有辨别是非、处理问题、独立作出选择和决定的能力，有创造精神、批判意识和强烈的自我实现愿望，保持一种积极向上的心态和参与社会的姿态。“独立人格”的行为表现：独立意识强，表现为习惯于独立思考，不依赖外在的精神权威；具有独立判断能力和独立自主精神；认识自我，积极评价自我，自信程度高；有较强的自主意识和进取心、主动寻求自我价值的实现；在与他人的交往中保持自身的独立性，并以个体的独立价值参与社会活动；具有较强的自身心理承受能力和独立处事的能力。

第三个层次是做一个走向世界的中国人，即成为“世界公民”。所谓“世界公民”，是指把自己置于世界体系中，具有世界眼光，不只关心自己的社区和国家，也关心世界，愿意身体力行承担全球责任的人。启蒙运动以来，一些超越国家民族的狭隘情感、具有世界情怀的知识分子，或者由于种种原因奔走于世界各地的人，把自己叫作“世界公民”。在人类进入了全球化时代，各国、各地区之间联系日益紧密的今天，可以说，人人都成了“世界公民”，即使他没有跨出国门，也可能会受到外部世界的影响，也会对他国居民产生影响，更不用说那些经常往来于不同国家的人了。“世界公民”是全球化的产物，又反过来作用于全球化。麓山国际实验学校着眼于学生的终身学习和发展，为他们成为“世界公民”奠定素质基础。麓山学生成为“世界公民”有三个维度的目标要求。一是知识与能力：了解国际知识；懂得全球相互依存的关系；认识世界与我国发展的关系；了解世界上贫穷与不公平的成因，认识可持续发展的重要性；具备合作学习、有效讨论、批判思维、欣赏差异、理解分歧、调解纷争、解决问题的能力，以及国际交往技能和国际理解素养。二是情感与价值观：确立人类共同的基本价值观；认同多元文化，尊重不同的文化与价值；设身处地地感受世界上贫穷与不公平的状况；反思个人与世界的关系；探讨中国发展对世界的影响。三是行为表现：按照人类共同的基本价值观规范自己的行为；正确分析和处理国际问题；身体力行，为个人的行为对世界的影响负责；在校园、社区以至全球层面作出行动，为建设公平、可持续发展的世界做有益的事情。为了落实“世界公民”的培养目标，我们在课程目标里将上述三维目标分解为学段目标，并以学生的具体行为表现加以呈现（见表2.1）。

表2.1 培养目标的分解和学生行为目标的呈现

学段＼目标	学会生存			学会关心		
	自主	自理	自信	爱心	责任	合作
小学1—3年级	1. 有好奇心，能表达自己的意见。 2. 遇到问题能自己尝试着解决。	1. 形成“自己的事情自己做”的意识。 2. 学会整理自己的衣物和用品。	1. 能看到自己的优点与进步。 2. 乐于接受别人注目，相信自己能行。	1. 爱护自己、保护自己，热爱生活，感受生活的快乐。 2. 爱护校园的设备设施。	1. 能保管好自己的学习、生活用品。 2. 能按照要求完成老师、家长布置的任务。	1. 主动结交几位好朋友，尊重自己的朋友。 2. 学会倾听他人的想法和建议。

续表

学段＼目标	学会生存			学会关心		
	自主	自理	自信	爱心	责任	合作
小学 4—6 年级	1. 能自己制订学习计划，并自觉完成和检查。 2. 学会自我约束，克服惰性。 3. 学会独立思考，自己处理问题。	1. 学会独立解决困难。当自己不能解决时，能主动向他人求助。 2. 以生活自理带动学习等其他方面的自理。	1. 遇到事情能作出积极的选择。 2. 悦纳和肯定自己，在总结中能不断完善自我。	1. 孝敬父母、关爱亲人、尊敬长辈和老师。 2. 主动关爱低年级的同学，热心帮助身边需要帮助的人。	1. 热爱集体，积极参与集体事务与活动，对集体负责。 2. 讲究公共卫生、有环保意识，对周围环境负责。	1. 学会表达与交流的技能，懂得基本的社交礼仪。 2. 养成主动与他人协作的态度，体会分工与合作的重要性，参与合作学习。
初中 7—9 年级	1. 学习自觉性强，积极主动参与课堂学习过程。 2. 有自主学习、自主探索的愿望，依靠自己解决学习中的“障碍”，主动获取知识。	1. 自己管理宿舍、小组和班级事务，能完成班级和学校交办的管理任务。 2. 参与家庭事务，完成力所能及的家务劳动。	1. 能正确认识和积极评价自我，敢于大胆尝试，接受挑战。 2. 在集体活动中敢于发言表达自己观点，树立自我形象。	1. 爱自然、爱社会，关爱他人，积极参加城乡手拉手社会实践活动，向农村贫困同学主动奉献爱心。 2. 珍爱生命，珍惜友谊，知恩感恩。	1. 对自己承担的集体分工有责任意识、责任能力和责任行为。 2. 对他人负责、对社会负责，在参与社会公益活动的过程中承担个人义务。	1. 参与团队活动，形成尊重、倾听、吸纳等合作的基本素养。 2. 学会平等对话交流，建立关心与被关心的关系。与外国同学合作学习，增进国际理解。

续表

目标 学段	学会生存			学会关心		
	自主	自理	自信	爱心	责任	合作
高中 10—12 年级	1. 能规划、管理自己的学习，对学习进展、学习方法能自我监控、自我反思和自我调节。 2. 对学习结果能进行正确的归因分析和自我补救，有自主探究、自我表达的能力。 3. 由内在所求选择信息，超越原有知识，学习具有自我选择性和自我建构性。	1. 能制订较周密的理财计划，管理好自己的财物；自己的事情自己做。 2. 在承担全校性管理和服务的班级值周活动中增强自理能力。 3. 参与学生社团组织的自我管理，学会做事。	1. 正确评价自我，既不自负，也不自卑；能从成功的经历中体验自身实力，增强自信心。 2. 能理智地、辩证地对待外界对自己的评价；形成辩证的自我接纳和良好的社会适应能力。 3. 有勇气面对前进过程中的问题和困难，积极进取，超越自我。	1. 能用尊重、信任、友爱、宽容的态度与人相处，能分享、接受、给予爱和友谊，形成关心他人的态度与能力。 2. 具有对于祖国、同胞和困难群体的爱心，关心社会特定人群，设身处地替他人着想，热心帮助身边需要帮助的人。	1. 注重品德修养，遵纪守法，自觉规划自己的发展蓝图，对自己的人生负责。 2. 尊重与理解他人，接纳与帮助他人，对他人负责。 3. 主动关心集体，珍视集体的荣誉，积极参加集体事务和集体活动，主动为集体发展贡献智慧，对集体负责。	1. 学会用非暴力的方法处理矛盾、解决冲突，在各种磨合中找到新的共识，并从中获得实际的体验。 2. 了解全球化社会的特征及人类本身的多样性、共同性及相互之间的依赖性，养成在多元文化中与人相互尊重、友好共存的基本态度与能力。

续表

学段＼目标	学会生存			学会关心		
	自主	自理	自信	爱心	责任	合作
高中 10—12 年级	4. 对自己的学习目标、行为、意义有明确认识，促使自己持之以恒，不断进取。 5. 在自主学习中形成批判性、创造性思维品质。	4. 积极接触社会生活，参与社会实践活动，掌握劳动技能和社会行为技能，形成创新精神、风险精神、管理能力、应变能力等适应未来劳动世界变化的综合素质。	4. 快乐自信，学习成功，全面发展，个性鲜明，人格独立。	3. 在国际交往中形成多元文化意识和国际理解素养，形成对远在异国他乡的陌生人的关爱感情。关注世界灾难，对受灾的陌生人给予同情和帮助。	4. 树立社会责任感、使命感和作为“世界公民”的全球责任感，对人类创造的物质世界怀有真诚的感激之情，养成对世界生态环境负责的品质。	3. 参与国际教育合作与交流活动，参加社区、国家、国际性的各种志愿者服务活动，理解国际交流与合作的必要性。

第三章 多元课程

课程是教育理念和教学内容的载体，学校课程体系与结构反映了学校的培养目标、学生的知识与能力结构，以及办学特色。课程体系的构建与课程实施是学校发展过程中的重要工作。我校围绕“学会生存，学会关心，做豪迈的中国人”的培养目标，在课程设置上既考虑了学生的基础学力与综合素养，同时又凸显了国际视野与开拓精神，体现出国际理解教育与多元文化融合的理念。随着时代的发展和新课程的实施，学校的课程设置不断丰富和完善，呈现多元发展趋势。学校本着“为了每个孩子的全面而富有个性的发展”、“为世界公民的人生奠基”的宗旨，认真落实国家课程计划，充分挖掘校内外课程资源，优化设计课程实施方案，实行课程多元评价，建立起全面而富有特色的课程体系，在课程建设与管理方面走出了一条独特的发展道路。

一、课程理念与发展历程

课程是国家、社会与教育工作者对未来人才要求认识的反映，也是他们对教育客观规律认识的产物。我校课程的基本价值取向合于人性、造就全人，以人格完善和人的发展为目的。学校课程的设置集中地体现了我校全体教职员工的这种价值观念。当前，提高课程的适应性、实现课程的多样化是课程改革的必然方向。为此，我们努力设置多样的课程类型，构建均衡的科目结构，完善和优化课程内容。随着教师课程实施能力和课程设计能力的提高，学校课程的发展呈现更加多样和广阔的前景。

（一）学校课程建设的基本理念

1. 面向全体学生，使每位学生掌握未来社会所需要的核心技能

教育直接以人为对象，这些人终将走向社会。教育不仅需要培养高素质的劳动者，更需要培养适合经济全球化的专门人才、拔尖创新型人才。当前，我国经济格局的多元化驱动着人才需求的多元化，特别是高速发展的信息网络技术和交通运输技术加速了全球各个民族与国家之间

的文学、艺术、哲学、宗教、风俗习惯等的交流与传播，因此，教育必须面向世界、面向未来，培养学生掌握未来社会所需要的核心技能。我校的生源结构比较复杂，每位家长对于学生的期望值都比较高，我们的教育不应该只重视少数人的发展，而应把精力放在每个学生的发展上，使其具备包括批判性思维、创新能力、分析和解决问题、终身学习、团队合作、自我管理和自学能力等核心技能，为造就既有民族情怀，又有国际视野和跨文化沟通能力的国际化人才奠定素质基础。

面向全体学生，就意味着课程应体现普及性、基础性和发展性。我校历来重视学科基础型课程的建设，课程的目标和要求是绝大多数学生都能够达到的。教师给予全体学生同样的关心和指导，同样的鼓舞和期望。无论学生的年龄、性别、文化背景、家庭背景如何，不管他们的数理基础、思维、悟性的高低，作为教师都能公正、公平地对待每一个学生，给每一个学生提供同等的学习机会，满足他们求发展、求进步的需要，使每一个学生从教师的行为中看到希望，受到鼓舞。

面向全体学生，就要把工作的着力点和落脚点放在每一个学生的身心健康成长上，一切为了学生的发展着想，一切为了学生的未来着想。通过各类课程的学习，使学生的基础知识、基本技能，使学生的科学精神和人文精神，使学生的道德品质、公民素养、学习能力、交流与合作、运动与健康、审美与表现等得到全面的发展。

面向全体学生就意味着课程的内容应该呈现多样性，应该满足不同层次学生的需求；同时，教师在教学过程中要因材施教，尊重学生的个体差异，发现优势、开发潜能，以便适应不同智力水平、性格、兴趣、思维方式学生的需要，使全体学生均能走上各自不同的成才之路。

2. 尊重生命个体，为每位学生提供个性发展的空间

教育的基本使命在于引导完备人性的建构与发展。在课程实施方面，我们以健全的生存哲学为理念基础，树立教育的生命性、未来性和社会性价值，以开发人的整体生命为潜在目的。健全的生存哲学，本质上是一种尊重人的生命、尊重人的基本自由权利、尊重个体差异和个体

生动性的哲学。这种哲学视人的生命的价值与社会的价值为个人生活不可或缺的经纬线，高度维护人的生命的发展。

我校课程建设的核心之一，是促成“文本课程”向“体验课程”转变，即从教材、教学计划、课程纲要的执行与制定等转向师生对课程的真切体验、感受和领悟。从而使得共同的课程内容对不同学生生成了不同的个性化课程形态，成为学生“自己的课程”，学生在合作、探究中，展示其独特个性和生命智慧，体验学习的乐趣，感受人格的自我成长。

我校还通过开设拓展丰富型课程，增大课程的选择性，以适应学生的实际发展需要。加德纳认为，每个人都是具有多种智力组合的个体，包括语言智力、数理逻辑智力、视觉空间智力、音乐节奏智力、身体运动智力、人际交往智力、自我反省智力、自觉观察者智力、存在智力，智力间的不同组合表现出个体间的智力差异。因此，在我们心里没有“差生”的概念，每位学生都有着发展的无限可能性。拓展丰富型课程使每个拥有不同智力潜能的学生均获得自主选择课程的机会。丰富多样的课程扩大了学生的知识领域和学习空间，为每个学生展示和发展自己的特长与个性创造了条件，使每个学生能按照自己最突出的兴趣和天赋，在原有的基础上不断进步和发展，使每个学生能在自己喜欢的天地里自由表达源自生命体验的独到见解，不断迸发思维与才情，产生驾驭知识的积极情感态度，甚至勾勒自己未来的前景，选择自己的发展目标。

3. 加强课程的生成性和开放性，实现多元发展

人是开放性的、创造性的存在。教育不应把培养中的“中点”当作“终点”，以目标取代目的。教育不能框定人的发展范围，而应该引导人全面、自由、积极、多元地发展。因而在课程建设与实施中，我们强调师生双方的积极互动，共同发展，即教师要创造性地实施课程，学生要主动探索知识的发生和发展。

课程的生成性体现在对课程目标、课程材料、教学过程和学习方式

的修正、调整与改变上。因为课程实施过程本质上是教师和学生在具体教育情景中共同合作，联合创造新的教育资源的过程。包括教材在内的教育计划只是师生进行经验创造的可供选择的媒介和可利用的资源，它仅为师生创造新的教育经验提供了一种参考框架。只有当作一种资源、媒介、参考框架的课程计划通过师生的共同解释和自主建构，并真正转化成师生体验到的教育经验时，它才是有意义和价值的。师生在具体的课程情境中，通过合作探究、自由对话和批判反思等创造和建构课程，从而促使学校和教师充分发挥创造性和主体性，去挖掘和整合各种可利用的课程资源，去收集相关课程材料，自觉开发适合学生的校本课程，设计恰当的综合实践活动主题，使学生在自主探究和合作学习中去发展创新精神、探究意识和合作能力。

课程的开放性体现在以下几个方面：从源头上来讲，湖湘文化经世致用、敢为人先、多源、包容的风气和特点，使学校课程开发更注重创新精神、实践能力、多元发展目标的实现。从资源范围来看，国际交流活动的频繁开展，学校、社区、家庭的广泛参与，使课程日趋完善和丰富，使学校成为具备不断生长和自我更新能力的开放组织系统。从内容上讲，意味着科学世界（书本世界）向生活世界的回归，生活世界是科学世界的基础，是科学世界的意义之源，教育也必须回归生活世界。要把学生的个人知识、直接经验和生活世界看成重要的课程资源，要尊重学生的个人感受和独特见解，使学习过程成为一个富有个性化的过程。从过程来讲，学生带着自己的知识、经验、思考、灵感和兴致参与到课程的学习当中，使课堂呈现丰富性、多变性和复杂性。

基于上述理念，我们建立了学科基础型课程、拓展丰富型课程、活动实践型课程三类课程相结合的课程体系。

（二）学校课程建设的主要原则

1. 三类课程互相协调与动态平衡的原则

首先，不论是哪一类课程，也不论课程最初建设的背景如何，都应该与国家课程改革的指导思想和目标保持一致，与学校的办学理念和培养目标保持一致。其次，三类课程应各有侧重，学科基础型课程通过课程创生培养学生的基础学力，体现基础性、生活化；拓展丰富型课程满足学生的兴趣和发展学生的个性特长，强调科学性、人文性；活动实践型课程强调活动性、创造性，探讨跨学科单元的整合与多个领域的渗透，培养学生的国际理解素养，并力图实现技术能力和共通能力的协调发展。三类课程课时比例在国家课程计划的基础上，根据小学、初中、高中各学段及寄宿制学校的特点进行微调，保证各类课程之间的动态平衡、相得益彰。

2. 课程的权力与职责相统一的原则

在实施学科基础型课程时，要保证国家课程的有效性和权威性，不能随意增减课程门类，但教师可以根据学生实际进行校本化的实施。对于由国家设置、地方和学校根据实际开发的综合实践活动课程，学校要根据纲要所设定的基本框架规划中小学活动的基本类型、基本内容和具体活动方案。对于其他各类课程，学校和教师具有自主开发课程的决策权、选择权，同时，也要承担相应的管理职责和开发任务，促进学校的发展。要坚持学校课程实施的严肃性，建立学校课程开发和管理的有效机制，监督和评估课程实施的过程，发挥学校课程的积极作用。

3. 课程的目标、内容、实施、评价一体化的原则

课程目标的制定、课程内容的选择与组织、教学方式和学习方式的运用与改革、课程资源的开发、学生活动的组织、课程评价机制的建立等，都是课程研制或课程实施的关键行为要素，每个要素相互关联，缺一不可。因此，教师不能仅仅站在微观的教学具体层面来思考问题，而要树立科学的课程观、教学观和人才观。在课程实施过程中，应通过课堂观察、情境分析、效果检测等，反思课程方案的合理性和实施的科学性，及时调整课程目标，增删课程内容，改进教学计划，提高教育教学质量。

4. 调查、研究、实验相结合的原则

教师应经常了解世界各国教育改革动态，如研究美国的职业生涯教育、科技高中，芬兰的“不分年级制”，澳大利亚的“促进创新科学计划和数学教学计划”等，分析其课程改革的精髓，结合我们的国情和校情批判性地借鉴引用；深入调查学生的需求与教师现状、社区资源，把这些调查结果作为学校课程开发与教学改革的重要依据。同时，作为一所实验学校，我们把课程实施的过程视为一种科学研究的过程，将教学与研究、实验相结合，以项目、课题推动的方式推动课程的高品质发展，沟通学生的现实生活和可能生活，适应不同学生的发展需要，使不同层次的学生都能获得成功感，使课程文化进入学生的生活。

（三）学校课程发展的历程

我校课程的发展秉承建校时的办学理念，与时俱进，不断开拓，经历了探索、调整、整合三个阶段。

1. 与世界接轨的探索期

“高水平”、“国际化”、“实验性”的学校定位，注定了课程设置的创新性。我校目前的规模与品牌是从小学逐步发展壮大起来的，最初的课程开设，有点像西方的私立学校，课程和教材的选用均参照香港的做法。学校在市政府的政策支持下，打破常规，采取必修与选修相结合的方式设置课程。在开设国家教育部规定的课程外，大胆使用西方教材和国内教育专家开发的实验教材，并增设英语、文学、书法、计算机、形体五门作为学生必修的课程，尤其注重英语与计算机课程。因为初创者富有远见地认识到外语能力和计算机能力，将成为学生今后发展与适应社会发展的基本能力；英语的地位将在全球化发展过程中日益凸显，计算机能力将成为信息社会人们的基本技能之一。当今社会的发展，无疑证明了当初办学者在课程设置方面的远见卓识。20 世纪 90 年代初期，

我校增设新课程和使用新教材的做法，为长沙市乃至湖南省开辟了课程开设的创新之路。

具体课程设置和课时安排为：除开设当时国家教育部规定的基础性课程外，一年级起每周增设四节英语课、一节形体课、一节文学课、一节书法课，从二年级起每周增设两节计算机课。同时，学校还提供合唱、钢琴、篮球、田径、武术、美术、书法、舞蹈、写作、计算机、航模、工艺等选修课程，开全省校本课程开发之先河。

2. 与现实对接的调整期

学校在发展过程中，课程开发与实施面临以下挑战：其一，当时的教师习惯了按部就班、按图索骥的课程执行者角色，普遍缺乏课程开发意识，缺乏持续系统开发课程的能力，教师整体课程创新能力不强。其二，学校较为"年轻"，在课程管理与教师培训等方面缺乏经验积累，各级教研部门和科研院校的指导与合作也比较欠缺。其三，学校在开设国家教育部规定的课程时，所使用的教材与长沙市的教材不一致，在当时注重知识记忆忽略能力考核的评价模式下，我校学生难以面对长沙市统一的学业水平考试，而他们的知识与技能优势、综合素质优势则无法通过统一的考试凸显出来。"质量标准"的不同，使学生往哪里输送成为最急切需要解决的问题。这些问题制约了学校的发展，也使部分家长对学校的办学质量产生了怀疑。虽然接着学校又增设了初中部和高中部，学生可以从小学到高中一路直升，但仍然面临学生不能向外界流动的问题。迫于现实的压力，我们回归到了本土课程体系。在将课程本土化的同时，尽量做到"和而不同"。在教材使用上，对于国家教育部规定的课程，教材的选用与学校所在的区域趋同；课程设置上，保持并发展原有的特色部分，与其他学校有异。在此思路下，学校课程作了如下调整。

小学阶段，继续传承传统的英语、书法、形体、计算机课程，另外每个班级连续三年统一开设一门拓展课程，开设科目有电钢琴、手风琴、小提琴、美术、二胡、声乐、航模、车模、英语口语、文学等。开设的选修科目有：围棋、舞蹈、古筝、书法、国际象棋、拉丁舞、跆拳道、网球、车模、航模、电脑动画制作、陶艺、作文提高、数学奥赛、剑桥英语、足球、篮球等。

初中阶段，以各类兴趣培训活动小组的形式，开设了作文、数学奥赛、数学兴趣、英语兴趣、英语口语、德语、日语、生物兴趣、Flash动画、网页制作、机器人、美术、舞蹈、声乐、篮球、足球、无线电测向17门选修课程。这一阶段极大地扩大了学校拓展课程的种类，也打造了一批学校的精品课程。

高中阶段，按照国家和省颁课程计划设置课程，成立部分课外活动小组、学生社团。同时为了满足部分学生出国深造的愿望，学校成立国际部，并采用国际化的课程设置。

3. 新课程背景下的整合期

新课程给我校带来了新的机遇和挑战。2003年秋季，湖南省全面铺开义务教育新课程实验，2007年推行高中新课程。使我们备感欣慰的是，我校前期近十年的实验和探索，与国家新一轮课程改革的理念和要求部分一致，如："改变课程过于注重知识传授的倾向，强调形成积极主动的学习态度，使获得基础知识与基本技能的过程同时成为学会学习和形成正确价值观的过程"①；"改变课程实施过于强调接受学习、死记硬背、机械训练的现状，倡导学生主动参与、乐于探究、勤于动手，培养学生搜集和处理信息的能力、获取新知识的能力、分析和解决问题的能力以及交流与合作的能力"②；"学校应努力创造条件开设选修课程"③；"在义务教育阶段的语文、艺术、美术课中要加强写字教学"④等。由此验证了我校前期的探索是有价值的，是符合教育发展趋势的。因此，当新课程来临时，我校教师和学生能快速地适应新的变化。然

---

① 钟启泉，崔永漷，张华．为了中华民族的复兴　为了每位学生的发展——《基础教育课程改革纲要（试行）》解读［M］．上海：华东师范大学出版社，2001：4.

②③④ 钟启泉，崔允漷，张华．为了中华民族的复兴　为了每位学生的发展——《基础教育课程改革纲要（试行）》解读［M］．上海：华东师范大学出版社，2001：5.

而，在教师教学方式和学生学习方式的变革方面，我们仍然存在一定的问题；在综合实践活动课程的实施、评价机制的建立等方面，我们也面临着许多困惑和挑战。通过分析，我们进一步形成了新的课程建设思路：优化基础课程，深化拓展课程，新建实践活动课程，探索国家新课程的实施途径，把教学改革和学习方式、评价方式的改革作为重点内容攻关。

按照国家和省颁新课程计划，至2010年，我校完整实施了从小学一年级到高中三年级的新课程标准和新教材的实验。新课程改革实验在课程开发上赋予了学校更多自主权，鼓励学校根据自身优势，开发出富有特色的校本课程。学校继承原有的课程优势，保留精品课程、特色课程，并将原来的兴趣小组和拓展课程赋予新的内涵，进一步发展和完善可供学生选择的多样化的校本课程。

2009年9月，学校课程领导小组总结建校16年来在课程探索方面的经验，邀请课程专家进行研讨，系统梳理我校的课程体系。我校现在的课程，目标更加明确，结构更加清晰，内容更加全面，实施更加有效，评价与管理进一步到位。整个课程建设进入系统化整合时期。构建了如下的学校课程体系：

在课程目标上，明确培养学力扎实、发展全面、胸怀全球、人格独立、特长突出的“世界公民”，保证麓山的每个学生“会一门乐器，懂两国以上语言（汉语、英语及其他外语），擅长两种书法（硬笔书法、软笔书法），掌握七种能力（批判性思维能力、创新能力、分析和解决问题能力、终身学习能力、团队合作能力、自我管理能力、自学能力）”；在课程结构上，建立学科基础型课程、拓展丰富型课程和活动实践型课程相结合的课程结构；在课程内容上，做到科学与人文、本土与国际相结合；在课程计划对实施的要求上，采取必修课程与选修课程相结合的形式；在课程实施上，将过程与结果、预设与生成相融合；在课时长短上，采取长课时与短课时相结合；在课程表现形态上，做到显性课程与隐性课程（文化熏陶）相结合。从而实现课程观念、课程目标、课程结构、课程内容、课程实施、课程管理和课程评价的全面变革。

二、学校课程结构与门类

从小学到初中、高中共计 12 年，这是人生成长中非常关键的岁月。我校不仅关注学生的学习状况，同时也非常注重促进学生的生命成长；不仅关注学生能力发展的一般性要求，同时坚持学生个性发展和能力培养的层次性。在课程开设上，我校更注重课程的系统性、连续性和一贯性，关注学生从小学到初中、高中三个学段的持续发展，在综合考虑学生的年龄特征、学业水平和综合素质的基础上，进行课程的整体规划，强调课程目标的学段对接，如英语、信息技术、国际象棋、足球、民乐等课程，均是从小学一直到初中、高中持续开设。

基础教育的课程功能由普及功能与选拔功能、个体功能与社会功能、适应功能与超越功能之间的矛盾关系所构成。学校课程设置与开发首先要正确处理上述不同功能之间的矛盾，保证课程结构的均衡性、综合性、连续性、灵活性、多样性、选择性与层次性，且突破时空局限，形成立体的发展性课程结构体系。

（一）学校整体的课程结构

课程结构是学校整个课程体系的呈现，反映了学校整体的培养目标和人才的能力结构。为了保证课程结构全面、协调的架构，实现我校的培养目标，在经历了“与世界接轨的探索期”、“与现实对接的调整期”、“新课程背景下的整合期”三个发展阶段后，我校最终在国家课程、地方课程和校本课程三级课程管理的基础上，根据学生的认知规律与发展实际，对课程体系进行了重新构架，形成了学科基础型课程、拓展丰富型课程、活动实践型课程相结合的课程结构（详见表 3.1）。小学、初中、高中三个阶段共开设了 100 多门课程，三种课程类型可以在一个轨道上运行。但应该强调的是，每一种课程都只具有相对的意义，将三类课程合理搭配，加强相互间的沟通和联系才是最重要的。

表 3.1 学校课程结构

<table>
<tr><th>课程类型</th><th>学习类型</th><th>主要目标</th><th colspan="3">课　　程</th></tr>
<tr><td rowspan="10">学科基础型课程（必修）</td><td rowspan="10">共通性学习</td><td rowspan="10">重在培养学生的基础知识、基本技能、基本德行，注重课程内容的基础性，同时在学习任务的广度和深度、难度方面也有一定的层次性，促进学生基础学力的形成，促进每一位学生的全面发展。从整体上实现国家课程规定的目标要求，同时又能促成麓山国际实验学校学生共性和特质的形成。</td><td>领域</td><td>国家基础类课程（必修）</td><td>学科延伸类课程（必修）</td></tr>
<tr><td rowspan="2">语言与文学</td><td>语文</td><td>母语阅读
经典诵读</td></tr>
<tr><td>英语</td><td>英语听说（小学）
英语听读
英语文化</td></tr>
<tr><td>数学</td><td>数学</td><td>生活数学</td></tr>
<tr><td>人文与社会</td><td>小学：品德与生活、品德与社会
中学：思想品德（政治）、历史、人文地理</td><td>小学：礼仪
中学：心理辅导、社会观察</td></tr>
<tr><td>科学</td><td>小学：科学
中学：生物、物理、化学、自然地理</td><td>科学与生活</td></tr>
<tr><td>艺术</td><td>美术
音乐</td><td>小学、初中：中国书法
小学：器乐训练、舞蹈形体
高中：艺术鉴赏</td></tr>
<tr><td>体育</td><td>小学：体育
中学：体育与健康</td><td>体能训练
文体活动</td></tr>
<tr><td>技术</td><td>高中：通用技术、信息技术</td><td>园艺</td></tr>
</table>

续表

课程类型	学习类型	主要目标	课　　程
拓展丰富型课程（选修）	选择性学习	体现知识的扩展、丰富性和综合能力发展的要求，学生的兴趣、个性和潜能得到发展，终身学习方法和能力得到培养，具有职业规划意识，逐步形成独立人格；有特殊才能的学生得到更大的提升。	科学技术类
			社会文化类
			生活技能类
			语言工具类
			心理品质类
			运动竞技类
			艺术修养类
活动实践型课程（必修、选修）	探究性学习	体现兴趣培养和适应合作学习的需要，使学生能自主组织、设计和尝试各项活动。在专题性和综合性的实践活动中，形成一定的自主学习和自我管理能力、社会适应能力，特别是创新精神和实践能力、国际理解素养得到明显提升。	综合实践活动
			社团活动
			国际交流活动
			学科主题活动

注：表中未特别注明中小学的课程名称为小学、初中、高中均有的课程。

从表3.1可以看出，在课程目标上，各类课程既有共同的培养目标，又各有侧重；在学习方式上，学科基础型课程重在共通性学习，拓展丰富型课程重在选择性学习，活动实践型课程则重在探究性学习。由于我校包括小学、初中、高中共12个年级136个班级7800多名学生，因此，课程门类十分丰富，在保证国家课程全面落实的前提下，增加了课程设置的弹性。课程在相对稳定的基础上根据学生的需求变化可进行动态调整。三大类课程相互关联、渗透，协调发展，构建了一幅持续的、立体的、动态的课程图景。

（二）学科基础型课程

学科基础型课程强调学生基础学力的培养，体现国家对公民素质的最基本要求，更体现"国家共性"和"'麓山'共性"的融合。基础学力是学生在学习过程中获取新知识所必需的基本学习经验和学习能力，它主要包括基本的知识经验准备和基本的学习技能两个方面，是学生更高层次的综合学力以及指向某一特定学科或知识领域的特殊学力形成的基础。学科基础型课程包含国家基础类课程（除综合实践活动外）和学科延伸类课程，均是我校全体学生必修的课程。其中，学科延伸类课程是对国家课程进行二度开发的课程，即国家课程的强化、延伸和补充。根据我校学生的实际和螺旋上升的需要，为进一步促进学生形成"麓山"特质、"麓山"共性，我校在广泛征求学生、家长意见的基础上，综合各学科领域的性质与特点，在每个学段的每个领域均开设了一门或多门学科延伸课程。

小学阶段包括：英语听说、英语听读、英语文化、母语阅读、经典诵读、生活数学、中国书法、器乐训练、舞蹈形体、体能训练、文体活动、礼仪等。

初中阶段包括：英语听读、英语文化、母语阅读、经典诵读、生活数学、中国书法、体能训练、文体活动、心理辅导、社会观察等。

高中阶段包括：英语听读、英语文化、母语阅读、经典诵读、生活数学、体能训练、文体活动、心理辅导、社会观察、园艺等。

学科基础型课程是基础，是根本，是学生发展的起点。一方面，大家积极引导学生建构可再生长的基础知识和可再发展的基本技能，使学生获得较为全面的发展；另一方面，大家也十分注重个体差异，关注学生的思维训练和对知识的综合运用能力。从教育行政部门对学生学业水平的统一测试来看，无论是优秀率还是合格率，我校近几年来都稳居全市乃至全省的前列，体现了学科基础型课程建设的高水准和高质量。这源于我校有一支优秀的教师队伍，他们精诚团结、乐于合作、敢于创新。对于国家基础型课程，各年级组教师集体备课，共同探讨教育教学的有效方法；对于学科延伸类课程，各学科教师合作开发，集体研讨，资源共享。

（三）拓展丰富型课程

拓展丰富型课程是指学校开发的内容丰富、形式多样、尽可能满足学生选修的个性化校本课程，课程采取选修的形式实施，自选（自由选择）与限选（有某项潜质的学生修习的课程，如信息学奥赛、足球、班团队活动等）相结合。拓展丰富型课程以培育学生的主体意识、完善学生的认知结构、提高学生自我规划和自主选择能力为宗旨，着眼于满足学生的兴趣爱好，丰富学生的学校生活，挖掘学生的智力潜能。拓展丰富型课程的开设，有利于促进学生的个性发展，促进教师的专业发展，促进学校特色的形成。我校在对学生、教师、家长以及社区等进行了广泛需求评估的基础上，利用自身独特的课程资源优势和国家课程设置方案预留的课时空间，采取教师开发为主与学生开发为辅相结合的方式，在中小学自主开发了各种门类的拓展丰富型课程，在内容设计与组织形式上突出了灵活性与选择性，尽可能多地满足学生的多样化发展需求。

1. 小学部拓展丰富型课程的结构与门类

小学拓展丰富型课程以“满足学生兴趣、激发学生潜能、丰富校园生活”为主要目的。小学生的兴趣具有以下特点：由直接兴趣逐渐向间接兴趣转化；兴趣广度逐渐扩大，但缺乏中心兴趣；随着年级的增高，兴趣逐渐由不稳定向稳定发展。为此，我校小学部开设了近 30 门拓展丰富型课程供学生选择，以满足学生的兴趣发展需要，并从中发现学生的潜能，尽早为学生提供合适的教育，分层级编班授课，引导学生自觉地、积极主动地进行学习和探索。我校开设的拓展丰富型课程，按选修方式分为限选和自选两类（见表 3. 2）。

表 3.2　小学部部分拓展丰富型课程

类别	科学技术类						艺术修养类							
课程名称	航模	建模海模	车模	信息学奥赛 2	趣味数学 2	生活数学 2	合唱	管乐演奏	京剧	舞蹈 1	舞蹈 2	古筝	声乐	唢呐
选择方式	限选	限选	限选	限选	限选	限选	限选	限选	限选	限选	自选	自选	自选	自选

类别	艺术修养类							运动竞技类				
课程名称	钢琴基础训练	钢琴点	少儿书法	少儿美术	手工艺制作	美劳与创作	速写创意	男篮	足球 2	乒乓球	国际象棋	国际象棋
选择方式	自选	自选	限选	限选	限选	限选	限选	限选	限选	限选	自选	限选

注：文中标明的数字表示根据学生学习内容深度来定的层级，比如“舞蹈 1”表示该课程为初学层次，“舞蹈 2”表示该课程是针对已学一年或已经有一定舞蹈基础的学生的层次。

2. 中学部拓展丰富型课程的结构与门类

中学拓展丰富型课程以“拓宽学生视野、发展特殊才能、尝试职业规划”为宗旨，为其未来学习、生活和工作打下基础。课程开发采取“目标主导式”，如近代湖湘文人研究、中国文化、书法等着力于弘扬本土文化和本民族文化；现代热点问题研究、外语歌曲、国际交流等重点培养学生的国际视野，探讨和体验异国文化；应用物理、现代生物技术的应用与发展、科技发明创造等则重在培养学生的创新能力和对知识的综合运用能力；心理咨询、摄影创作、新闻采访、网页制作、汽车制动技术等则主要是让学生掌握一定的生存技能，具备较强的社会适应能力，学会关心自己、关心他人、关心自然、关心社会，学会共处等。具体来讲，有如下门类：

科学技术类：应用物理、应用化学、学科竞赛辅导（数学、物理、化学、生物、信息学）、环境保护、化学实验、化学与生活、数学思想方法、现代生物技术的应用与发展、动植物标本采集与制作、数学史、发散性思维训练、数学基本问题解法集萃、数学典型问题整合、科技创造发明、信息学奥赛、物理学科发展与人类生活的变迁、物理与现代生活、物理学家ABC、化学学科发展与人类生活的变迁、化学与魔术、生物学科发展与人类生活的变迁、航空模型、科技制作与创新、汽车原理与车辆模型制作、玩具中的科学、建筑技术与科学、电脑作品制作、电脑绘画和平面版式等。

社会文化类：专题阅读与个性化写作、中国现代史、书法、绘画、红楼梦研究、现代热点问题研究、近代湖湘文人、中国文化经典、社会观察、国际关系之我见社会热点问题大课堂、两汉前期寓言文学研读、民俗概述、大观园里的小姐与丫鬟、双百人物及新中国党史介绍、民国风云人物传、中国历史之谜等。

生活技能类：摄影创作、新闻采访、食用菌栽培技术、汽车制动技术、爆破技术、激光技术、家庭电路与布线、家庭绿色化学、湖南特色风味制作、常见微生物与疾病、汽车驾驶与保养、传统美食制作工艺揭秘等。

语言工具类：外语歌曲、英语朗诵、英语口语（英语角）、英语写作、英语句式、文言文翻译技巧、英语休闲阅读、英文电影赏析、日语、德语等。

心理品质类：心理健康教育、团体心理辅导、心理咨询、沙盘游戏等。

运动竞技类：定向越野、健美民间体育、体育游戏、游泳、足球、篮球、太极拳、女子防身术等。

艺术修养类：京剧、芭蕾舞欣赏、声乐表演、舞蹈、器乐、中国画欣赏、速写训练、陶瓷和雕塑欣赏、湖南本土音乐鉴赏、中国古代音乐鉴赏、中国曲艺欣赏、毕加索艺术鉴赏、现代艺术鉴赏等。

教师作为课程开发的主体，努力开发有价值的课程资源，探讨灵活多样的教学方式，组织开展各种形式的活动。学生不仅主动参与学习，而且也主动参与到课程内容的选择、课程资源的开发和对课程的评价当中来，协助教师一起，使课程更加具有适应性和创新性。在这一课程空间，学生通过自主选择、自主参与和多样的学习方式来获得"自由"的发展。表3.3为中学部部分拓展丰富型校本课程的门类与主要授课内容。

表3.3　中学部部分拓展丰富型校本课程目录

课程名称	主要内容
两汉前期寓言文学研读	1. 远古创始期寓言：寓言与民族思维、传统思想的关系；2. 远古创始期寓言：寓言与古典文学的关系及远古神话与文化概况；3. 战国争鸣期寓言：墨子和孟子寓言；4. 战国争鸣期寓言：庄子、列子、韩非子寓言；5. 两汉沿袭期寓言：《新语》与《新书》；6. 两汉沿袭期寓言：《淮南子》、东汉寓言及两汉诗体寓言。
民俗概述	1. 民俗概述；2. 物质生活民俗；3. 岁时节日民俗；4. 仪礼民俗；5. 信仰民俗；6. 民间口头文学（神话、传说）。
数学思想方法	1. 函数与方程（一）；2. 函数与方程（二）；3. 数形结合（一）；4. 数形结合（二）；5. 化归与转化；6. 分类讨论。
英文电影赏析	1.《谍中谍》中的实用台词赏析；2. 实用台词的模仿运用；3. 007系列中的实用台词赏析；4.《暮光之城》中的实用台词赏析；5. 综合检测实际运用。
心理健康教育	1. 认识你自己；2. 高中生适应性训练；3. 青春期心理疏导；4. 如何做情绪的主人；5. 人际交往中的几个问题；6. 了解你的学习风格；7. 如何应对考试压力。
物理与现代生活	1. 力学与现代生活；2. 热学与现代生活；3. 光学与现代生活；4. 电学与现代生活；5. 核与现代生活；6. 航天与现代生活。
物理学家ABC	1. 阿伏伽德罗、阿基米德、爱迪生、爱因斯坦、安培；2. 昂内斯、奥斯特、巴耳末、贝克勒耳、玻恩；3. 玻尔、玻意耳、伯努利、布朗、布鲁诺；4. 查德威克、查理、德布罗意、邓稼先、狄拉克；5. 笛卡尔、第谷、丁肇中、法拉第、菲涅耳；6. 费米、伏打、富兰克林、伽伐尼、盖·吕萨克；7. 盖革、盖利克、高斯、哥白尼、海森伯。
化学与生活	1. 指纹检查实验；2. 制作固体酒精；3. 制作水果电池；4. 探究乙醇的化学性质；5. 葡萄糖、淀粉、蛋白质的特性实验。

续表

课程名称	主要内容
汽车驾驶与保养	1. 汽车发展史、发动机组成及其工作原理；2. 底盘构造及其工作原理；3. 汽车、能源与材料、新技术在汽车及交通中的运用；4. 汽车驾驶基本知识与技巧；5. 汽车例行保养与维护；6. 汽车综合知识大讨论。
传统美食制作工艺揭秘	1. 臭豆腐制作工艺揭秘；2. 皮蛋、咸鸭蛋制作工艺；3. 冰糖葫芦制作工艺；4. 槟榔制作工艺；5. 检测（美食品评）。
国际关系之我见	1. 中日关系（背景介绍、现状、发展动态）；2. 集体讨论：如何完善中日关系；3. 中美关系；4. 集体讨论：如何完善中美关系；5. 中国与世界主要大国关系的概括与总结；6. 收集学生论文并进行评比。
速写训练	1. 人物头部结构讲解及训练；2. 人体上肢结构讲解及训练；3. 人体手部结构讲解及训练；4. 人体下肢结构讲解及训练；5. 人物动态变化训练；6. 人物衣纹变化训练；7. 人物场景速写；8. 动态的设计及创作。
中学地理课外拓展与野外考察	1. 宇宙奥秘的探究；2. 天文观测；3. 湘江水文水质考察；4. 岳麓山地质地貌考察；5. 生活中的地理探究；6. 校区地图测绘；7. 美丽中国探秘（一）；8. 美丽中国探秘（二）。
中国历史之谜	1. 岳飞被害之谜；2. 明建文帝踪迹之谜；3. 吴三桂降清之谜；4. 顺治帝出家之谜；5. 雍正帝继位之谜；6. 光绪帝猝死之谜；7. 杨贵妃下落之谜。

（四）活动实践型课程

活动实践型课程主要是从学生的兴趣与生活经验出发，通过学生的亲身体验和实践，运用自主性、合作性、探究性等学习方式，主动发现和提出问题、探究和解决问题，培养学生自主与创新精神、研究与实践能力、合作与发展意识的课程。我们把综合实践活动、社团活动、国际交流活动、学科主题活动都称为活动实践型课程。其中的综合实践活动课程为国家规定、校本开发，是必修课程。社团活动由学生自主选择，我校先后诞生了动漫社、棋社、京剧社、民乐队、篮球队、模拟联合国、麓山枫文学社、街舞社、时事评论社、羽毛球社、乒乓球社、合唱团、民乐团、舞蹈队，还有广播站、记者站等27个社团。

国际交流活动是我校的常态活动，包含了我校师生定期赴美国、英国、加拿大、澳大利亚、日本等国学习考察或游学，还接受对应姊妹学校的师生来校交流访问，为增进国际理解构建交流平台。学科主题活动是以学校为单位，学科教师（或班主任）和学生全员参与，学生自主选择参与部分活动的课程。学科主题活动课程是学生学习、交流、展示的载体，它极大地激发了学生的学习兴趣，营造了师生共享的课程文化，成为我校课程的亮点。我校共有八大学科主题活动，包括：自然与科技、英语文化、生活数学、艺术活动、语文阅读、心理健康活动、体育活动、人文与社会。每个主题活动都有详细的活动框架，活动基本按每月一主题的思路构想，力求目标具体明确，内容选择精当，操作流程清晰，组织准备充分，评价反馈及时。

我校整个课程体系谋求必修课程与选修课程的多样化，保证了课程的基础性、多样性和选择性的统一；谋求学术性课程和非学术性课程的结合，保证了课程对学生的适应性和对社会的适应性；谋求学科课程与活动课程的结合，培养了学生多方面的素养和能力，为学生的全面发展和个性发展搭建了坚实的平台。

三、学校课程组织与实施

质量是学校的生命线。作为体制特殊且小学、初中、高中十二年一贯的麓山国际实验学校，更把“质量＋服务”作为立校之本。因而，本着“一切活动皆课程”的理念，在教学目标与评估的设计、内容结构的调整、教学材料的选择与组织、教学方法的运用、课程评价与改进等方面，均追求高质高效，并始终站在人的发展的角度来科学地组织实施。为了落实办学理念和培养目标，凸显办学特色，我校对课程实施环节进行了创新，教师根据课程的特定价值观和相应的课程标准，从学科知识、当代社会发展的现实需要或学习者的经验中，对学科课程内容中的事实、原理、概念、技能、态度、价值观等进行选择、调整、拓展、更新，以满足学生实际发展的需要。通过精心设计，有效处理，为学生的发展提供更切合实际的科学合理的“营养套餐”，使学生的学习领域由内向外、由点到面、由已知到未知延伸，力求进一步提升课程的育人价值。

（一）课程组织实施的策略

学校年级跨度大，学生人数多，学校课程领域广，课程门类多，给学校课程组织和实施带来一定难度，如何有序有效地组织实施是学校行政和教师们面临的一个重要问题。在这样的课程背景之下，我们重点采取了以下策略。

1. 因校制宜，长短课时结合、课内外结合

在课程时间的安排上，我们改变千篇一律的一节课 40 分钟的课时制度，采取长短课时结合、课内外结合的策略。原因之一是我校作为寄宿制学校的特点：学生在校时间长，活动时间多，学校在不增加学生课业负担的前提下，必须帮助学生合理安排学习和生活的时间，使学生劳逸结合，“学”得高效，“玩”得轻松。原因之二是我们考虑每门课程有各自的学科性质和特点，每堂课整体划一的 40 分钟，并不一定都适合各类课程的学习。长短课时结合能使得需要较长时间完成的如航空模型等课程有足够的时间来完成一个作品；而有的课程如书法、口语交际、体能训练（晨起和课间跑操）等采取 20 分钟、25 分钟或 30 分钟的短课时，如此安排，不仅符合小学生有意注意时间为 20—25 分钟的特点，而且也与课程特点和教学任务的要求相一致。

对于学科基础课程中的语文、数学、英语、历史、生物、化学等所有国家基础课程，我们基本坚持绝大部分课程按照每节课40分钟不变，而对于其中另一板块——学科延伸类课程，同样纳入周课表，采取灵活多样的时间长度，分别以20分钟、25分钟、30分钟作为一个课时单位。如，英语课程遵循短课时、高频率的原则，英语听读和英语听说分别利用晨读和午间广播站的时间进行。各年级的长短课时间安排不尽相同，一般高年级的长课多、短课少，低年级则相反。如小学四至六年级每天上午四节长课、下午"一长""三短"，一至三年级则上午"三长""两短"、下午"一长""三短"。调整后的国家基础型课程总课时与国家课程计划一致，而学科延伸类课程则主要对应校本课程和地方课程的课时比例，至于晨间、午间和课余，则在不增加学生课外负担的前提下，以丰富学生生活、吸引学生兴趣的活动短时课程呈现，学生能轻松愉快地在教师引导下自主地学习。

拓展丰富型课程的时间，采取完整日（半日）形式，即拿出一个上午或下午的时间，实行走班制。教师把所开设的可供选修的课程名称、课程简介、课程纲要、课时安排、考核方式等指标在家校互联网上公布，以供学生和家长协同选择。学生可以根据实际自由选择一到两门课程。

实践活动型课程，以集中和分散相结合进行灵活安排，一部分作为常规课纳入课表，如语言文化类课程、综合实践活动课程；一部分则分散在某一周或一个月的课余时间进行，如校园文化节；一部分利用课余时间进行，如社团活动；还有一部分利用假期进行，如国际交流。

课内外结合不仅体现在课时安排上，也体现在教学场地的使用方面。芬兰教育家苏塔玛指出，缺乏刺激性、新异性的环境会剥夺学生感官的辨别力，削弱思维的积极性，降低学生观察事物的细节和微小差异的能力。因此，教师应设置丰富的教学活动环境，有多样性的可变化的教学材料，有充足的教学活动时间，满足学生不断变化的需求。有些课程本身必须在课外上，如社区服务与社会实践；有些室内课，教师也可带领学生到室外进行，如学校操场、山坡、草地等。合理的学习环境有利于学生与环境发生积极的相互作用，为学生提供能够进行操作、改造、调节并能把它们同化纳入自己的经验体系的环境，不仅能激发学生学习的愿望和兴趣，还有利于他们在学习的过程中手脑并用，积极地思考，增加学生的感性经验，增进他们的相互交往。

2. 整体规划，促进不同学段课程的持续性发展

如果说课程结构与门类从横向层面考虑了学生素质和能力的全面与协调发展，那么具体到同一门课程，则应从纵向角度考虑学生在各个学段的目标定位和内容选择，以促进学生的可持续发展。

课程目标具有阶段性特点，是一个多层次的和全方位的系统，如小学课程目标、初中课程目标、高中课程目标。课程目标也具有延续性和积累性的特点：低年级课程目标是高年级课程目标的基础，高年级课程目标是低年级课程目标的延续和深化，没有低年级的课程目标的积累，就难以达到高年级的课程目标。不同阶段的课程目标应配备相应的课程内容。

学科基础型课程作为国家规定的必修课程，小学、初中、高中每个学段的学科课程标准都明确了相应的目标与内容要求。然而，在课程实施中，由于学生身心特点与认知规律的发展变化、教师教学方法的不同，以及课程教材的本身欠完善，我们仍然发现存在小学和初中、初中和高中不衔接的问题，教学存在知识思维层次上的差异、学法上的差异和知识体系的差异。为此，我们要求每位学科老师不仅要通读本学段各年级的教材，还要求通读小学、初中、高中的课程标准。如对于初中数学教师，要求阅读七、八、九年级的数学教材，同时还要通读小学数学课程标准、初中数学课程标准和高中数学课程标准，十二年一贯，“瞻前”“顾后”，促进学生在知识、能力和学习机制上的衔接。

对于教师自主开发的课程，除短期选修的课程外，还有一部分是小学、初中、高中都必修的课程或某学段长期开设的课程。由于这类课程处于一种探索发掘的阶段，对课程开发的定位往往把握不够精准，所以缺乏明确的目标和统一的规划。教师往往仅凭个人的经验、能力水平以及学生的兴趣爱好来开设课程，各学段各学科缺乏协调沟通，致使课程科目繁多杂乱，有的课程之间交叉性太大，授课内容有许多重复之处，缺乏自身的课程特色。多而不精，内容重复，内容过深或浅显，造成了校本课程的设置缺乏系统性和持续性。这就需要学科教师集中一起进行整体设计。如我们将“母语阅读”课程上下衔接，对小学、初中、高中各学段的目标和内容作了系统规划，关注了阅读的阶段性和发展性，体现出逐步加深拓宽、互相联系的特点。

3. 搭建平台，充分开发与利用课程资源

课程资源从广义上讲是指有利于实现课程目标的各种因素，如时间、场地、生态环境、人文景观、互联网、教师等。无论是素材性资源还是条件性资源，我校都比较丰富。为此，学校建立了课程资源的“开发—优化—利用”平台，搭建了供需通畅的课程资源良性运作机制和资源共享机制，引导教师通过收集与积累、鉴别与筛选、加工与整理等方式，把课程资源中具有教育价值和功能的要素发掘出来。

（1）现代信息技术资源的添置。2001 年我校被确定为湖南省第一批“现代教育技术实验学校”。2002 年建成校园计算机百兆网网站：http：//www. cjedu. cn。教学区、宿舍区每栋楼均接入了校园网络，使该网络成为湖南省中学中最早且具有一定规模的校园网络。现在，该网络已成为学校管理、家校互联及资源共享的重要平台。后来学校又对网络进行了升级改造。为了保证每个年级信息技术课的开设，我校共开辟了 5 间计算机教室，并全部安装有多媒体展示设备，完全可以满足信息技术课程教学和学科整合的需要。目前，我校有电脑 600 余台，每间教室都备有大屏幕背投电视机、网络接入点，累计投入 600 余万元。我校建立了校园电视台，配备了摄像机、非线性编辑系统和电视演播室。为了对教室进行点对点的广播，我校每间教室、寝室均配备有广播系统，校园电视台由学生负责摄、录、编，制作各种新闻及专题节目，每周都坚持播出。另外，我校还建立了软件教材库 1 间，配置了录音带、教学光盘（VCD 和 DVD）、网络教学资源库以及教学软件等多种教材资源，

各种资源都可随时调用，能满足各年级各学科的课堂教学使用。

（2）校内场地设施的不断完善。学校占地148亩，建筑面积11万平方米，每一个地方都发挥了它应有的功能。学校建有游泳池、体操馆、生态馆、多媒体计算机教室、语音室、烹饪教室、实验室、陶艺教室、电钢琴教室、电子琴教室、天文台、图书馆及体育馆等，这些具有生活化和现代化特色的教学场地和设备，为学生提供了更多实践体验的机会，拓展了学生的学习空间。400米的全塑胶运动场让人视野开阔，室内篮球场、溜冰场、足球场、乒乓球房、健身房、形体训练房、小剧场、儿童乐园等文体活动设施林林总总，一应俱全，让学生有了充足的活动和教学场地。如物理、化学、生物奥赛实验室，成为我校创新人才实践能力培训基地；校园内还建有小型植物园，可供学生开展综合实践活动和生物学科实践活动。

（3）校外人力资源的广泛引入。学校定期邀请社会名流、科学家、作家、儿童文学家、工程师、省市教研员等来我校举办学术讲座。我校地处长沙河西大学城，学校与湖南师范大学、中南大学、湖南大学、长沙矿冶研究院等高校和科研院所建立了很好的伙伴关系，先后邀请了中国工程院院士、人类与医学遗传学家夏家辉，中国工程院院士、杂交水稻之父袁隆平，湖南省文联主席谭仲池，著名作家和演讲家郑渊洁，长沙市文学艺术界联合会主席李少白等来校为学生作辅导讲座；聘请了中国天地卫星股份有限公司传感器专业科副总经理兼英国Senstronics公司中国区总经理周开宇为高二师生作了《传感器的开发和应用》的专题报告。我校还与中麓教育培训中心合作，引入国际象棋、围棋、拉丁舞、网球、跆拳道、京剧等课程的专业教师。

（4）国际资源的开发与利用。建校以来，我校每年聘请专职外教3—4名，他们主要来自美国和英国，担任英语教学及学校“英语角”活动的指导。同时，我校也是湖南省唯一一所接收外国学生就读、由长沙市政府指定的对外“窗口学校”，对于来自日本、韩国、美国等国的外籍学生，我们并没有单独编班，而是将他们编入各个年级和班级中，以促进相互之间文化的交流和语言的学习。我校与美国、英国、加拿大、澳大利亚等国家的20多所大学和中学建立了友好合作关系，国际部系统开展了输送学生出国深造、中外联合办学项目试行、国际英语夏令营、管理与教学人员境外考察与培训等国际教育交流活动。

（5）社区人文、自然资源的挖掘与利用。学校周围自然和人文资源十分丰富，为课程实施注入了可资利用的许多素材。如高三教师带领学生春游岳麓山时，确定多项主题，将课程实施置入活动之中，体味千年湖湘文化，了解历史名人事迹，考察生物对冬季寒冷环境的适应形式，拓展学生视野，并撰写历史小论文《湖湘文化考察》。高二教师在综合实践主题活动中，组织学生开展了“人与湘江环境”主题活动，调查湘江水资源现状、湘江水生动物生存状况等，使学生既了解了乡土地理文化，又强化了环保意识，懂得人与自然和谐相处的重要意义。高一的地理教师，带领学生对岳麓山地质地貌进行考察：清风峡附近一处典型的地质构造、一处完整的土壤剖面、一处典型沉积岩性状和爱晚亭左侧的一处倾斜岩层等。通过这种野外活动，既让学生生动地感受到地理这门自然学科的博大，又培养了学生自主、合作探究以及如何把所学知识运用于实际生活的能力，极大地丰富了学生的课外生活，调动了学习激情。

（二）课程实施示例

1. 英语学科群

英语学科群包括国家课程计划中规定的英语课程，学科延伸类课程中的英语听说、英语听读、英语文化，拓展丰富型课程中的迪斯尼英语、外语歌曲、自然拼音法、英语朗诵、英语口语（英语角）、英语写作、英语句式、英语休闲阅读、英语情景对话与考级指导等课程，以及英语文化节学科主题活动：英语“酷贝拉”主题活动（小学）、英语风采秀活动（初中）、英语沙龙活动（高中）等。其中，前两类课程为学生必修，后两类为选修。基于我校的办学定位和充足的英语师资力量，我校英语学科的起始年级为小学一、二年级，开设英语听说、英语听读、英语文化等必修课。英语课程遵循长短课时结合、高频率的原则，英语听读课和英语文化课采用20分钟短课时的形式，其余为长课时，英语文化课的教学由外教担任。

英语——执教英语课程的教师在课程实施中，总能根据学生的实际创造性地使用教材，并立足实践需要对教材进行删减、增补和调整，创造性地开发课程资源，探求新的教学途径，尝试寻找更有效的方法。如有的教师在课堂教学各阶段进行表演式教学，尝试为每个单词、每段对话、每篇课文都设置小情景，进行表演，有时把晦涩难懂的教材内容进行改造，穿插一些小型的课本剧表演，学生在排练过程中，寓学于乐，既能攻克难点，又能提高学生运用语言的实践能力。表演式教学让枯燥的英语知识“活”起来，开发学生自身与外界的立体思维，形成流动的课堂气氛，从而达到以趣激学，事倍功半的教学效果。为了丰富学生英语课余生活，教师们组织学生开展了英语歌曲比赛，并将英语歌曲比赛与英语口语比赛相结合，创造性地举办了初中学生的“英语风采大赛”，两项赛事都取得了圆满成功，在学生中引起了强烈反响，充分激发了学生的英语学习兴趣与参与积极性。

英语听说、英语听读——通过阅读故事绘本、对话、听讲座和广播、观看视频及电视节目等多种形式的英语学习，在听、说、读的训练中培养学生的听力、朗读能力和口头表达能力，使学生的语音、语调更准确，会话更流利，语法更正确，用词更恰当，内容更充实，养成良好的英语表达习惯，即学生在发音、词汇、词组、习语、文化思维等诸方面的综合能力均得到提高。

英语文化——我校的英语文化课程主要目的是培养学生的语言能力和文化意识，每个学段的目标各有侧重（详见表3.4）。

表3.4 麓山英语文化课程内容标准

	培养学生的多元文化意识和语言交际能力
小学	学习西方文化知识，掌握简单的跨文化交际技巧 （落实《全日制义务教育英语课程标准（实验稿）》中“文化意识”相应级别的各条教学目标要求，并根据日常交流和国际交流活动的实际需要提高学生的口语交际水平）

续表

	培养学生的多元文化意识和语言交际能力
初中	培养学生跨文化意识，增强英语运用的适当性 （落实《全日制义务教育英语课程标准（实验稿）》中“文化意识”相应级别全部目标要求，并在国际交流和英语实践活动中增进学生的跨文化意识）
高中	拓展学生的文化视野，培养世界意识，加深对中西方文化的理解 （落实《普通高中英语课程标准（实验）》中“文化意识”相应级别的全部目标要求，并在国际交流和英语实践活动中进一步拓展学生的文化视野）

英语学科主题活动——在每学年第二学期的第4—8周，我校举行英语学科主题活动（也称英语文化节）。英语文化节为学生提供了一个广阔的学习、交流与展示的舞台，丰富的英语实践活动，极大地提升了全体学生英语学习的主动性，也为学生提供了较真实的语言运用机会，激发了学生的英语学习兴趣。主题活动的主要内容如下。

英语广播“英语直通车”。各年级选出代表，学生自己收集资料，自己主持，在统一的时间面向所有年级进行广播。这项活动一方面帮助大家了解了一些英语知识和西方国家的风土人情，加强了对异国文化的了解；另一方面为全校学生营造了一个良好的英语学习氛围。

课本剧表演。即同学们根据课本或著名童话故事自编自排自演。这类表演效果良好，获得了老师和同学们的称赞，让孩子们对枯燥的课文内容有了重新的认识：原来课文还可以这样改编！

“英语口语擂台”比赛。以年级为单位，老师们设计了积极参与问题抢答、单词拼写、课文背诵几个环节，各环节在激烈而紧张的气氛中进行擂台赛。该活动不但提升了孩子们英语学习的兴趣，更重要的是提高了班级凝聚力。

“节日派对”。结合西方重要的节庆日，利用晚自习时间在各班组织庆祝活动，让学生在体验西方风情的时候，发展英语学习兴趣。例如，小学部举行的“万圣节派对”，让学生聆听外教讲解由来已久的万圣节传说、勾人心魄的灵异故事，参加鬼怪人物猜谜等别具心思的游戏等。

“个性作业展”。老师结合每周所学内容，设计主题作业，让同学们周末和家人、同伴一起完成个性作业。作业形式有手工制作、电脑设计、户外实践、磁带或 VCR 录制等。这种作业为学生们提供了广阔的想象空间，也给家庭提供了更多的亲子共处时间，可谓一举两得。

英语文化比赛。通过试卷的形式考查知识点：国际上最重要的文艺和体育活动、英语国家中最常见的饮料和食品的名称、主要英语国家的首都和国旗、世界上主要国家的重要标志物、英语国家中重要的节假日等。

“英语戏剧节”。老师从学生中组织一批英语爱好者和表演爱好者，选一个题材新颖的英语剧本，大家利用课余时间排练英语戏剧。老师既是英语老师，也是音乐、舞蹈辅导员，在师生共同努力下，在学校的小剧场，一台精彩的英语戏剧表演闪亮登场。这既是小演员们的盛会，也是其他孩子们的节日，每一个节目都是学生们津津乐道的话题。这种英语兴趣的影响是长远的，也是深入人心的。

“英语电影片段配音比赛”。主要是针对高中学生，以班级为单位，每班选派一组同学排练一段英语电影对白（人数不限），要求时间在 8 分钟以内。

“情景交际”。要求两个同学为一组，根据提示以话题为中心展开对话。如：Talking about a sports meeting（假如你和朋友在谈论下星期五将举行的运动会并说说自己及家人喜欢的体育运动）；Talking about a film（假如你和你的同学正在谈论自己及家人喜欢的电影）；To be a volunteer（假如你和同学将在周六去“老人之家”当志愿者，说说自己为什么去，去做什么，以及做自愿者的意义）。

在英语文化节活动中，对表现优秀的班级和个人，学校采取张榜公布、颁发荣誉证书以及赠予“酷币”（可兑换奖品）等形式进行表扬，对表现优秀和积极参与的个人可加分，并写入综合素质评价档案，作为综合素质评价等第确定的依据。

作为我校的特色课程，英语学科群强调从学生的学习兴趣、生活经验和认知水平出发，倡导体验、实践、参与、合作与交流的学习方式和任务型的教学途径，发展学生的综合语言运用能力，使语言学习的过程成为学生形成积极的情感态度、主动思维和大胆实践、提高跨文化意识和形成自主学习能力的过程。

2. 艺术学科群

我校的艺术学科群包括音乐、美术，小学部开设了书法、舞蹈形体、器乐训练，初中部开设了书法，高中部开设了艺术鉴赏等必修课程。除此之外，学校还建立了各种艺术类的社团，开展了艺术学科主题活动，开设了丰富的拓展型课程，如京剧、舞蹈、声乐表演、中国曲艺欣赏等十多门供学生选修的课程。学生通过艺术学习获得知识、技能、感知、欣赏、创造、表现、反思、评价、交流等方面的艺术能力，学会了创造美和鉴赏美。

书法——学校书法教育旨在引导学生学习和继承优秀传统文化，培养爱国情怀；培养学生良好的书写习惯和学习习惯，认真、专注、细心的学习方法以及持之以恒、不怕困难的学习态度；掌握书写的基本技能；懂得欣赏书法艺术，具有一定的审美情趣。

为了人人能写得一手好字，我校将书法课纳入课表，18 年从不间断。这与日前教育部下达的《教育部关于中小学开展书法教育的意见》不谋而合。我校书法课程实施的特点是：硬笔书法由语文老师负责指导，同时还给每个班级配设专业书法老师，根据情况聘请校外书法老师进行教学；晚自习之前全校学生在民族乐、音乐声中练习 15 分钟；常规书法课始终与语文课紧密结合，使学生既能练好字，培养良好的书法书写习惯，又能巩固语文课中的生字、词语、句子和段落。我们还将书法教育与创作班级墙报、活动展览、现场表演、各类竞赛紧密结合，大大激发了学生学习书法的积极性。

根据学生基础不同，我校书法教育设置有常规练习、辅导提高、专业训练三个层次。常规练习包含硬笔书法和毛笔书法两种。硬笔书法以人民教育出版社的《写字》教材与各年级语文教学的自编教材相结合，学习硬笔楷书和行楷书为主。毛笔书法教学采用上海书画出版社的《中学生字帖　柳体》，另根据思想教育、时事政治、学生活动等自编教材供学生临习创作。辅导提高班的培训内容有毛笔书法、硬笔书法、作品创作。创作的书法有正、草、隶、篆、行等。专业训练班是由老师从小学至高中，挑选有兴趣的学生，指导学生夯实书法基础，拓宽视野，进行毛笔书法创作和组织参赛。书法学习由专业老师和班主任协作指导，学生以学习毛笔书法为主，除按笔画、结构学习之外，还自编教材组织学生书写古诗词、对联、春联、名人名言等作品。我校学生经过各类层次的书法学习，取得了显著的成效：练过书法的学生，大都具有认真观察、准确临摹、仔细检查和及时更正的好习惯；校园墙上的书法展示等均出自学生之手；有的学生还承担起为长沙市美术骨干教师及学校老师进行写字基本功培训的任务；在湖南省书法研究院举办了麓山国际实验学校学生书法展；部分学生代表长沙市少年儿童去日本鹿儿岛友好交流，表演中国书法。

京剧——为了让学生了解和感受国粹艺术，增加文化素养和艺术修养，我校开设了京剧课。学生们通过学习京剧表演知识、京剧服装知识、京剧历史知识、京剧化装知识等相关内容，掌握一定的京剧艺术基础知识，掌握京剧演唱和表演的技术特点和技巧要领，具备经典选段演唱和表演的能力。同时，学习京剧使学生逐渐形成正确的人生观、价值观，能深刻领悟中华文化的精神风采和独特魅力，懂得京剧在世界上的影响，激发民族自豪感，使学生成为立足民族之本、融合中西方文化的新时代少年。

在课程内容方面，我们精选了传统京剧《穆桂英挂帅》选段的《猛听得》、《红娘》选段的《小姐多风采》、《霸王别姬》选段的《劝君王》、《贵妃醉酒》选段的《海岛冰轮》、《定军山》选段的《这一封书信来得巧》、《洪洋洞》选段的《为国家》、《甘露寺》选段的《劝千岁》、《野猪林》选段的《大雪飘》等，以及现代京剧《红灯记》选段的《闹工潮》和《听奶奶讲革命》、《江姐》选段的《红梅赞》、《智取威虎山》选段的《甘洒热血写春秋》和《我们是工农子弟兵》、《沙家浜》选段的《智斗》等。

京剧作为拓展丰富型课程中的限选课程，京剧班吸收了40多名嗓音条件好、有一定表演才能并对京剧有着浓厚兴趣的学生作为班级成员，聘请了全国著名京剧表演艺术家杨志伟老师和数名湖南省京剧团优秀青年教师前来授课。老师们始终坚持“寓教于乐、寓教于学、寓教于练”的教学宗旨，从基本功训练到折子戏排演，从传统经典唱段欣赏到现代京剧优秀剧目演唱，运用灵活多变的教学方式，对学生进行全面、系统的专业培训。短短两年间，我校京剧团参加了“长沙市第三届校园文化艺术节”，“长沙市‘五老进校’启动仪式”，湖南省宣传部、湖南省文化厅、湖南省戏曲家协会组织的“湖南省京剧票友‘国庆六十周年’文艺汇演”……获得领导和专家们的一致好评，得到多家媒体的采访与报道。我校京剧团曾代表长沙市受邀参加了“日本鹿儿岛·第四届亚洲青少年艺术节”，让我国京剧艺术在亚洲艺术盛宴中大放异彩。

形体训练——为了塑造“麓山”学子的形象和气质，培养他们做自信豪迈的中国人，我校从小抓起，开设形体训练必修课程，让每一个进入麓山的小学生都能掌握正确的坐、立、行的身体姿态，形成健美的体型，使男孩身形更加阳光，女孩身姿更加优美。

形体训练的课程内容包括：低年级主要以有趣的儿童舞蹈小组合为主，如《春天在哪里》、《洋娃娃和小熊跳舞》、《小雨滴》，以简单的基本芭蕾训练为辅，如勾绷脚、小抬腿、前压腿等。中年级主要以少儿芭蕾基本训练为主，如头的动作、腰的动作、地面组合、芭蕾手位等，以青少年瑜伽训练为辅。高年级主要以青少年瑜伽训练为主，如伸展式、立膝侧弯式、扭转腰背式等，以简单的青少年街舞为辅。

科学形体训练对少年儿童身心健康发展起到积极的作用，通过芭蕾基础、基本舞步、青少年形体瑜伽等的训练，改变了少数学生形体动作不合理的原始状态，提高了我校学生身体的柔韧性、协调性、灵敏性，增强了耐力素质，培养了良好的姿态和节奏感，增强了可塑性和形体的表现力，使学生掌握了形体训练的基本技巧和方法，达到了良好的形体训练效果。

3. 国际理解教育

为造就既有民族情怀，又有国际视野和跨文化沟通能力的国际化人才奠定素质基础，我校在中小学实施国际理解教育。其目的是增进不同文化背景的、不同种族的、不同宗教信仰的和不同区域、国家、地区的人们之间相互了解和相互宽容；加强他们之间相互合作，以便共同认识和处理全球社会存在的重大共同问题；促使每个人都能够通过对世界的进一步认识来了解自己和了解他人，将事实上的相互依赖变成有意识的团结互助。我校开展国际理解教育的课程和途径主要有：

国际交流——实施国际理解教育最有效的途径之一，就是让学生与教师直接参与国际互访交流活动。2006 年以来，随着学校领导、教师和学生国际互访交流活动日益频繁，我校开设了对外交流实践活动的校本选修课程，即学生自愿选修，利用寒暑假，在教师带领下，与美国、英国等国家友好合作学校的师生进行互访，开展参观访问、学习对方语言、走进对方课堂和体验对方学生家庭生活的实践交流活动。对于国际交流，我们有一套严格的组织、管理与实施办法，每次外出前，我们要组织学生开展有关出访国的地理特征、历史发展、民俗风情等国情及文化的专题讲座，有针对性地开展短期的文明礼仪训练和基本的日常口语训练；在出国交流的过程中，由所住家庭或出访国的相关老师、本校带队老师、家长及同伴进行过程性评价；回国后要组织学生进行自我反思性评价。

这些直接参与国际互访活动的教师、学生通过其所见所闻以及与外国师生的面对面交流，对国际知识有了更多更深切的了解，也为其运用各种国际交流技能提供了机会，加深了他们对运用这些技能的感受。更重要的是使他们对国外的教育、环境、文化、经济、政治、生活方式以及管理方式都有了直接的体会，从而有了更多的认同与理解，更容易形成国际理解的态度，培养世界意识。具体活动形式有：

"中华营活动"。在湖南省教育厅外事办的指导下，我校四次成功举办国际英语夏令营活动，帮助学生提高英语听说能力、运用能力以及与不同文化背景的人的交往能力。中华营寓教于乐，学生在玩中学，在学中玩。一个月内中外师生同吃同住、同玩同乐，旅游、购物，教学相长，学生在轻松愉快的英语会话环境中提高了运用英语的国际交流能力，教师学到了国外生动活泼的教学方式，同时也促进了中国和英国的文化交流（详见案例1）。

校园封闭式英语夏令营活动。为了提高学生国际交往的能力，培养学生集体生活中的协作和团结互助的精神，使学生在良好的英语环境中学习语言、体验生活、开阔视野、增长见识，我们充分利用学校的外教资源，精心设计并组织了校园封闭式英语夏令营教育实践活动（详见案例2）。夏令营在给予学生丰富的英语知识的同时，还通过寓教于乐的方式使学生受到了生活价值教育，锻炼了他们的意志品质。夏令营的成功得到了家长和社会的认可。

短期国外冬（夏）令营活动。继2001年我校成功组织赴澳大利亚冬令营后，又成功组织多次赴英国、美国的夏令营和冬令营活动（详见案例3）。学生在英国和美国为期半个月或三周的时间里，每天半天上课、半天观光考察。活动达到了让学生学习外国语言、了解英美社会文化、建立友好情谊、增进国际理解的目的。

主题统整——基于不同主题不同内容的主题探究活动或专题讲座，如世界博览会与奥运会、宗教传统与风俗习惯、国际援助、湖湘地方文化、中美关系探析等（详见表3.5）。

学科渗透——联合国教科文组织指出：在文学和语言、数学与科学、生物与卫生学、历史与地理、公民和道德教育、艺术和体育等学科的相关领域应该广泛渗透国际理解教育。我校开展国际理解教育，首先是教师确立"以人为本"、"多元价值取向"等开放的教学意识和国际理解的理念。

表 3.5 主题统整国际理解教育的内容体系

学段	课程目标	单元主题内容
小学	1. 养成自尊与尊重他人的态度，懂得基本的社交礼仪。 2. 养成基本的交流能力，掌握基本的英语口语交际能力。 3. 养成与他人协作的态度与能力。 4. 了解人类生活的地球，初步形成“地球村”的概念。 5. 了解主要英语国家的问候语和问候方式，懂得即使语言不通，但表达的情感却是相同的。 6. 初步了解几个国家的文化与生活。 7. 了解中国多彩的自然风光、文化遗产和伟大发明，了解现代中国的建设成就，形成民族自尊心与自豪感。 8. 了解中国京剧、书法、民间工艺、舞蹈等艺术形式，知道一些著名的外国建筑、雕塑、音乐作品等。 9. 知道联合国，了解中国与世界各国的交流与合作；了解全球环境和自然灾害，形成维护和平、保护环境的基本态度。 10. 了解人类共同的重要节日，形成热爱本国传统文化和尊重别国文化的态度。 11. 对人的多样性与差异抱宽容理解的态度；消除人与人之间、不同民族之间的偏见。	1. 我们的地球村 2. 世界的相互依存 3. 外国的文化与生活 4. 我国的传统节日与世界节日 5. 国际组织与国际协作 6. 可爱的祖国 7. 走向五大洲 8. 面向世界的学习 9. 世界博览会与奥运会 10. 人类的共同财富 ……

续表

学段	课程目标	单元主题内容
初中	1. 了解信息社会的基本特点，了解网络的作用，会正确利用网络信息开展学习。 2. 自觉保护环境与祖国文化遗产，尊重各民族的宗教信仰和民俗习惯。 3. 了解多元文化社会和全球化社会的特征，养成在多元文化社会中与人相互尊重、友好共存的基本态度。 4. 通过参观、调查、文献查阅等方式，了解中国传统文化的基本特色。 5. 通过小组讨论、合作学习等，了解欧美、中东、非洲等世界其他地方的民族与文化，比较中外文化的差异。 6. 通过国际交流活动，进一步了解多元文化共生、多个民族共存的和平文化对全人类发展的必要性，认识人类共生共存的意义。 7. 通过讨论和阅读史料，了解中国在国际社会中的地位，增进民族自尊心和自豪感，增进对祖国的热爱之情。 8. 了解联合国组织的机构与功能，了解联合国的援助活动，以及中国参与世界援助的情况。 9. 了解世界人口与资源环境等问题，形成“世界公民”的意识，关心人类社会的可持续发展。 10. 关注国际体育赛事，关注现代科技对人类的巨大贡献和影响。 11. 借助语言学习了解外国文化，从中外文化比较中意识到人类的统一性和差异性，以求同存异的文化心态关心“地球村”的发展变化。 12. 学会开放、包容、尊重，并能与不同文化背景的人和谐共处。树立和平、尊敬、仁爱、宽容、幸福、责任、合作、谦虚、诚实、简朴、自由、团结等各国人民认同的基本价值观。	1. 网络与世界 2. 各国传统文艺和体育活动 3. 从时事探讨国际和平问题 4. 世界资源与可持续发展 5. 国际人权与人口问题 6. 中外文化比较 7. 国际援助 8. 跨文化交际技巧 9. 宗教传统与风俗习惯 10. 人类共同的价值观 ……

续表

学段	课程目标	单元主题内容
高中	1. 学会主持小组合作学习，善于与本国和外国同学合作共同开展研究性学习活动。 2. 了解湖湘文化形成和发展的历史脉络，列举近代湖湘人物的历史贡献。 3. 阅读中外文学名著，就其主题和意义提出不同的看法或进行辩论。 4. 了解科学发展与人类的关系，了解当代世界各国科技发展的领域及其成就。 5. 主动了解国际时事和国际法，关注国际社会的和平与发展、合作与竞争。 6. 认识环境对人类生存的重要性及环境污染的危害，反对破坏环境的行为，促进人类与自然和谐相处。 7. 关注联合国的重大会议和行动，关注我国在联合国发挥的重要作用，模拟体验外交活动。 8. 参与国际教育合作与交流活动，参加社区、国家、国际性的各种志愿者服务活动。 9. 认识恐怖主义对国家安全和人民生命的危害，增强反恐意识。 10. 认识毒品的危害，拥护国际社会的反毒品行动。 11. 认识艾滋病的危害，关爱、同情艾滋病人和孤儿。 12. 同情、关爱因地震、洪水、旱灾等失去家园和财产的人群，主动帮助弱势群体，参与救援捐助行动。 13. 学习正确分析和预见国际政治、经济发展状况及其对本国发展的影响。 14. 正确认识经济竞争与合作、多元文化共存等方面的国际问题，评论我国的国际合作成果。	1. 模拟联合国 2. 化学与环境 3. 外国文学欣赏 4. 科技与创新 5. 世界文化周 6. 中国文化 7. 近代湖湘人物 8. 霍金的宇宙 9. 多元文化与主流引领 10. 英语人文与社会 11. 国际协作 12. 中美关系 13. 中日关系 14. 外国的学校文化和家庭生活 ……

其次是把各国人民都认同的基本价值观——"和平、尊敬、仁爱、宽容、幸福、责任、合作、谦虚、诚实、简朴、自由、团结"等纳入各门学科情感态度和价值观目标中，以学科教材为载体，挖掘渗透点，并融合于教学过程中。如历史组将全套教材中体现上述十二种价值观的教学内容一一整理出来，并通过课堂历史事件讲述（或表现）、历史活动课、历史知识竞赛、课堂历史剧表演等教学形式和过程，落实价值观渗透教学。高中生物组利用教材中的科学家访谈录、小资料、研究性课题和生物科学发现史等内容，进行科学素养、爱国情操、社会责任感和其他生活价值教育。

再次是采用小课堂大社会的教学方式，理论联系实际进行国际理解教育。如中学思想政治课通过师生课堂交流和模拟体验活动，把社会上发生的国际国内大事等热点问题带进课堂，或让学生参与讨论，发表自己的见解，或让学生充当社会的某一角色，体验这个角色的感受；同时开设拓展课，让学生参加社会实践，对某一社会问题进行专题调研和探究，让学生自己动手，自己总结，以此提高学生对国内外社会问题的认识，从而加强对学生道德品质、民族自豪感和全球责任感的培养。

最后是强调学科教学与现实生活、国际社会的联系，注重学科间的整合。社会科学学科，如小学语文、品德与生活、品德与社会，中学语文、历史、地理、思想政治等课程，渗透环境教育、发展教育、人权教育、公民道德教育以及各民族文化对世界文化所作的独特贡献等国际理解教育，注重文化差异的比较和相互尊重与理解；自然科学学科，如数学、物理、化学、生物等课程，渗透世界与生存环境、国际合作以及不同文化对科学发展所作的贡献等国际理解教育，注重多元文化的融合。

学生社团——在广泛开展国际交流活动的背景下，模拟联合国活跃在校园里，吸引了不少学生参与。如高一学生组织的模拟联合国社团的目的是：增强同学们对联合国组织的认识，促进他们对于国际问题的理解，以国际的眼光看问题，提高组织、策划、管理、研究、写作、公开发言、辩论、解决冲突、求同存异、与人交谈等各方面的能力。活动内容主要是社团成员通过扮演不同国家的外交官，将书本知识运用于实践，通过调查研究、演讲辩论、沟通协调、书写文件等方式熟习联合国的会议流程，充分体验外交场上的叱咤风云，深化对国际问题的理解。活动方式有播放联合国辩论会视频或幻灯片演示、现场角色扮演、模拟演讲与辩论等（详见案例4）。

国际部——高中阶段学生可以自愿选读以出国留学为目的的国际部，选择短期语言培训课程（雅思和托福考试培训）和学制班课程。学制班的课程包括高中必修的文化基础课程和英语强化课程，并具体开设语法、写作、听力、阅读、口语、学术英语等课程，使学生具有通过雅思、托福考试的实力，并促进学生对异国文化、风土人情、历史沿革、价值观、思维方式的深入了解，注重培养学生的外语交流和信息的收集与处理的能力，形成一定水平的国际理解素养。

【案例1】

国际英语夏令营

该项活动是由湖南省教育厅外事办组织，聘请英国专职英语教师，由我校学生参与的一项国际文化交流活动。

2003年国际英语夏令营麓山国际实验学校营地活动及课程安排表

日 期	上 午	下 午	晚 上
7月12日	报到注册，安排食宿，班级教室分配	夏令营开营仪式，外教分班见面会（自我介绍）	英国背景知识讲座Ⅰ（英国风土人情、皇室）
7月13日	外教口语课（国家、城市、历史）	中教辅导课（制订学习计划）、游泳	英语经典电影赏析
7月14日	外教口语课（旅游）	游泳、中教辅导课（制订旅行计划）	留英学生经验交流会
7月15日	和外教去韶山		英语经典电影赏析
7月16日	外教口语课	中教阅读写作课、游泳	我跟外教学唱英语歌

续表

日　期	上　午	下　午	晚　上
7 月 17 日	外教口语课（音乐、体育、娱乐）	中教阅读写作课、游泳	英国背景知识讲座Ⅱ（英国节日）
7 月 18 日	游览世界之窗		英语演讲比赛
7 月 19 日	外教口语课（饮食和烹饪）	中教阅读写作课、我和外教包饺子	外教英语角
7 月 20 日	游览省博物馆	中英足（篮）球对抗赛、游泳	英文歌曲比赛
7 月 21 日	外教口语课（日常用语）	我跟外教学舞蹈	化装舞会
7 月 22 日	植物园烧烤活动		英语经典电影赏析
7 月 23 日	外语口语课（我的梦想和未来）	汇报暨表彰大会节目编排	汇报暨表彰大会节目彩排
7 月 24 日	汇报暨表彰大会节目演出	闭营	

【案例 2】

美国师生走进我校

2008 年 6 月与 2010 年 6 月，我校先后迎来两个来自美国亚利桑那州图森市 Accelerated Learning Laboratory 学校的师生访问团（共计 42 人），每次进行为期两周的友好交流和访问。访问期间，他们与我校学生同吃、同住、同学习，走进课堂、走进学生家庭进行深度交流。

Accelerated Learning Laboratory 学校是国家汉语国际推广领导小组办公室和美国大学理事会向我省推荐的美国优秀中学，2007 年 6 月下旬在参加“汉语桥—美国中小学校长访华之旅”时曾对我校进行正式访问，并结成友好学校。

2008 年美国友好学校来访学生活动与课程安排

日期	授课时间	课程	主讲	助教	授课地点
6 月 2 日	10：00—11：40	汉语文化课	聂琴	谢甜	综合楼一楼·留校生教室
6 月 4 日	10：00—11：40	书法课	王建湘		综合楼三楼·书法教室
	14：30—15：15	汉语文化课	聂琴		综合楼一楼·留校生教室
6 月 6 日	14：00—16：00	羽毛球课	外请教师	武文碧	体操馆·羽毛球场地
6 月 10 日	8：00—9：40	汉语文化课	聂琴		综合楼一楼·留校生教室
	10：00—11：40	乒乓球课	林冲	王建湘	教学楼一楼·乒乓球教室
6 月 11 日	14：00—15：30	民族乐器课	外请教师	张重重	综合楼五楼·古筝教室
	16：00—17：15	武术课	刘飞		艺体楼二楼·中学形体房
6 月 13 日	8：00—9：40	汉语文化课	聂琴		综合楼一楼·留校生教室
	10：00—11：40	书法课	王建湘		综合楼三楼·书法教室
	14：00—15：30	国画课	曹健斌	王建湘	教学楼一楼·美术教室

【案例 3】

我校师生走出国门

走进美国

2008 年 8 月、2009 年 8 月、2010 年 8 月，我校近 200 名师生先后参加了旧金山美中协会组织的中学生暑假夏令营活动，在为期四周的学习和交流中，我们走进美国学生家庭，走进美国学校，感受美国朋友的热情、友善和勤劳；在美国课堂，我们体验到师生互动的轻松愉快；在参观维卡市图书馆、警察局、报社的过程中，我们被美国人民的好客和友好深深感动，美国人的自信、独立与诚信也给我们留下了深刻的印象。

2009 年 2 月，我校师生一行 19 人对美国 Accelerated Learning Laboratory 学校进行为期两周的回访。这次回访活动受到了友好学校的热情接待。学生进入不同家庭体验生活，感受美国课堂。通过参加丰富的旅游参观和家庭派对等活动，我们发现了中美教学、文化和制度的差异，学会了尊重和被尊重。我们用综合实践活动课程的理念组织各项交流活动，设计家庭评价表，让美国家长记录和评价孩子们在寄宿家庭的表现情况。这次访问使孩子们建立了跨国界的友谊，让每位师生受到了生动的国际理解教育。

附学生日记一则：

美国之行

维卡市，它就像一片森林，早上热闹非凡，而一到晚上就异常安静。我的寄宿家庭是一个典型的美国家庭——主人幽默、乐观、随意而又善于制订计划。他们通常会提前一个星期买好他们所需要的东西。一到晚上，他们就会邀请我们玩 WILL 游戏，他们就像小孩子一样享受着游戏的快乐，这在中国是很少见到的。或许是受儒家思想的影响，中国人都表现得很规矩，为人父母就要表现出作为父母的样子。而在美国却感受不到。有的时候孩子会像父母一样指导父母如何做一件事，而父母则像孩子一样仔细地听着。

美国的教育是我们一直所向往的，许多人都说在美国读书很轻松，然而百闻不如一见，作为学生无论在哪里都无法不经过努力而轻松考上好大学。美国学生每天上午一样要上 4 节课，而中间只有 20 多分钟的休息时间，中午休息 30 分钟，下午为户外活动时间。晚上当我们回家的时候，都已经精疲力尽。我所寄宿的家庭的儿子给我讲了一个故事，当他上大学的时候，他的中国同学都努力学习到深夜，当他问他们怎么能受得了的时候，中国的同学平静地说：“什么？这不是很正常吗？”的确，我们在高中的时候就已经开始熬夜了，所以到了大学很容易适应。而美国学生就完全不一样了，他们在高中的时候虽然也要努力，但是和中国比起来真是天壤之别。中国学生很勤奋，这是不争的事实。可是这种勤奋会降低人的创造力，我们习惯于沿着大道走，而美国学生另辟蹊径。中国的学校致力于教学生怎么做好一件事，而美国的学校则致力于教学生如何用多种方法做事——无论是否成功。这让我想起了魏晋风度：过程要比结果重要得多，古时候人们都能有这样的认识，可现在为什么又放弃这个认识了呢？中国的一些职位是万人争夺，而另一些则无人问津。我们在意的是工作的收入以及工作的稳定性和工作的环境，而美国人更注重于兴趣。有一次我去商店购物，工作人员热情地接待了我们，他滔滔不绝地向我们介绍了各种商品，并且告诉我们买什么划算，当我问他为什么能精力充沛地对待他的工作的时候，他说："这是我的工作，我喜欢它。"

最令我难忘的就是美国人的热情与对规则的尊重。有一次我们在小镇上参观的时候，一个陌生的老太太热情地跟我们打招呼："欢迎来到美国，孩子们！"之后碰到许多陌生人，他们都很热情地与我们打招呼。那一整天我们的心情都很好，不是因为明媚的阳光，而是因为那一声声热情的招呼。情感是可以传染的，一声简单的问候也许就能给别人带来一天的好心情。

每周五晚，小镇会开一场音乐会，人们都聚集在公园里。然而他们不仅仅是在听音乐会，许多人在随着音乐跳舞，无论是年轻的还是年老的，无论是会跳舞的还是不会跳舞的，他们都忘我地在舞蹈。我想美国人的乐观或许就来自平时的一些活动，他们对生活充满了激情，这难道不是一种很好的生活方式吗？

美国的自由是建立在法律的基础之上的。在美国过马路是一件很尴尬的事情，因为你一旦站在路边，面朝着对面，路上的司机都会把车停下来等你过去。有一次我让司机先过去，他索性熄火了，态度很明确："你不先过我就不走了。"对规矩的遵守是不需要人来监督的，一旦人们认可了它就会自觉地遵守，一旦人们不认可，再怎么监督也无济于事。

我们要先学习美国的不是技术，而是态度，一种对生活的态度、对工作的态度以及对法律的态度。

高 G0905 班学生：谢家豪

走进英国

2008年7月、2009年7月、2010年7月，我校先后有145名师生来到英国美丽的小城北安普顿，进行了为期15天的夏令营活动。这次活动是由英国驻华大使馆文化教育处精心策划，旨在为我国各中小学搭建中英教师和学生交流的平台，进一步促进中英友好学校的建立和校际交流与合作。全体营员走进英国家庭，了解英国人的日常生活；每天到郡莎学院学习语言；拜访了剑桥大学、牛津大学等名校，参观了温莎城堡、白金汉宫等名胜。学生在感受西方文化和生活方式的同时，将祖国悠久的历史文化介绍给了英国朋友。

游览是夏令营的一个重要组成部分，它是让学生了解英国、体验英国、感受英国的一个重要途径。学生在伦敦塔桥、大本钟感受着古老文化和现代文明的交织；在泰晤士河边享受着这座繁华都市的悠闲与宁静；在白金汉宫、温莎城堡和华威城堡感受着皇室贵族昔日的辉煌；在自然历史博物馆体验着生动与丰富；在大英博物馆感悟历史，激发爱国热情……一次次感官的冲击，一次次心灵的震撼，学生的脑海里刻印下历史与文明、中国与世界不可磨灭的印象。

走进日本

基于长沙市与日本鹿儿岛市建立了友好城市关系，建校之初，我校多次作为长沙市的友好使者出访日本，与日本鹿儿岛市中小学建立了深厚的友谊。2007年10月、2009年10月，我校先后两次赴日本参加第二届和第四届鹿儿岛·亚洲青少年艺术节。参加艺术节的共有来自日本、韩国、新加坡、孟加拉国、马来西亚、中国六个国家的代表团。我校京剧社的数十名小演员表演的京剧《西皮流水》、钢琴独奏《向阳花》、葫芦丝合奏《竹楼情歌》在艺术节众多节目中大放异彩，获得现场观众的啧啧称赞。出访期间，我校访问团受到了鹿儿岛市森博幸市长的亲切接见和组委会的热情接待，在体验日本教育、领略鹿儿岛美丽风光的同时，与各国青少年共享了亚洲艺术盛宴，增进了友谊，加深了相互了解。

访问日本鹿儿岛向阳小学

与美国学生一起上科学课

【案例4】

小小外交官舌战“联大”过把瘾

——联合国模拟大会搬进校园　家长力挺“高端游戏”

昨日，来自长沙各大中学校园社团的中学生们围绕国际问题开展“高端辩论”。无论是现场气氛，还是代表神情，都显得十分严肃，一群“外交官”站在演讲台上为“国家利益”呐喊。“面对日本核泄漏带来的影响，作为世界最大的能源消耗国，中国该如何应对?”“利比亚战争之下，中国如何解决华侨的安全保障问题和企业的利益保护?”坐在发言席上，他们身着清一色的校服，可“来头”却不小，作为“外交官”在联合国大会上为中国争抢话语权。

围绕当前热点国际议题，来自长沙麓山国际、长郡中学、明德中学、师大附中等校园社团的成员，分别带着不同的“国际意见”发言，并争得“面红耳赤”。与普通辩论不一样的是，每一个阵营不仅都有各自的“领袖”，还配备了强大的“智囊团”。“不具备一定国际视野的中学生就很难参与到活动中来，因为‘模联’不同于普通的辩论赛。”麓山国际高二学生周煜瑾告诉记者，为在活动中获胜，中学生们不得不在平时多关注时事。

“让孩子们置身一个‘精英’竞争场合，需要时刻对局势有敏锐的观察，冷静果断地作出应变。”麓山国际有关负责人表示，为了每一个国际议题，学生们不仅要费尽心思去筹集资料、了解国际热点，靠自己能力去组织、策划、研究，还得靠现场淋漓尽致的发挥，展现解决冲突、求同存异的能力。辩论现场不单纯是口才和辩才的锻炼，更多地要求学生能有效地表达、交流、沟通，这对于中学生来说是一种综合能力的集中比拼，因此也得到很多家长的支持。

（来源：《长沙晚报》2011 年 4 月 18 日）

4. 综合实践活动课程

“综合实践活动”是新课程一道亮丽的风景线。综合实践活动包括了信息技术、研究性学习、社区服务与社会实践、劳动与技术教育四大领域及非指定领域。我校从小学至高中设置综合实践活动并作为必修课程。我校综合实践活动的组织与实施集实践性、教育性、创造性为一体，它以激励学生主动参与、实践、探索、创新为基本特征，为学生提供宽松的学习氛围，拓展学习空间，打破单一获取知识的渠道，让学生从文本走向实践，从课内走向课外，从学校学习扩展到社会学习，让学生在实践活动过程中亲身体验，积累和丰富直接经验，培养了学生的创新精神、实践能力和终身学习的能力。我校的综合实践活动分别针对小学、中学不同学段进行整体规划，开设主题多样的综合实践活动，特别是在信息技术、社区服务与社会实践以及研究性学习方面，作了深入的探索。

信息技术——早在 20 世纪 90 年代，当信息技术课还没有进入国家课程时，我校率先开设了计算机课程。近几年，虽然有不同出版社出版的信息技术教材，但都一定程度上滞后于我校学生的学习实际。于是，我们又根据本校学生的年龄与基础，将信息技术分为常规教学和拓展培训两个层次进行实施。

常规教学方面，我校以任务驱动和主题案例教学为切入点，培养学生学习、使用计算机的兴趣和意识，强调合作学习，会使用计算机相关软件解决学习、生活中的简单问题，较其他学校教学更有深度。其他学校一般在五六年级开设信息技术课程，我们学校从二年级到六年级就开设了，每班每周一节，且不同年级确定了不同的课程内容：二年级学习鼠标操作、键盘使用、计算机基础知识、电脑绘画；三年级学习键盘指法、文字输入、Windows 基本操作、网上冲浪；四年级学习网络应用基础知识、文字排版工具 Word 软件的使用；五年级学习图片处理软件的简单应用及多媒体创作——PowerPoint 的使用；六年级学习互联网应用、计算机软硬件知识、简单图片处理、简单动画制作、毕业电子相册制作。由于我校教师自己开发的麓山信息技术教材符合学生实际，操作性强，不但学生喜欢，相关课程产品和教学经验还得以在湖南省内推广应用。

拓展培训方面，以长沙市小学信息学奥林匹克竞赛和全国中小学电脑制作活动为突破口，培养学生的逻辑思维能力、编程能力，以及信息获取、筛选、传递、加工及综合应用能力。拓展培训包括信息学奥赛和电脑作品制作两门拓展丰富型课程，信息学奥赛主要是针对五年级到六年级的部分数学特长生开设，主要内容有计算机基础知识、Pascal 语言、简单算法等；电脑作品制作主要针对三年级到六年级部分相关特长学生，主要内容有计算机绘图、电子报刊、动画制作、网页制作。拓展培训的授课时间为中午及下午拓展培训时间。功夫不负有心人，近年来，我校学生在老师的指导下，多次荣获省、市小学信息学奥赛一、二、三等奖，学校多次被评为湖南省优秀组织奖、全国优秀组织奖。

社区服务与社会实践——社区服务与社会实践活动主要的学习方式是体验性学习，学生通过接触社会、了解社会，增加对社会的生活积累，并增强对社会物质文化、精神文化和制度文化的认知、理解、体验和感悟，从而学会关心。参观、考察、访问是体验性学习的基本活动方式。学生通过各种社会实践活动，有效地构建体验性学习方式。如学校与长沙县北山镇合心小学建立长期联系，开展“城乡手拉手”活动，同学们走进农村孩子的学校和家庭，与他们一起上学、一起回家、一起吃饭、一起学习和玩耍。农村孩子生活和学习条件都很艰苦，但是他们认真学习、快乐成长，在他们的身上有着许多优秀的品质。这些经历使学生获得切身的感受，由此提高了自我教育的能力。社区服务的常规性活动是由学校所在社区的办事处安排具体事务，让孩子尝试各种社区服务工作和劳动。高中3年，我们要求学生共参加不少于10个工作日的社区服务。公益性与志愿性是社区服务的最大特色，因此我校要求学生关注的不仅仅是学分的获取，更主要是通过社区服务，引导学生主动参与社会生活、理解社会，培养学生的社会责任感。我校在认定此学分时，要求学生必须提交一份材料，其内容包括服务对象（机构或个人）的名字、活动日期、服务时间、服务项目或内容、学生自己签名、服务对象的签名及联系方式，以及学生参与服务的体会等，实行网络智能化管理。除了学生自主开展的活动外，学校还以年级为单位，组织开展各种主题的实践活动，如“城市梦想小区规划设计”比赛（见案例5）和“小发明方案设计”比赛，有400多名学生都上交了自己精心设计的作品，在这两项活动中，学生灵活掌握了设计性学习方式。

【案例5】

望月湖社区地图模型制作

一、活动主题：望月湖社区地图模型制作

二、活动时间：第八周—第十二周（共5周）

三、参与人员及分工：三、四、五年级兴趣爱好者

材料组：7人

设计组：5人

制作组：6人

绿化组：9人

四、活动过程

1. 通过回忆熟悉自己家的位置和周边环境（道路和建筑）。

2. 确定主题“望月湖社区地图模型制作”。

3. 实地走访望月湖小区，了解小区的地理位置和周边环境，并用

速写方式把它记录下来。

4. 参观学校模型，直观了解模型的制作方法和效果，同时，材料组同学广泛收集模型制作所需要的工具和材料（废旧纸盒与瓶子）。

5. 精心设计，合理规划，通力合作完成模型制作。将模型分为五个区：居民区、幼儿园、麓山国际实验学校、商业区和望月湖公园。

五、活动效果

1. 望月湖社区地图模型制作提高了学生的学习积极性，增强了学生的自信心。

2. 学生在实践活动中，学会了细心观察，初步养成了良好的学习习惯和协同合作的工作作风。

3. 丰富了学生校园生活，增进了对社区的了解，为广大兴趣爱好者提供了学习和展示的平台。

研究性学习——根据学生兴趣和我校实际，我校将研究性学习确定为“传统与文化”、“社会与环境”、“科技与创造”、“艺术与生活”四个系列的主题活动。研究性学习活动的主要程序为：选择与确定课题—制订方案—探究的实施—学习总结—交流评价，即模仿或遵循科学研究的一般过程，选择一定的课题，通过调查、测量、文献资料收集等手段，收集大量的研究资料或事实资料，运用实验、实证的研究方法，对课题展开研究，解决问题，并撰写研究报告或研究论文。学校依据教师资源优势，鼓励各科教师积极引领学生开发探究主题，如“追踪当今科技热点”、“湖湘文化名人”、“十大国内国际新闻”、“湖南娱乐节目对我们的影响”等。如小学五年级开展的研究性学习活动“探究湖南娱乐节目对我们的影响”，从主题的确定到方案的设计到活动各阶段的具体实施到最后的思考与总结，经历了大半年的时间，学生在13次活动过程中，积累了大量的研究性学习的方法和经验，使得他们在以后的学科课程学习和综合实践活动中，都能积极运用这种新型的学习方式，达到较好的学习效果。

初中部的研究性学习活动，主要是教师通过问卷调查、实地考察、创设情境、捕捉时机等方式，引导学生确定研究的范围和主题。主题紧紧围绕学生的现实生活，选择那些对学生自身、家庭、学校以及所在社区具有实际意义的课题。课题研究的开展以学生的自主性、探索性学习为基础，以个人或小组合作的方式进行，通过亲身实践使学生获取直接经验；掌握基本科学方法，培养他们的科学精神和科学态度，提高综合运用所学知识解决实际问题的能力。学生通过研究论文、模型作品、主题演讲、小品表演、辩论赛等多种方式发表自己的研究成果，教师引导学生把成果的分享过程看作学生发现自我、增强自信，同时欣赏他人、倡导合作的过程。

初中部的研究性学习活动，密切了学生学习与生活实际的联系，推进了学生对自然、社会、世界和自我的内在联系的整体认识与体验，发展了学生的创新能力、实践能力、良好的个性品质和国际理解素养。

高中部研究性学习在综合实践活动的学分配置上占有较大的比重。按《普通高中课程方案（实验）》规定，高中综合实践活动课程主要包括研究性学习活动（15 学分）、社区服务（2 学分）、社会实践活动（6 学分）三个方面的内容。学校高中部早在新课程之前，2000 年 3 月，学校就成立了中学社会活动小组，之后不断完善和深入，秉承“了解社会、走近群众、体验生活、展望世界”这一活动宗旨，紧紧围绕社会热点和学生关心的问题开展了丰富多彩的研究性学习活动，内容涉及国际国内形势、经济体制改革、国企改革、教育改革、青少年思想教育、环保知识、股票证券、科普知识、历史人物、工人农民的现实生活情况，以及国际教育文化交流等。学生开展研究性学习活动时有目标、有计划、有内容、有评价。

我校研究性学习具有以下特点：

主体性原则。一项活动能否开展好，要看学生能否主动参与，而能否主动参与又要看学生对这件事是否有兴趣。我们的做法是抓住兴趣激发主动意识。学生对参加社会活动小组的兴趣在于能走出校门，感受别样的生活，接触别样的人们，因而有新鲜感，学校抓住这点因势利导使其变为活动的主人。如对下岗职工情况的调查，源于学校组织给下岗职工子女捐款，以及学生有关社会问题的各种讨论，如：为什么国有企业有下岗职工？为什么在社会主义制度下还有贫困人口？于是，我们抓住这个契机，在奉献爱心的基础上引导小组成员思考社会现实问题，做更深切、更理性的关注者和关心者。一开始学生寻找有关文件、资料，了解国企改革的基本情况，国家对下岗职工的基本政策等。然后参观了5家国有企业，其中有好企业，也有长沙冶金机械厂、长沙纺织厂这样的困难企业。接着一家一户地走访了十多家下岗职工家庭。在调查中，学生们听到最多的是下岗职工发牢骚。对此学生们一方面表示理解，另一方面也能从多方面、多层次去思考问题，如提出观念问题、社保问题、领导体制和领导作风问题等。认识到下岗职工问题既是市场经济发展的必然，又是当前社会不能忽视的大问题。通过这样的引导、调查、分析，学生认识到社会生活中的各个问题并不是孤立存在的，而是密切相关、互相影响的，也认识到要解决这些问题绝不是轻而易举的事。

实行组长负责制。严格按照“成立机构，制订计划”—“专题学习，理论提高”—“走进社会，调查研究”—“归纳整理，总结提高”四个阶段进行。每次活动之前组长分配任务，人人有事做。回来后每人都要整理资料，组长负责组织讨论，执笔人在集中大家意见的基础上写成调查报告。社会调查中的记录、摄影、摄像、写新闻稿等都由学生负责。采访调查中学生积极性很高，主动性就随之显现出来，他们捕捉热点，对活动选点、方法、形式、组织安排等都能提出很好的创意，甚至许多学生自发利用节假日去实地调查，获取一手资料，写出调查笔记，表现出很强的主动性。

坚持开放性原则。研究性学习活动从自愿参加到专题确定，活动的内容、方式、时间、人员的组合等都充分尊重学生的意见。研究性学习中，对事物的分析评价，允许有不同的意见，结论也可多样，不搞千篇一律，不事先设定答案。社会实践调查采访之后，同学们根据个人的体会和特长写成调查报告，制成幻灯片，有的班级学生还举行报告会、辩论会等。这就给学生提供了一个能展示自己才华的舞台。有一位台湾学生，他主动提出要举办一个关于台湾问题的报告会，学校同意了。怎么讲，我们不定框框，只提出讲你自己最熟悉的、认识最深刻的事，结果他选择讲台湾的风土人情和教育制度，并运用多媒体，图文并茂、配以动画，讲得有声有色，深受同学们欢迎，也使学生受到了爱国主义教育。

以2010届高一开展社会热点问题的研究性学习为例。在实施过程中，全程参加学习的学生共48人。共上课及外出调查21次，其中上课10次，专题7个，成立研究小组7个，外出调查11次，写调查报告6篇，写小论文35篇。研究的课题有："中日关系前景探讨"、"中学生用手机问题调查"、"水口镇医疗卫生现状调查"（详见案例6）、"我校的节电问题"、"长沙市网吧管理"、"五一路交通问题"、"黄兴路文明状况调查"、"长沙市房地产价格调查"等。在活动之前，教师就学生关心的热点问题进行讲解和指导，所讲的专题有："关于研究性学习介绍（计划、调查、获取信息等）"、"中日关系"、"中美关系"、"我国电力发展情况"、"构建节约型社会"、"反对邪教"、"禽流感问题"、"洪战辉事迹介绍"、"怎样写小论文和调查报告"等。外出调查先后到了长沙市28中、湖南师大附中、长沙市文化局稽查队、长沙市20个网吧、长沙市房展会、五一路、黄兴路、长沙卷烟厂等单位和地方，实地走访调查体验，还通过上网查询收集有关资料，掌握第一手材料，获取有效信息。每次外出回来之后，要将所调查的资料进行归纳整理，写成体会或者小论文。每个小组必须写出调查报告，然后在全班进行交流讨论。

【案例6】

水口镇医疗卫生现状调查报告

调查日期：2011. 8. 20—22

调查地点：湖南省株洲市水口镇

调查组长：周子欣

小组成员：谢林峰、张文韬、吴少基、严琳希、谭波岸、郭丹浩、黄蕴涵、于江超、唐祖南

小组分工：

组长：周子欣（负责工作分配和人员调配）

资料员：周子欣、谭波岸、郭丹浩、谢林峰（负责采访以及相关资料的收集）

记录员：吴少基、唐祖南、张文韬（负责采访笔录）

宣传员：严琳希、郭丹浩（负责活动策划以及图像资料收集）

生活员：于江超、黄蕴涵（负责行程安排和资源分配）

撰稿人：严琳希、黄蕴涵（负责资料的汇总以及调查报告的撰写）

调查原因：基层医疗卫生水平是衡量一个国家人民生活水平指数的标准之一，是国家着力改善的基础项目之一。此次活动，以学校对口帮扶的水口镇中学所在地为平台。我组在此进行以医疗卫生为主题的社会实践调查活动。

调查目的：深入社会、了解社会、熟悉社会、融入社会。此次我们第三小组来到了炎陵县水口镇，调查水口镇的医疗卫生情况，探究分析水口镇医疗卫生方面的优点和待改进之处，提出中肯建议，为改善水口镇医疗卫生条件贡献出我们的一份微薄力量。

调查方式：我组走访了水口镇中学学生郭智芳家、镇中心医院、水口村卫生室等地，向当地居民以及工作人员了解情况，并作了深入调查。

调查过程：（略）

调查总结：此次社会实践活动调查，我组将炎陵县水口镇的医疗卫生情况作为主题，走访了医院、民居、学校等地方，进行了深入调查与采访。

水口镇作为湖南较偏远落后的乡镇，其医疗卫生发展情况比我们预想的要好上许多。虽然没有救护车，没有那么多先进的医疗设备能够为重症患者提供较全面的治疗。但是这里有着相比之下并不落后的药品补给和配置系统，简单却干净的医疗环境，态度和蔼的医护人

员，着实让我们眼前一亮。这里的社会医疗保障制度十分到位，几乎每家每户都享受到了医保带来的实惠。在对村卫生所李医师的采访中，我们对水口村乃至全镇的医疗卫生概况有了更为透彻的了解。作为乡村医师的他，帮助当地的居民远离疾病的困扰。我们在采访完毕后对他这么多年以来下乡从医的辛劳表示深深的感谢，也希望有更多人也为此献出微薄之力。

水口人的热情好客，使得采访过程十分顺利。我们受到了学生郭智芳一家的盛情款待，并在此进行了对水口镇当地居民的采访。在此过程中，郭智芳同学的父母以及水口镇中学的聂老师向我们讲述了他们眼中的水口镇。虽然这里的医疗卫生水平没有大城市高，但是从他们幸福满足的笑容里，我们可以看出他们对这里的热爱和满足。水口镇依山傍水，自然环境怡人，经济的发展给人们带来了福音，但随之而来的，也有工业发展带来的空气污染和水污染。每到清晨与黄昏之时，化工厂烟囱吐出的烟雾掩盖了那缀着的几缕云霞。希望以后的水口镇会变得更美好吧。告别水口镇，我们真心希望这里的青山绿水不要再受到现代化的负面影响，希望人们重视环境与科技的协调发展。

通过这次调查实践活动，我们学会了团结与分工合作，学会了与社会各种人的交流。实践活动对我们来说是一次很好的机会，让我们能初触社会、了解社会、深入社会。这对于将要升入大学踏入社会的我们来说，的确是一次不可多得的经验之旅。相信这次活动带给我们的经验与收获，能够成为我们走入社会的基石，成为我们宝贵的回忆。

开展社会热点问题研究，培养了学生关心社会、关注国内外大事的良好品德和学习习惯，拓展了学生的知识面，提高了学生获取信息、社会交往、写作演讲的能力，满足了学生多方面的精神需求和身心发展的需要。学生在亲身参与社会问题研究中，增强了社会责任感，学会了关心他人、关心社会、关心环境、关心世界，提高了国际理解素养。

四、学校课程管理与评价

课程管理是对课程的开发、实施与评价的过程进行调控的行为。课程开发是学校利用一切可以利用的教师、场地、器材和外界社会资源等，研发出有利于学生发展且可实施的课程的过程。课程实施是指综合考虑课程容量、学校教师与学生人数、场地设施和时间等因素，优化组合，将课程内容有组织、有步骤地实施下去，达到课程目标的过程，是课程管理的中心环节。课程评价是对课程实施的过程及所取得的效果进行评价，是诊断、衡量课程价值和课程目标是否达成的环节，它有利于促进课程的良性发展。课程管理是学校、教师对课程的动态操作过程，每一个环节均成功运作才能达成课程目标。

（一）课程管理

1. 成立课程建设委员会和选课指导委员会

校长作为课程开发的第一负责人，主要负责有关学校课程的决策问题。课程建设委员会是学校课程开发集体研究、决策的专门机构，原则上须有教师代表、学生及家长代表和有兴趣的社区代表等参加。委员会主要商量制订《年度学校课程实施方案》，以及相配套的各项制度，根据上级教育行政部门规定的课程计划或课程设置方案，对学校课程作出整体安排。选课指导委员会则主要负责《校本课程规划方案》的制订及选课指南的制订，审议教师申报的校本课程纲要。

学校各中层部门主要负责课程的执行问题，分工负责，职责明晰。

教科室：负责课程资源开发、咨询研究任务，以及教师研训、资料搜集与整理、编制学生选课指导手册等。

教务处：编制课程表，组织实施各门课程，检查与评估各门课程及各教研组的职责，协调各教研组与年级组的工作。

学生处：负责相关集体性实践活动的组织。

年级组：负责学校课程的年级整体实施，并对学生选课进行指导。

教研组：负责组织教研活动，学科校本课程的开发，根据学校总体安排，制订好学年及学期教学进度计划、教学研究活动计划，反映课程实施过程出现的问题及教师的教学需求，为课程管理决策提供依据。

学科组：负责国家课程的校本化实施和校本课程的开发与教学活动，制订学生活动计划。

班主任：负责班级管理，是班级研究性学习的负责人。

组长：学部负责人，负责规划和督导。

副组长：教务处教务专干，负责组织调课，组织报名开班工作，校本课程的日常管理及考评工作，网页资料及课程档案整理。

组员：年级专干，负责协调督促各班报名，配合教务专干进行日常管理。

2. 制定校本课程管理条例

除了加强对学校所有课程的常规管理，学校还特地制定了校本课程管理条例，建立了必要的教学规范，对课程设置原则、开发程序、课程结构、课程评审以及教师和学生的评价系统、学分认定等都提出了规范性的要求。如：

第一条　为推进学校课程改革，促进学生全面发展，按照国家课程设置的要求，学校在开设国家基础性课程的基础上，开设校本课程。校本课程旨在培养创新精神和实践能力，培养专长，发展个性。

第二条　课程设置原则。

开放性：指课程内容、教学方式、学习方式、评价标准的多元开放。

选择性：学生可以选择课程，选择教师，选择考试层次等。

综合性：开设校本课程要改变学科本位和缺乏整合的课程现状，重视学科内知识的相互渗透和不同学科知识的相互关联；重视科学性和人文性的整合；重视民族性和国际性的融合；注重科学原理的认识和掌握；注重情感态度、方法习惯和国际理解素质的综合培养。

规范性：教师制定切实有效的课程纲要、教学设计，做好教学活动过程记录，学期结束后进行评估。

第三条　课程开设程序。

校本课程开设原则：所有促进学生全面发展和个性发展的课程都可以考虑开设；学生申报与教师申报相结合；有 15 个以上的学生选择的课程学校确定开设。

我校校本课程开设的程序：

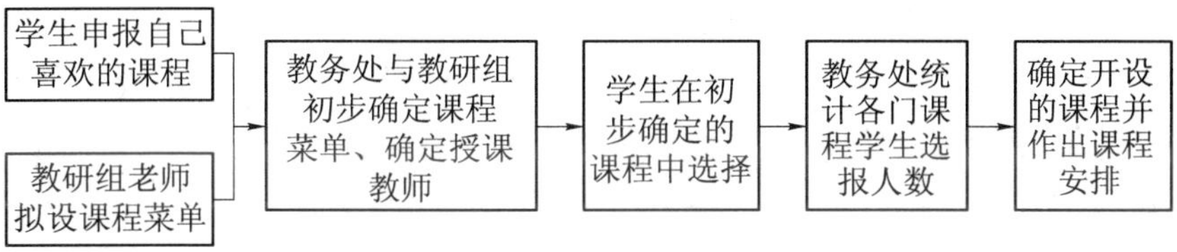

图 3.1　校本课程开设程序

第四条　教师的评价。学校评价、自我评价、学生评价相结合。

对校本课程的任课教师，学校提高待遇，充分尊重其辛勤劳动，同时要求教师以对教育对学生终身发展负责的态度做好这项工作，确保校本课程顺利实施。

做好督导工作。学校成立以校长为组长的校本课程领导小组，对课程纲要进行评审，对课程实施进行督导，对在实施过程中出现的问题及时研讨及时调控，学校为任课教师提供服务，进行教学评估。

组织交流活动。学校定期组织教师开展交流活动，畅谈任课体会和心得，提出改进意见，形成共识和合力，不断推进校本课程发展。

第五条　学生的评价。自我评价、教师评价、相互评价相结合。

按照我校《学生综合考核方案》，学生必须修满规定的校本课程的课时数并经考核合格后才能得到相应的学分，在课程实施过程中必须抓好学生管理工作。

考勤：以年级组为核心，教务处、年级组、任课教师、学生干部组成立体学生考勤网络，在校本课程实施期间保证所有学生上相应的课程。学生在每个阶段选定课程后，为便于管理，原则上不得转班，特殊情况须经教务处同意。一个周期的课程结束后，学生可以重新选择课程。

评价：学生在每结束一门课程后，任课老师要对其学习情况进行评价，评价方式有考试、考查、成果收集、情景表现、素质展示等，考评结果分为 A、B、C 三等。一个学期结束，学生填写反馈单，内容包括选修课时数、收获与体会、希望与展望等。

第六条　学分认定。满足下列条件可获得相应的学分。

学生出勤情况：学生填写好校本课程学习情况登记表，交相关教师签名后存入成长记录袋中，作为综合素质评价的一项内容。学生对所选科目的出勤率必须达到该科目总课时的 80% 以上。

课程学习评价：考核评价必须达到合格及以上。教师根据开设课程的具体情况，对学生进行多种形式的考核评定，评定一般分为优、良、合格、不合格四等。

综合学生上校本课程的课时数及课程学习评价考核给学生的相应学分，记入学生综合考核总评。每周期课程结束后各指导老师将本期测试或考查成绩交教务处。

第七条　竞赛培训及音乐、体育、美术、计算机等特长生培训归口教科室管理，教务处协助。对经过培训的学生在各种竞赛中的获奖实行学生和指导老师奖励制。

校本课程的选课、管理、评价是一个系统工程，需要借助信息技术，实现数字化管理。目前，我校引入了 APMS 全通网上阅卷系统和亚软数字化教务管理系统，创造性地将两个系统结合起来，初步解决了操作上的困难，取得良好效果。具体操作步骤如下。

第一步：教师申报校本课程。填写申报表。

第二步：制作选课单。为方便统计，学生填写选课卡，类似于高考答题卡。

第三步：电脑扫描，使用 APMS 全通网上阅卷系统导出学生选课结果。

第四步：将学生选课结果导入数字化教务管理系统，制订开课计划。

第五步：教师评价和学生评价。

3. 规范选修课程的开发流程

在拓展丰富型课程和活动实践型课程中，绝大多数都是需要学生选修的校本课程。校本课程是国家新课程设置实验方案预留的一块“自留地”，是学生自主发展的学习空间。教师是校本课程开发的“权力主体”和“生力军”。我校非常珍惜这个课程空间，认为校本课程的开发应该依循一定的技术流程，做到科学、有序、合理。

（1）需求评估。学校通过问卷、访谈、观察等多种形式，调查和分析学生的发展需求，进一步明晰学校的育人目标、办学特色以及学校与社区的课程资源等，并且在校本课程实施的过程中，进行阶段性的调查，以不断改进和调整课程设置。学校调查的内容主要包括：学生的需求和建议；地区、社会需求和国际人才发展趋势；社区和学校教育资源的状况，教师的专业能力和学生的学习现状；学校的资源优势；家长对学校开发课程的期望和建议等方面。

（2）确定目标。在分析与研究需求评估的基础上，通过学校课程审议委员会的审议，确定校本课程的总体目标和大致结构等。

（3）教师申报。根据校本课程的总体目标与课程结构，制定《校本课程开发指南》，对教师进行培训，让教师自主申报课程。

（4）课程审议。学校课程审议委员会根据校本课程的总体目标与教师的课程开发能力，对教师申报的课程进行审议。审议通过后，编入《学生选修课程目录与课程介绍》。教师在课程实施之前，撰写《课程纲要》。

（5）课程发布。通过学校网站与广播介绍、教师自主介绍等多种形式向学生发布校本课程的门类及课程简介，使学生了解自己有哪些可供选择的课程以及这些课程的主要内容和学习要求。

（6）学生选课。学生根据自己的志愿选课，填写申报表。选课人数达到 10 人以上，才能开班；人数较多的，则根据学生的层次分班教学。其中，限选课程一般有特殊的要求，教师和学生双向选择。

（7）课程实施。在学生选课基础上，确定上课时间和地点。课时采取长短课时相结合的形式。学校形成一份完整的年度《校本课程规划方案》，教师据此开展教学或组织活动。

（8）课程评价。课程评价贯穿于课程开发的各个阶段，包括：担任每门校本课程的教师要设计学生学习评价工具，制定期末考查办法；学校对教师的教学指导和课程实施情况通过多种形式进行评价；期末对学生进行“校本课程满意度”的问卷调查，了解各门课程开发和实施的质量。通过这些评价，获得反馈信息，及时调整、修改校本课程的设计，有针对性地组织教师研修，以确保校本课程开发的质量和水平。

4. 优化课程实施时间

课程的实施不仅包含了对教师、教室资源的合理分配，另外一个重要方面是根据学生学习特点和课程特点，对每日时间进行科学合理分配。科学合理的时间安排能够极大地提高学习的效率与质量。我校是一所完全寄宿制的学校，学生在校时间长，学校既承担学校教育的职能又担负着部分家庭教育的职能。寄宿制对于学校的发展既是机遇又是挑战。我校不断改进学校作息时间，以期提高学生学习效率。下面以我校小学部作息时间表来说明其创新之处（见表3.6）。

表3.6　麓山国际实验学校小学部作息时间表

项　目	时　间	项　目	时　间
起床25′	6：50—7：15	午休100′	12：20—14：00
早操10′	7：15—7：25	起床20′	14：00—14：20
早餐20′	7：25—7：45	预铃	14：28
预铃	7：43	数学自习30′	14：30—15：00
早读20′	7：45—8：05	第五节40′	15：05—15：45
第一节40′	8：10—8：50	眼保健操15′	15：45—16：00
第二节40′	9：00—9：40	第六节40′	16：00—16：40
课间操25′	9：40—10：05	活动一50′	16：50—17：40

续表

项　　目	时　　间	项　　目	时　　间
第三节 40′	10：05—10：45	晚餐、卫生 40′	17：40—18：20
课间餐、眼保健操 20′	10：45—11：05	预铃	18：28
第四节 40′	11：05—11：45	活动二 50′	18：30—19：20
整队 5′	11：45—11：50	英语听力 15′	19：30—19：45
午餐 30′	11：50—12：20	晚自习 45′	19：45—20：30

此作息时间表是根据原有课程表不断调整与更新的结果。有以下特点：（1）充分保证国家课程实施的时间和三操（早操、课间操、眼保健操）活动的时间。国家规定的课程时间是学校完成国家课程教学的必要时间，是学生完成学习任务基本的时间要求。早操、课间操、眼保健操是学生身体健康的保证。（2）给予学生尽可能多的文体活动与兴趣拓展的时间，在下午及晚上分别安排两个活动时间。活动一时间安排学生进行一些文体活动，特别是保证了学生体育活动的时间；活动二时间是兴趣拓展时间，主要安排选修课程，包括限选与任选课程。（3）根据学科特点巧妙设计自习时间。从作息时间表中可以看出有三个时间段，即早读、数学自习和英语听力时间，分别分布在上午、下午和晚上。早读朗读语文。朗读是语文学习的基本功，它有助于学生理解语言所表达的意义与体悟语言所传达的情感。自古以来朗读在学习中就占有重要的位置，但是在很多小学却忽视了这一方面的教育。数学自习安排是学校对小学生学习特点不断总结和对教学效果不断反思的结果。数学是一门较为抽象的学科，小学生学习之后很容易遗忘，若不进行及时的训练，数学教学的效果就大打折扣。因此，在小学数学课之后给予时间训练极为关键。我校在编制作息时间表及安排课程时间时充分考虑到了这一点，将小学数学教学工作安排在上午，下午第一节之前安排一段数学自习时间，以便温习上午数学课，完成所留下来的作业。这些作业交上来之后，下午数学老师就可以批阅。这样可以当天将老师的作业批改反馈给学生，学生得以及时更正错误，巩固所学。中国小学生学习英语

最大的障碍在于听说，我校在安排外教口语课程的同时，单独安排一节听力课，对英语学科的教学有很大突破，有针对性地解决了中国学生英语学习的障碍。（4）保证学生充足的睡眠时间。充足的睡眠是小学生学习与健康成长的前提，我校安排小学生每日睡眠时间为11.5小时。

整个作息时间表，每一个环节的安排都体现了学校为每个学生的健康成长和终身发展负责的理念，每一节课程的设置都体现着学校对学生学习特点与学科内容的准确把握。

（二）课程评价

课程评价是指评价课程是否为学生所需，是否有助于学生的发展，包括对课程本身的评价、对教师与学生进行评价等。鉴于对国家课程的学生学业评价与教师评价在其他章节已有阐述，本章主要讲述我校校本课程的评价。

1. 区分层次

课程实施是学校在教师、学生、场地、教材等诸多因素中，通过一定的组合与选择方式将课程内容呈现给学生，实现课程目标的过程，是达到课程目标的关键一环。我校整合以前在课程建设方面的经验，重新理清各个课程之间的层次关系，将选修课程分为限选与自选。限选课程教师选择在科学、人文、艺术等方面具有特长的学生，给予更高层次的指导。自选课程立足于学生兴趣的培养，由学生选择老师，也就是说教师开设课程由学生自由选择。在校本课程中划分出层次关系，这种课程体系保持了学校课程设置的优良传统，即既照顾了学生兴趣的培养，又注重学生特长的培养，兴趣与特长并举。

2. 学生评价

我校在实施学生评价时特别注重发挥评价对学生综合素质发展的激励功能。评价的内容侧重态度与能力，减少量化，多进行表现性评价，根据不同学生的实际背景进行个性化评价。同时，帮助学生学会自我评价。

（1）评价目标。在知识或技能的某些方面获得进一步的拓展或提高；兴趣爱好和潜能得到进一步开发和发展；学会选择并作出决策，能根据自身的基础、兴趣爱好和社会发展需要选择拓展内容与方向；在实践能力方面得到提高；在自学能力、合作能力、批评性思维能力以及发现问题、分析问题和解决问题的能力等方面得到增强；勇于探索、积极创新、自觉钻研、进取向上的精神得到培养。

（2）评价内容。包括：

① 形成自己的兴趣爱好，并根据自己的爱好完成相应科目的学习。

② 掌握所学科目的相关知识与技能，通过科目测评。

③ 能运用所学科目的相关知识与技能完成作品或有成果展示。

④ 通过学习活动，知识结构进一步完善，情感态度得到提升，自学能力、合作能力、思维能力以及发现问题、分析问题和解决问题的能力得到增强。主要证据和数据：任课教师的记录数据，包括学生出勤情况、参与热情、团队合作意识、自主管理能力，学习收获体会以及学习结果测试的等第；另外，从学生学习小组的记录评价每个学生，包括团结合作精神、独立处理问题的能力、学习态度和学习效果等方面。

（3）评价方式。主要采取了如下多主体参与的评价方式：

① 自我评价——由教师确立评价项目和评价方法（或由教师给学生提供多种评价项目和方法，供学生选择，或完全由学生自己确立评价的项目和评价的方法），由学生进行自我评价，建立成长记录袋。

② 教师评价——以激励性评价为主，由教师通过观察、交流学习过程中的情况记录，以及各种形式的问卷、多种形式的作业以及书面考核等对学生进行评价。

③ 相互评价——学生之间进行交流与互评。

④ 家长评价——学生家长对子女学习校本课程进行填写问卷等质性评价表（详见案例7、案例8）。

⑤ 社会教育机构评价——某些与社会教育机构接轨的校本课程的成绩评定可以直接参加社会权威教育机构的认定，如：计算机等级考试、英语等级考试、乐器演奏等级考试和普通话等级考试等。

【案例 7】

美国家长对寄居学生的评价表

Lushan International Experimental School / Accelerated Learning Laboratory

Evaluation for the Home staying

Student name: Yuan Jiaying Host family: Kay + Jones

	Day 1 1/20/09	Day 2 1/21/09	Day 3 1/22/09	Day 4 1/23/09	Day 5 1/24/09	Day 6 1/25/09
Manners	A. Excellent B. Good C. NI* Other comment:____	A. Excellent B. Good C. NI* Other comment:____	A. Excellent B. Good C. NI* Other comment:____	A. Excellent B. Good C. NI* Other comment:____	A. Excellent B. Good C. NI* Other comment:____	A. Excellent B. Good C. NI* Other comment:____
Involvement (family activities)	A. Excellent B. Good C. Wasn't involved Other comment:____	A. Excellent B. Good C. Wasn't involved Other comment:____	A. Excellent B. Good C. Wasn't involved Other comment:____	A. Excellent B. Good C. Wasn't involved Other comment:____	A. Excellent B. Good C. Wasn't involved Other comment:____	A. Excellent B. Good C. Wasn't involved Other comment:____
Exploration (culture, language, food...etc.)	A. Excellent B. Good C. NI* Other comment:____	A. Excellent B. Good C. NI* Other comment:____	A. Excellent B. Good C. NI* Other comment:____	A. Excellent B. Good C. NI* Other comment:____	A. Excellent B. Good C. NI* Other comment:____	A. Excellent B. Good C. NI* Other comment:____

*Needs Improvements

Comments and Suggestions for the Exchange Program: She was great to have.

Accelerated Elementary and Secondary Schools
5245 N. Camino De Oeste
Tucson, AZ 85745
(520)743-2256

【案例 8】

中国家长对子女访美交流的评价反馈表

致 家 长 信

尊敬的家长：

您好！

寒假我校组织的访美交流活动已经圆满结束，感谢您这几个月来的大力支持与配合。学校已就该项活动在校园网上作了系列报道，欢迎查阅。

您的孩子在整个活动过程中能友好地、愉快地与美国寄居家庭及自己的同伴们相处，并遵守一切规章制度，建立了跨国界的友谊，得到了美国学校师生和带队老师们的高度评价，孩子们的收获与进步是不可估量的。

这两周来，我们陆续收到美国学校的来信，信上表达了学校对孩子们的问候，也转达了寄居家庭对孩子们的思念及对家长们的问候，寄居家庭就孩子们每天的表现及时作了评价，评价表已交您的孩子本周带回。同时他们也希望了解我们的家长对这次活动的评价。我们设计了一份“访美交流家长反馈表”，请家长和您的孩子一起回顾这次快乐的假期，填写好你们的感受，我们将把您的真实反馈传送到美国学校，谢谢！

访美交流家长反馈表

致美国学校及寄居家庭	寒假期小孩参加的访美交流活动早已过去，但我们全家仍津津乐道小孩此行的乐趣。我们为孩子有一次难忘的假期、难忘的旅行高兴，同时，我们怀以对美国友好学校和寄居家庭的感激。我们希望小孩将珍惜在访问期间结下的跨国友谊，我们期待美国同学来中国，来我们家做客！
孩子的收获	一、开阔视野，增长见识：孩子在美国感受到的物质及精神文明的熏陶，为发达国家人民的自然和谐所吸引。 二、体验式教学让学习充满乐趣：美式体验式课堂教学让孩子体验到了学习的快乐。 三、接受友善的美国家庭寄居生活，让孩子体验语言、习惯、道德礼仪。
联系方式	邮箱：WWW.578927762@QQ.com 家长签名：李建华 Li Jianhua 学生签名：李霖龙 LiLinlong

麓山国际实验学校

（4）评价结果的呈现方式及运用。我校由任课教师自己制定期末考查办法，期末统筹安排考试或考查。将学生的学习态度与成绩等情况综合起来，进行终结性评价。小学主要采取“等级＋评语”的方式呈现（详见案例9），等级分为：优秀、良好、及格、待及格，记入学生素质发展报告单，向家长反馈。初中和高中则采取学分制评价，每门校本课程须修满一定学分。学分认定基本要求：学生对所修习课程的出勤率必须达到该课程总课时的80%以上；考核评价必须达到合格等级及以上。学校对学生评价结果进行分析，了解学生学习水平与课程目标之间的实现程度，从而判断课程是否具备独立存在的价值，为今后的课程设置提供确凿的依据。

为了凸显学生的个性特长，我校在学生综合素质评价中设置个性发展测评。参加国家课程及校本课程选修部分的学生都将得到肯定。评价采取“自评＋师评＋家长评”的形式，测评总分为30分，三类评价各占10分。教师评项目包括出勤率、态度、作业、水平测试，家长评项目为在家学习状况，自评项目主要是取得的突出成绩。

评价等第：

A　24分及以上——个性突出，特长明显；

B　20—23分——个性突出，特长较明显；

C　15—19分——个性比较突出；

D　15分及以下——有一定的个性。

个性发展测评是在阶段性评价基础上，在学生自评、家长评价后，由培训教师结合评价项目再认定学生的总评。学生修习了两项以上校本课程的，选其中最好的一项作为素质评价要点。教务专干汇集成电子表格供班主任评定。

【案例 9】

小学英语文化课程终结性评价

学校：麓山国际实验学校　　　　班级：五（4）班

学生姓名：周伊洋　　　　　　　学期：2011 年上学期

评价要素	评价内容	学生自评	同学/家长意见	教师评价
学习表现	英语学习兴趣浓厚	A	A	A
	课堂发言积极、正确率高	A	A	A
	有较强的英语语言沟通能力，能大胆与外教或英语国际友人交流	A	A	A
	既善于独立思考，也有合作学习意识	A	B	B
	尊重并理解他人，有一定约束自己行为的能力	B	B	B
	具有一定的语言学习的探索和创新精神	A	A	A
平时作业	认真、按时、高质量完成课堂作业	A	A	A
	认真、独立、高质量完成周末家庭作业	A	A	A
	敢于挑战高于自己能力的分级作业	A	B	B
阶段性评价	口语检测	A	A	A
	听力检测	A	A	A
	词汇检测	A	A	A
	综合检测	A	A	A
活动评价	乐于参加集体活动，如英语主题文化体验活动等	A	A	A
	敢于挑战竞技性活动，如校内外的口语擂台赛、英语阅读比赛、英语话剧比赛等	B	B	B
	*在国际交流过程中能大胆展现语言素质、个人素质、对异域文化的探索精神	A	A	A

续表

评价要素	评价内容	学生自评	同学/家长意见	教师评价
综合评价	洋洋是一个非常喜欢学习英语，且英语语感很强的女孩子。英语听、说、读、写能力非常强，学习能自律，如果能多帮帮团队中学习较弱的同学就更好了。洋洋要对自己充分自信哦，既要相信自己能在活动中成为耀眼的明星，也要相信自己能帮助所在的团队在活动中取得胜利，还可以再大胆一点接受挑战哦！ 洋洋在本期英国文化之旅的活动中，给寄宿家庭留下了深刻印象，能够在英国课堂中大胆展现自我，这是对自己综合学习能力的进一步完善，继续加油！			
说明：评定分为 A、B、C、D 四个等级或优秀、良好、合格、不合格。 标 * 号项为选填项，需根据学生实际参与情况而定。				

3. 教师评价

学校的管理最终要依赖评价和引领。教师在学校的评价和引领下能够自觉发展、主动工作，因此我们将教师校本课程开发能力纳入教师评价体系。

（1）对校本课程任课教师的评价内容主要包含：

① 课程纲要对发展学生个性的合理性；

② 教学内容具有科学性、层次性、综合性和延续性；

③ 对每个学生的关注程度和适时的引导；

④ 教师在课程实施过程中的精力投入程度和专业水平的提高程度；

⑤ 课程教学目标的达成度。

（2）对校本课程任课教师评价的方法主要包含：

① 学校评价——成立评价小组，小组人员对校本课程具有正确的认识和较丰富的实践经验。建立起课堂巡视及抽查机制。每学期抽查1—2 次。通过听课、抽查讲义和学生的作业、听取学生的反馈意见、检查课程开发与建设的情况、教学目标的达成程度和教学安排等手段督

促指导校本课程的实施，以保障教师课程开发与实施的质量。

② 教师自我评价——教师在课程开发与建设以及组织教学活动的过程中，从教材开发、实施、学生状况等方面自我总结与反思性评价，以不断提高自己开发与实施校本课程的能力。我校强调教师的自我评价，引导教师学会自我评价，自我反思与提高，淡化教师之间的相互比较。

③ 学生和家长评价——在校本课程的教学过程中及完成后，我们通过问卷调查、座谈、个别调查等方法了解学生对教师的评价，并以此了解学生的需求，以不断提高校本课程的质量，使之更加适合学生发展的需要。如：每一学段校本课程教学任务完成后，学校对学生实施满意度问卷调查，调查内容包括总体评价、教学准备、教学过程和教学效果的评价等。为提高教师开发校本课程的积极性，我校对在校本课程开发中取得优异成绩的教师予以表彰和奖励，对教师开发的校本课程实施星级评价：

一星级——满足最基本的要求，比如学生上课人数、上课率、通过率、学生评价等；

二星级——有完整的课程纲要，教案详细，做了演示稿，有文字材料，教学效果较好等；

三星级——达到或超过 75% 的学生喜欢，课程纲要编写科学完善，讲课材料都用 A4 纸打印、装帧好，课程组织实施较好；

四星级——达到或超过 85% 的学生喜欢，参与率高，课程资源丰富，课程实施效果好，满足了学生的兴趣并使大多数学生的个性特长得到发展；

五星级——达到或超过 95% 的学生非常喜欢，课程资源系统科学，课程实施效果好，充分满足了学生的兴趣或发展了学生的个性特长，所整理的校本课程资源包推荐出版。

第四章 有效教学

教学质量是学生知识、能力、情感、态度、价值观内在统一协调发展的综合体现。从办校最初的契合西方的课程与教材，到照搬国家课程和教材，直至设计具有人本性、开放性、生态性的麓山国际实验学校课程体系，研发校本课程和综合活动实践课程，并经由“与国际接轨”和“与社会现实接轨”及“重知识技能”与“重能力和综合素质”两种不同“质量”观产生的思想博弈与改革探索，最终，我们实现了在教学目的上，由知识性课堂走向生命性课堂，以人为本，强调学生生命成长、人性养育；在教学内容上，由强调“知识教学”走向广义的“文化教学”，教学强调知识的整合，并由知识扩展到文化，关注全球视野下多元文化的融合，教师不仅传授学生知识，更重要的是以学生生活世界为对象，挖掘人文内涵；在教学方式上，由教师本位的“传授式”教学走向“对话式”教学，使课堂教学做到平等对话、相互尊重、彼此评判、共享知识，关注学生在学习过程中的理解、体验和感悟，强调学科教学与现实生活、国际社会的联系。

一、钟摆现象的教学审视

弘扬学校教学文化精髓，植根于现实的教育环境，为学生未来的发展奠基，这种基于教学结构的传承、开拓、发展的三个命题，都集中在运用什么理念，怎样开展教学，从而解决具有公信力的“教学质量”这一核心问题中。在对这一问题的探讨过程中，我们既有成功的经验，也有现实的困惑。

（一）注重素质发展的教学传统

1. 开放型的课堂文化培养了学生灵活的思维

在班额上，学校实行小班化教学；在组织形式上，改变传统课堂“秧田式”的座位形式，采用四人小组或六人小组合作学习；在课堂上，教师运用游戏、观察、模拟、操作等灵活多样的教学活动方式，营造一种宽松的、平等对话的氛围，学生学习兴趣浓厚，课堂生动活泼。

这种开放型的课堂文化，在当初来说是比较先进的，吸引了周边一些学校来观摩。开放的课堂文化，对促进学生思维的发散性和灵活性起到了重要的作用。

2. 激励式的教学评价发展了学生自信的品质

为了让学生乐学，教师在日常教学中均采用激励性的评价方式，倡导“赏识教育”，通过口头随机评价、小组合作评价以及适当的奖励措施，来激发学生的求知欲。为了保证学生成绩优良，让学生与家长满意，考试采用激励性评价，一次不通过，可以给机会再考，将最高的成绩呈现给家长、学生。希望通过这种方式鼓励学生，引导家长学会欣赏自己的孩子，给孩子以自信。

3. 选择性的课程与教学发展了学生的个性特长

首先是学校自主选择教材，自主设置课程，与长沙市和全省其他学校统一的课程计划和统编教材不同；其次是在当时没有实施新课程的时候，学校就开设了丰富多彩的校本课程，既有学生必修的形体、书法等课，又有可供学生选择的棋类、乐器类、球类、科学素养类、人文素养类等各种学校自己开发的课程。这么多门类课程的开设，对当时许多学校来说都是望尘莫及的，极大地发展了我校学生的个性特长。

然而，理想与现实存在较大的距离：学校秉持的与国际接轨的前瞻性教育理念与社会教育现状存在较大差异，不同的质量观造成学校的办学成绩得不到社会普遍认同；由于课程与教材的不同，我校的小学毕业生因无法适应教育行政部门组织的统一检测而考不出去，外校的学生也因课程的不衔接而进不来，从而使学校承受着来自家长、社会的多重压力。

（二）追求“双基”质量的“知识性”课堂

由于当时秉持的理念只着眼于国际教育的理想，并未植根于现实的教育环境，由此产生的种种问题都集中到教学质量这一核心点上。至此，我校认识到在现有的社会背景下，学校要发展，首先必须提高其具有公信力的教学质量。只有学校的这种教学质量提高了，社会的评价才会相应提高，家长才会放心地将孩子送到学校来读书，而学校也才能谈得上生存和发展。为了提高学生的学业水平，强化知识性目标的落实，我们也进行了一些有益的尝试。

首先是加强教学管理，从管理要质量。在教学管理方面，加强了对教师教学设计、教学实施、教学资源开发、教学评价等的管理。

其次是加强对外交流，提高教师的质量意识。我们带领教师到各名校听课，听名师的课，听学科带头人的课。课堂上学生有序的学习，教师对教材深入的分析，考试评价的高难度，都让我们教师感到震惊，原来外面的课堂跟我们热闹活跃的课堂有这么大的差异。相比之下，我们课堂教学多数时候还是比较浅显的，在知识与技能掌握方面还是有待提高层次的。

再次是改变教学方式，加大知识的密度与深度，提高学生的学业考试水平。学校教育的传授功能总是客观存在的，尽管新课程倡导自主、合作、探究式的学习方式，但并不能就因此全盘否定接受式学习。因此，我们开始关注接受式学习，并在教学内容上进一步拓宽加深，学生在学业成绩方面确实得到了一定的提升。

最后是加强效果检测，关注学生学习效果。以前有人一度认为，搞素质教育就不能组织考试，似乎组织考试就是应试教育了。所以我们很少组织考试，即使一期一次的期末考试也以激励为主，而忽视了其诊断和改进功能。为了改变这种状况，我们增加了对教学效果的检测，加大了对学生学习质量的检测，并严格考试纪律。

教学改革后，虽然学生仍然留存了实践活动能力强、活泼自信的天性，然而文化成绩却难以迅速提高，"素质与分数"的碰撞让学生、家长、老师、学校均感到了困惑。

1. 为了尽快提高学生考试成绩，教师普遍选用了传统的"讲解—接受式"教学方式

一味追求单位时间内的知识容量，减少了学生活动操作等教学环

节，以纪律教育来组织教学，以多做练习来巩固知识，以频繁的考试测验来强化记忆。以教师为中心和以课本为中心的做法，忽视了学生自主思考、自由发挥，忽视了学生之间的差异，课堂从“活”迅速走向“死”，出现了课堂管理的钟摆现象。这样的教学真正有效吗？教师们很困惑。

2. 为了让学生更快更多地接受知识，教师们普遍采用“填鸭式”、“灌输式”的教学

这种学习方式把学习建立在学生被动性和依赖性上，对高分数的追求压缩了学生思辨与探究的空间，学生很少有根据自己的理解发表看法与意见的机会，学生也很少能通过自己的活动与实践来获得知识、得到发展，更别谈创新精神和实践能力的培养了。对于学生而言，学习变成了一种疲倦而痛苦的事情。

3. 现时代背景下积极发展的学生，渴求现代的学习方式

他们有“自主、合作、探究”学习的主观需求，崇尚基于以前知识基础上主动建构知识，在师生互动、生生互动中有效地沟通和表达，有效利用资源完成知识的重组、转换和更新。怎样实现学习方式的转变？学生感到很困惑。

（三）知识与素质并重的“文化”教学

如何使课堂教学既有过硬的“双基”（基础知识、基本技能）质量，又能发挥创新优势，尊重学生的主观感受，关注学生的生命成长，提高学生的综合素质，使学生知识、能力、情感、态度、价值观内在统一协调发展，努力实现学校的培养目标呢？为此，我们着力作了以下三个方面的探索与努力。

1. 以人为本，以学论教，教学提质从转变观念入手

观念影响行为。上述困惑集中到一点，就是我们的教师如何理解教学质量：是只关注考试分数，还是更看重包括考试分数在内的人的发展状况？是只关注知识，还是更看重以知识为基础发展起来的各种能力？我们让整天忙碌在教育教学事务中的教师们静下心来，走到世界教育理论的高地上看一看：“人类发展的目的在于使人日臻完善”①。《学会生存》把“培养完人”作为教育的基本目的②，并指出“完人的几个方面”：“获得知识，掌握研究与表达思想的工具”，“好奇心”，“一个人的观察、试验和对经验与知识进行分类的能力；在讨论过程中表达自己和听取别人意见的能力；从事系统怀疑的能力；不断进行阅读的能力；把科学精神和诗情意境两相结合以探索世界的能力”③。《学会生存》还指出：“有些社会正在开始拒绝制度化教育所产生的成果，因为这个教育体系难以适应日益发展的社会的需要，它所教育出来的人并没有受到恰当的训练，因而不能适应社会的变化。当这种体系所授予的资格和技术不能满足社会的要求时，这些社会便拒绝接受这些毕业生。”④ 当我们联系当下的社会生活实际思考上述教育理论的深刻含义后，深刻地意识到“以人为本”绝不是一句空洞的政治口号，它应该被确立为我们的教育观。针对学校教师状况，我们首先从转变教师观念入手，让教师明白：全面提高教育教学质量，就要树立以人为本、全面、可持续发展的教学质量观。具体来说，就是要着眼于全体学生的发展，着眼于学生素质的全面发展，着眼于学生的终身发展，为学生的终身学习和适应经济社会发展、培养国际竞争力打下坚实的基础。我们既要重视通过纸笔测验来呈现学业评价结果，但又不能把它看作衡量教学质量的唯一标准。

---

① 联合国教科文组织国际教育发展委员会．学会生存——教育世界的今天和明天［M］．华东师范大学比较教育研究所，译．北京：教育科学出版社，1996：2.

② 联合国教科文组织国际教育发展委员会．学会生存——教育世界的今天和明天［M］．华东师范大学比较教育研究所，译．北京：教育科学出版社，1996：192.

③ 联合国教科文组织国际教育发展委员会．学会生存——教育世界的今天和明天［M］．华东师范大学比较教育研究所，译．北京：教育科学出版社，1996：19.

④ 联合国教科文组织国际教育发展委员会．学会生存——教育世界的今天和明天［M］．华东师范大学比较教育研究所，译．北京：教育科学出版社，1996：37.

树立科学的教学质量观，就要明白“教育必然是从学习者本人出发”[①]的道理，就要确立“以学论教”的教学原则，树立人人有潜力、人人可造就的学生观，树立促进师生共同成长的发展性评价观。中学在抓教学质量提升时，要正确处理好全面育人与应试升学的关系，既要发挥科学合理的考试对学生学习状况的诊断、反馈和激励功能，又要防止过于频繁的考试加重学生课业负担和心理负担，影响学生身心健康；既要理解家庭、社会对应试升学的复杂心态，又要坚决克服片面追求升学率的倾向。学校不能迁就落后的社会心理，而必须站在超越应试功利的高度，站在促进学生全面和谐发展、促进国家民族长远发展的高度，坚持以人为本的教育信念，坚持落实好素质教育的各项要求，坚持学校培育“世界公民”的培养目标。

2. 保持优势，适应环境，落实高质量常规教学

我们在思考教学改革时，正值新课程实验启动。新课程的培养目标是：使学生“具有适应终身学习的基础知识、基本技能和方法”[②]，让学生有自主学习精神，独立的学习本领，主动参与、乐于探究、合作学习，“改变课程实施过于强调接受学习、死记硬背、机械训练的现状”[③]，“教师在教学过程中应与学生积极互动，共同发展，要处理好传授知识与培养能力的关系，注重培养学生的独立性和自主性，引导学生质疑、调查、探究，在实践中学习，促进学生在教师指导下主动地、富有个性地学习”[④]。新的课程标准倡导“培养世界意识”，要求“帮助学生拓展视野，使他们提高对中外文化异同的敏感性和鉴别能力，进而提高跨文化交际能力”，其中英语课程标准将“文化意识”作为五大内容标准之一。新课程的理念与目标和我们建校之初的教学思想是不谋而合

---

① 联合国教科文组织国际教育发展委员会．学会生存——教育世界的今天和明天［M］．华东师范大学比较教育研究所，译．北京：教育科学出版社，1996：200.

②③ 钟启泉，崔永漷，张华．为了中华民族的复兴 为了每位学生的发展——《基础教育课程改革纲要（试行）》解读［M］．上海：华东师范大学出版社，2001：4.

④ 钟启泉，崔永漷，张华．为了中华民族的复兴为了每位学生的发展——《基础教育课程改革纲要（试行）》解读［M］．上海：华东师范大学出版社，2001：7.

的，不过原先是闭门造车，缺乏与外部教育环境的交流，也缺乏专业引领，实施起来难免有失偏颇。新课程实施后，我校的教学有了更明确的方向和更理性的改革，也逐步探寻到将发挥教育创新优势与落实高质量的常规教学相统一的途径。

（1）借鉴成功经验，加强与外界交流。一方面我校将使用了五年的“教改教材”全部换成了新课程实验的人教版教材，与长沙市其他学校的教材统一；同时按照国家课程计划的课时比例，调整了选修课的开课时间，落实了语文、数学等国家课程的课时。另一方面学校加强了与外界的交流，积极借鉴他校的先进教学经验。小学部每学期期末考试都积极与市内各区加强联系，统一命题、组考、检测，从而把我们的小学教学放在一个更广泛的平台上进行比较和评价，并且在积极倡导“封闭式管理、开放式教学”的新思路的背景下，通过“聚焦新课堂”的教学开放日活动，向家长及教育专家展示我校小学教师的教学风采。教师们在活动中均精心准备，从而促使他们自觉改进教学，提高自己的课堂教学水平。中学部在教学上向长郡中学学习，坚持与长郡中学“四统一”，即统一教学进度，统一命题，统一检测，统一评估。各项教学活动也争取做到与长郡中学本部全面接轨与同步，并在统一“检测标准”这一举措上进一步强化和提高，在段考、期考方面均做到两校“四统一”，从而既有效地保证了考试的严肃性和成绩的真实性，又较好地保证了我们的教学质量能够始终与长郡中学的水平大体持平。

（2）落实教学常规管理，以管理促质量提高。首先是严抓常规教学，保证每位教师每节课的教学质量。学校制定了《教学常规检查规程》并严格实施，加强教研组长、备课组长对本学科教学工作的责任意识，实行分级检查、分级负责。同时明确了年级组长对本年级教学工作的责任。通过检查，确保教师备课、上课的质量，保证教师对学生作业的及时、认真批改。而主管校领导和教务处加强随堂听课和巡堂检查，能够及时了解和掌握教学动态，保证了每一堂课和每一节自习的教学质量。小学部在教学常规管理中坚持“一进、二评、三查”的做法。“一进”，即部门负责人进入各年级组和教研组现场办公，及时了解教学状况，快捷地解决教学中的问题，更好地为教学服务；“二评”，即评课、评绩；“三查”，即查教案、查教学后记、查作业。中学部则以严格落实“教学计划、备课、上课、作业批改、辅导和检测”六个教学管理环节为基础，以学生评教为动力来推动高质量的常规教学的开展。其次是抓好对各阶段教学效果的检测、评估，及时发现问题，调整教学计划和教学措施。学校教学管理上既重视教师专业水平的提升及学生学业成绩的提高，也注重学生学习方法的掌握、良好习惯的形成及其他综合素养的提升。

（3）保持学校优势，在常规教学中渗透文化意识教育。以我校特色课程英语常规教学为例。英语老师认为，中小学英语教材，几乎每个课题都可以挖掘出文化内容，以小学、初中低年级教材为例：学习招呼语时，就涉及中西方打招呼方式的差异；学习颜色时，可以适当介绍中西方颜色代表的意义；学习称谓时，可以比较中西方的称呼异同之处。再如高中《牛津英语》教材，其题材有关于森林、海洋、陆地、台风，有水的用途以及节约用水的重要性，由火的来源、火的用途到预防火灾的迫切性，由地球的污染到爱护动物、保护环境的紧迫感，从中国的传统节日春节、端午节到西方国家的圣诞节、感恩节等，紧密联系生活实际，时代气息浓厚，能激发学生学习英语的乐趣，确实是文化意识渗透的很好载体。常规教学中的文化意识教育是教师的规定任务，我校英语老师在集体备课时不但要将教材吃透，还要广泛涉猎课外知识，结合自己出国的经验和体会，拓展性地运用教材，将常规的语言能力训练和文化意识的培养相结合，把教材中包含的文化背景知识按章节、有梯度地备进教案，带入课堂，真正将跨文化交际的教学目标落实到我们的课堂。具体做法有如下三点。

第一，插入时事新闻，拓展文化视野。随着我国全方位的对外开放，与各国的交流不断加强，交流中碰到的文化摩擦不断出现，促使我们更加重视对英语国家文化的关注和理解。而切实了解世界上所发生的大事成为我们文化意识教育所迈出的第一步。在英语课堂教学中，老师们尝试着插入时事，让学生课后通过阅读报刊、看电视新闻、上网查找各种资料等途径了解国内外大事，课堂上一起讨论。课堂讨论给学生提供了集体活动的机会，激发了学生的表现欲，不仅提高了语言表达能力，还使学生从中获取了完整的文化背景知识。

第二，创设模拟情景，营造文化氛围。英语教材中大量的对话、故事对培养学生的语言交际能力提供了极好的素材，在英语课堂教学中，老师们充分利用这些对话、故事让学生演小品、讲故事，将叙述性的文章改成对话等，使学生在模拟交际的过程中锻炼了语言表达能力，如：我们在教授 Module 2 中 Unit 1 的时候，让学生自编自导自演《外星人奇遇记》；在上 Module 1 中 Unit 2《Growing Pains》时，也让学生演一演，充分了解和比较中西方不同的文化背景下青少年的成长过程。从而为学生营造了学习语言表达，丰富跨文化意识的良好文化氛围。

第三，进行主题延伸，深化文化内涵。《牛津英语》中每一个 Module 有它自己的主题，环绕主题展开和延伸。随着教材的深入，同一主题的 Module 得以重现，但它们不是简单的重复，而是像阶梯一样螺旋形一步一步地上升和波浪式地前进。在课堂教学的过程中，老师们充分利用这种阶梯型展开和延伸的特点，在词汇教学中充分运用发散思维，从某一主题延伸出相关的内容，如教授 Christmas 这一相关内容时，运用这一方法使学生学到许多与之相关的内容，既便于记忆，又使学生的思维触角能与文化有机融合，对学习英语和形成文化意识起到较好的促进作用。

二、有效教学的变革实践

有困惑才会有思考、有学习、有探索，才会有实践的变革。

我们认为教学是“知识与技能、过程与方法、情感态度与价值观”三个维度的总和，教学过程是将课程内容转化为育人目标的有效过程。相信只有教师改变教的方式，才能改变学生学的方式。相信学生是学习的主体，相信他们都能学会，都能学好。于是，学校提出了“有效教学”的变革实践。

有效教学就是在符合时代和个体积极价值建构的前提下，其效率在一定时空内不低于平均水准的教学①。有效教学的所谓“有效”，主要是指通过教师一段时间的教学之后，学生所获得的具体的进步或发展②。有效教学的所谓“教学”，是指教师引起、维持和促进学生学习的所有行为。它主要有三个方面：一是引起学生学习的意向，即教师首先需要激发学生的学习动机，教学是在学生“想学”的心理基础上展开的；二是指明学生所要达到的目标和所学的内容，即教师要让学生知道学到什么程度以及学什么；三是采用易于学生理解的方式③。

我校的有效教学以关注学生为核心，强调以生为本。从课堂教学评价、备课、教学实施、学习方式、学生作业五个维度，注重探讨建立在有效教学理念和理论体系上的操作手段，注重方法论范畴内的探索与实践。我们突出教学评价，是因为其具有导向功能，希望通过有效的评课标准研制来引导教师在教学观念、教学行为方面发生深刻变化，从而进行有效的教学设计、教学实施。

（一）以学评教的有效评价

教学评价的功能是对教师教学状态和成效的判断，更是对学生参与学习的状态与学习效果的衡量。对课堂教学进行评价，是促进课堂教学质量不断提升的重要手段。进行教学评价能够了解学校教学现状，引导教学向正确的方向发展，能够调节、控制、改进教学系统。学校课堂教学的改革成功与否，是否促进了学生的发展，都需要通过教学评价来回答。

长期以来，我们都假设教师“教得好”，学生就会“学得好”，所

---

① 周新忠．构建师生和谐是实现有效教学的重要环节［J］．新课程：教育学术版，2009（10）．

②③ 钟启泉，崔允漷，张华．为了中华民族的复兴　为了每位学生的发展　《基础教育课程改革纲要（试行）》解读［M］．上海：华东师范大学出版社，2001：223－224.

以教学评价的视点专一性地放在了教师身上。然而，教育的职能告诉我们，教只是手段，学才是目的，这种以教师为中心的评价模式，已经成为课堂教学改革的最大障碍。基于这种认识，我们将课堂教学评价作为学校实施有效教学的切入点。

我们实施教学评价的内核是以学评教，以评促教。

在推行课堂评价方式改革的初期，校领导在听课与参与教师评课的过程中，经常性地亲自点评和指导教师的教学，这种自上而下的校长引领方式，由于辐射面小、评价系统性不强、缺乏学科特色等原因没有得到教师认同，推动效果不佳，评价问题没有得到普遍的解决，学校的焦虑得不到缓解，甚至因为对学校评价的不认同，出现了学校与部分教师之间关系一度紧张的状况。

面对这样的困境，我们决定抛开就事论事的指点，从“研究的视角”来看问题。我们认为课堂教学的改革，教师应该是主体，课堂教学评价也如此。只有教师们真正内化了的东西，才是有用的东西。在教学实践中，我们不仅要让教师们接受新课程提出的新理念，更重要的是将新的理念转化为自己的教学行为，让教师们进入一种“互动—主动—能动”的状态，即一种共同参与、主动探究、创造性发展的研究状态。所以，学校秉承“学校组织，教师参与”的原则，精心策划，以重构评价体系为教研平台，引导全体教师以教研组为单元，自下而上共同思考、研讨，构建一套源于教师，用于教师，分学科、分课型（针对不同类别的教学内容或教学任务的课，我们称为课型）的，能被教师认可并有效操作的课堂评价体系。

1. 评课视角的转移与扩展

学校对听课评课活动的组织，体现在重构课堂教学评价标准时，认为应从“考什么教什么”和“以教论教”向“以学评教”和“教”“学”分评的方向转化。在研讨过程中要体现学科课程标准的要求和学校“自主”、“合作”的培养目标。而教师们在参与评课时，首先必须思考三个问题：

第一，本学科的教学目标是什么？

第二，所期望的学习效果是什么？

第三，为实现这些目标，教学中应该采取什么学习方式？

思考这些问题时，不仅要从教师自身的角度去考虑，更重要的是要从学生的角度去进行课堂教学评价。

经过反复研讨和实践，教师们逐渐接纳了课堂教学评价的一些新理念：从关注教师的教学行为、教学方法、教学手段，转向更多地关注学生课堂学习的状态、方式、效果；从教师通过教学指引和示范，影响和促进学生学习，转向进一步注重学生主动参与、体验探究，创造性地解决问题，培养良好的学习方法和学习习惯；从按照预设的教学流程和教学内容提问，转向在预设的基础上结合课堂情境的“生成资源”，鼓励学生独立思考、质疑解惑；从机械运用多媒体现代教育技术手段，转向不仅广泛使用，而且有效使用，形成了“必须”与“适宜”的更高认识；从课堂以全班学生应该掌握知识的情况为统一标准，转向强调尊重每位学生的个性差异，让每个学生获得最大程度的发展，让每个学生增强后续学习的能力；从强调反复训练，巩固复习，转向强调合理利用课堂时间，充分利用人力资源，把握学科本质和最有学习价值的知识，提高学习效率。

2. 评课标准的构架与研究

基于老师们的初步认识，学校进一步提出了课堂教学评价标准的基本构架和研发进程。

评价标准的基本构架是“两个维度”和“三级指标”。

两个评价维度指教师和学生。为了强化从学生的角度去思考教学环节是否设计合理，教学方式是否选用恰当，学生是否能够参与到教学活动中，是否注重学生学习方式的实践性与探究性、活动性与体验性的融合，学校设计的学生维度的评价，甚至占到55%—60%的权重。

三级指标：一级指标，即教师和学生；二级指标，根据“教”与“学”设计六个项目，即教学目标、专业素养、教学过程、学习方式、学习状态、学习效果；三级指标，即评价细则要素。其中，一级、二级指标的内容是由学校给定，二级指标的六个项目需要与学校倡导的“四看”(看“三维目标”的定位与达成，看“两个方式”的转变，看“自主、合作、探索”的效果，看知识的拓宽、能力的提升）结合起来。三级指标则由教师们根据自己学科的特点，自己的理解来设计，给了老师们极大的自主空间，使课堂教学评价更能发挥其诊断功能、发展功能。

学校提出了从本学科常规课的评价标准入手，经过教研组教师的头脑风暴，集思广益，反复研讨实践试用，待其成熟后，再探究本学科其他课型评价方式的研究思路。

针对各教研组对学科评价标准的研究进程不一，有的评价空泛，缺乏可操作性，缺乏学科特色等情况，我们反思总结，及时调适，提出了《关于构建课堂教学评价标准的几点意见》。

第一，教师应清楚地认识研究并重新制定课堂教学评价标准的意义。研制评价标准不是纸上谈兵，其目的在于，通过课堂教学评价标准的研究，促使教师研究课堂，研究课程标准，研究教师的教，研究学生的学，从而真正地促进课堂教学新理念的落实，从根本上改变陈旧的教学方式和学习方式，让每位老师都会看课、评课，并且以课堂教学评价标准为导向，上好每堂课。

第二，重建的课堂教学评价标准，必须体现学校特色和学科特色。相对目前已经存在的共通性的课堂教学评价基本框架，新的评价标准应更有可操作性和学科针对性。课堂教学评价标准要体现学科特色，必须先弄清楚本学科的性质和教学目标是什么，最理想的学习效果是什么。特别是第一个问题，不同的学科，虽然情感态度和价值观、过程与方法、知识与技能三个维度相同，但国家课程标准具体的目标不同。

第三，重申从学生维度和教师维度重构课堂教学评价。一堂课的好坏，关键看学生的学习方式、学习水平、学习状态、学习效果，这是新旧课堂评价标准的质变。在课堂上，学生学习的状态与教师的教学状态是相应的，是一种因与果的关系。由果索因，这是课堂评价的一条基本思路。

如果学生学习的主动性上不来，肯定是教师在教学设计或实施过程中出现了问题，因此，课堂教学评价应从教师、学生这两个方面入手，真正把握住教师与学生的关系，使评课更加通透和科学。

第四，重视组织与参与，实践再实践。课堂教学评价标准的研究不可能一步到位，它是一个不断探索、思考、研讨、尝试、修订，最后完全形成共识的复杂艰难的过程。每个教研组必须重视组织与参与，强化过程，在日常教学教研活动过程中不断地调整内化，让每一位老师都能参透评价标准的内涵，自然演化成教师的教学行为，从而形成合作共享的教研文化和充满生命活力的、和谐高效的课堂文化。

3. 评价标准的案例与实施

经过长期的实践与修改，我们现已制定了小学语文、数学、英语、科学、音乐、体育、美术和信息技术 8 个学科共 20 个常见课型，以及初中语文、高中语文、初中数学、高中数学、初中英语、高中英语和中学思想品德、历史、地理、物理、化学、生物、音乐、体育、美术、信息技术 16 个学科 41 个常见课型的课堂教学评价标准（见表 4.1）。

表 4.1 中学物理有效课堂教学评价表（实验课）

一级指标	二级指标	三级指标	评价要点	权重	记分
教师教学45%	教学目标	知识与技能	1. 理解科学概念和原理。 2. 发展观察现象和分析问题、解决问题的能力；猜测、假设、计划、设计、实践能力；收集信息和处理信息、科学解释和评价、表达交流的能力。	15%	
		过程与方法	体验科学实验探究活动的过程，掌握科学实验的基本方法，特别是实验思维方法。		
		科学态度、情感和价值观	1. 养成良好的实验习惯；敢于提出自己的见解，听取和分析不同的意见。 2. 产生对实验的兴趣，关心科学技术的发展，具有科学的实验态度。		

续表

一级指标	二级指标	三级指标	评价要点	权重	记分
教师教学45%	专业素养	教学基本功	1. 实验原理与思路表述严谨；语言简练；教态亲切、投入。 2. 板书设计科学、简洁；多媒体运用比例适当。 3. 演示实验操作规范，可视度高，有效果。	15%	
		实验内容处理	1. 合理地确定内容的信息量，探究实验原理和步骤要点准确无误。 2. 实验过程系统化，重点难点问题化。 3. 问题设置有梯度，能与科技热点、信息、生活实际相联系。 4. 适当拓展实验设计。		
	教学过程	课堂结构	1. 理顺逻辑关系，时间分配合理。 2. 留给学生活动环节和主动学习的机会充分。	15%	
		过程引领	1. 营造良好的教学氛围，建立和谐的师生关系。 2. 导入能很快集中学生注意力，有效激起学生求知欲。 3. 对学生的回答和操作过程有积极公正的评价和鼓励。		
		组织方式、方法手段	1. 组织有序，应变能力强，有效驾驭调控教学实验全过程。 2. 方法有效，教学模式符合实验内容的要求。 3. 运用多种教学手段让学生多感官地参与到实验活动中。		
学生学习55%	学习方式	活动中学习	1. 学生能从讨论和分析的角度获得实验设计和操作的步骤和方法。 2. 学生在实验探究过程中能通过讨论发表自己的见解。	20%	
		合作中学习	有团队合作和交流意识。		
		反思中学习	1. 主动反思探索过程。 2. 对操作过程和实验数据能进行科学有效的分析。		

续表

一级指标	二级指标	三级指标	评价要点	权重	记分
学生学习55%	学习状态	参与度	1. 全程积极参与。 2. 有良好的实验习惯，能有效倾听，对老师指令能作出积极反应。	20%	
		思维方式	1. 学生有主动提问的意识。 2. 学生思维得到训练和提升。		
	学习效果	学生发展	1. 教学目标达成度高，学生能清楚表达实验的过程和结果。 2. 学生能得出合理的实验结论，完成实验报告并能进行初步的误差分析。	15%	
总评				总分	

从表4.1中可以看到，我校有效课堂教学评价操作性强，层次分明，方便教师把握；评价表结构合理，权重明晰，易于教师总结分析。

学校通过组织各教研组成立“课堂教学评价标准研究骨干小组”，完善课堂教学评价体系。教科室定期组织开展全校性的“课堂教学评价研究成果汇报”比赛活动，学科教研组运用课堂观察技术，将评课标准二级指标分工专项评课。逐渐地，有效评课成为教师们自觉的行为，教师们还自发创造了多种对各科评价工具的使用方式：备课组内集中使用评课标准评课；用评课标准评自己的课；同事之间随堂听课时用评课标准互相评课；外出参加研讨活动时，使用我们自己独特的评课标准评课等。这种开放的、长效的评课机制，为有效备课夯实了理论基础。

（二）注重操作方法的有效备课

备课是教师制订具体教学方案时所要做的对教学材料的处理与准备

(课程资源的开发与利用)，教学行为的选择，教学组织形式的编制以及教学方案的形成等工作。具体包括选择有价值的教学内容，确定教学目标，选择方法手段，设计教学环节等内容。备课的关键是基于国家课程标准，体现新课程三维教学目标，适合学生的身心特点及现有水平与状况。围绕这一要求，我们将达成有效备课的侧重点定位在选择方法手段、设计教学环节上，强调教案必须突出教师和学生的活动方式、操作方法。通过教师备课观念、备课方法、教案叙写形式三方面的改革，通过备课本格式变革，为教师搭建实现有效备课的平台，实现备课创新，从而提高备课的实效性。

1. 教案叙写的变化

教案叙写是课程内容向课堂教学过渡的必需环节，优质教案是教师转换理念、进行教学研究的载体，是交流共享、信息储存的平台，是有效课堂的根本保证。

在撰写教案时，我们要求教师在“教学环节”一栏中，撰写本堂课的分解目标、教学实施步骤及操作要点，包括学生活动、教师活动、教学梯度、强化次数、资源利用（如多媒体、时间、空间、人力)、流程性检测等，以及它们在教学过程中的设计与实施方法。尤其是在备课设计中，要使学生经历和体验学习过程、掌握学习方法。新教案的设计，强化了以生为本、自主学习的意识，强化了操作过程，弱化了知识叙写，使课堂教学的有效性得到了保证，使教师们的观念在操作中真正地发生变化。

学校还在部分年级、班级推出了“学案”备课。采用的是“一减三增”的备课方式。“一减”即减少教师抄写教参教案现有的内容，学校对教师备课不作过细项目的统一要求，实现教学过程简约化。“三增”即增加学情分析；增添问题预设生成单，根据问题生成的学情，填写新的教学策略，整合班级生成的问题；增设备课附页，教师搜集有关本课的文字资料、图片、影像资料、背景、问题训练单等，加入活页备课的课程文件夹内，为问题拓展教学做好充分准备。为了更好地引领教师行为，校长亲自撰写示范性教案，上示范课并解读设计思想。

【案例 1】

高中数学《一元二次不等式及其解法》教学设计

一、教材分析

1. 教学内容

《一元二次不等式及其解法》是人教版普通高中课程标准实验教科书数学必修 5 第三章第二节内容，该内容与一元二次方程和二次函数联系紧密，突出体现了“数形结合”思想。一元二次不等式是解决函数定义域、值域等问题的重要工具，因此，本节课内容在整个中学数学中具有重要的地位和作用。

2. 教学目标

（1）正确理解一元二次不等式、一元二次方程、二次函数三者之间的关系，准确、熟练掌握一元二次不等式的解法。

（2）能用“数形结合”思想解决数学问题。

（3）领会“由具体到抽象，从特殊到一般”的化归的数学思想方法。

（4）学习数学的兴趣有所增强，具有求知的欲望，积极参与合作探究。

3. 教学重点

一元二次不等式的解法。

4. 教学难点

一元二次方程、一元二次不等式、二次函数三者之间的关系。含参数问题的探究。

二、教学方法

1. 学法

合作学习：以小组为单位，利用人力资源，约定参与方式，开展合作学习。通过阅读发现问题，通过合作交流探索和解决问题，使全体学生在观察、思考、交流中掌握数学知识和技能，体验数学学习的乐趣，从而提高课堂教学效益。

2. 教法

要素组合课型：教师通过课堂教学设计，将学生的听、看、讲、想、做五要素进行不同排列组合，使课堂出现“动”“静”转换；通过充分调动学生感官，顺应学生学习心理、生理特点，使学生全神贯注地投入学习。

本节课主要采取“合作—探究”教学法，其操作环节设计如下：

铺垫练习　　定向引导

自主构建　　合作强化

运用巩固　　分层反馈

反思交流　　内化提高

三、教学过程与方法

环节	教学过程与方法	设计意图及说明
铺垫练习 定向引导	1. 完成铺垫练习，确定思考方向。 ● 导入语。设问本节课内容与过去所学数学知识的联系 ● 师生互动，完成铺垫练习（课件 1） 2. 生成导入课题，明确教学任务。 ● 教师板书 1：一元二次不等式→$ax^2+bx+c>0$→$ax^2+bx+c<0$ 3. 深入启发探究，建立直观“数形”关系。 ● 学生总结解不等式 $x^2-5x+4>0$ 的思路 ● 教师引导，观察抛物线与 x 轴交点变化（课件 2a） ● 师生互动，揭示△和抛物线 $y=ax^2+bx+c$ 与 x 轴的交点个数的“数形”关系 ● 学生完成填空练习（课件 2b） ● 教师启发，从解特殊不等式 $x^2-5x+4>0$ 及 $x^2-5x+4<0$ 类比到解一般一元二次不等式的方法	1. 用设问、填空的方式，确定学生观察、思考的方向，直观地揭示二次方程、二次函数、二次不等式三者之间的关系，以突破教学难点。 2. 一元二次不等式的解法从特殊类比到一般，难度较大。通过层层启发，设计问题梯度，从而揭示了△和抛物线与 x 轴交点个数的内在关系。为探究一元二次不等式解集作准备。

续表

环节	教学过程与方法	设计意图及说明
自主构建　合作强化	1. 自主探究一元二次不等式解集。 ● 学生独立完成学习卡第一题（课件 3a） ● 教师板书 2：板书表格第一例（见板书设计） 2. 小组合作，掌握一元二次不等式解集。 ● 4 人小组交互答案 ● 请求老师或其他组帮助 3. 流程性检测，强化、理解、记忆一元二次不等式解集。 ● 师生互动：学习卡第一题（课件 3b） ● 考虑 $a<0$ 时，情况会如何 ● 师生互动，用纸卡动态填写黑板表格（1—2 次） 4. 教师举例，尝试解一元二次不等式的方法和步骤。 ● 教师板书 3：师生互动，完成例 1，解不等式 $-x^2+2x>-2$ 5. 自主探究，归纳解一元二次不等式的方法与步骤。 ● 教师板书 4：解一元二次不等式的步骤（见板书设计）	1. 通过自主探究、小组合作、流程性检测，学生对一元二次不等式解集获得 4 次强化，达到理解、掌握、熟记的目的。 2. 教师设计让学生用纸卡完成黑板表格填空，起到了检测小组合作是否有效，学生是否理解、记忆及融通了所学内容的作用。该教学步骤要达到让学生“心中有图，脑中有表，理解记忆，灵活运用”的目的，也为下面完成 B 组练习埋下伏笔。
运用巩固　分层反馈	1. 学生阅读，灵活掌握解题方法与步骤。 ● 学生阅读第 78 页例 1、例 2 ● 观察两例题解题步骤和思路的区别 2. 学生练习，巩固解题方法与步骤。 ● 学生独立完成学习卡第 2 题（A 组必做，B 组选做） ● 学生板书：练习 A 组 1—4 题 3. 分层反馈，互助提高。 ● 教师流程性检测 A 组题 ● 自己更正 A 组题或继续做 B 组题 ● 教师板书 5：师生互动，黑板讲评，B 组第 1 题 ● 小组合作，生生互动，多媒体讲评，B 组第 2 题（课件 4）	1. 通过学生自学、教师举例、学生练习、学生互助、学生点评等步骤，学生对解题方法和解题步骤获得了 10—15 次强化，为牢固掌握本节课重点内容作了多向度设计。 2. 为满足不同层次学生需求，把学生练习分成 A、B 两组，A 组通过互助学习，要达到 100% 掌握，B 组题要达到 60% 的学生能独立完成，40% 的学生能合作后或讲评后完成。

续表

环节	教学过程与方法	设计意图及说明
反思交流　内化提高	1. 回顾本节课所学主要内容。 ● 教师生成性复习板书内容——强化重点 ● 一化→二求→三判定 2. 反思本节课教学过程。 ● 学生归纳本节课的教学步骤 ● 教师总结提升，揭示数学思想方法（课件5） 3. 课后作业（课件6）。 ● 第 80 页习题 A 组，1、2、3、4；B 组，1。	1. 引导学生反思，强化教学重点。揭示数学知识的内在联系，提高学生对数学学习的兴趣。 2. 引导学生领会“化归”的数学思想方法，体会数学魅力。

四、板书设计

<table>
<tr><td rowspan="4">板书设计</td><td colspan="5">一元二次不等式及其解法
1. 化成一般形式：$ax^2+bx+c>0$（$a>0$）　　例 3：解不等式 $-x^2+2x>-2$
或 $ax^2+bx+c<0$（$a>0$）
2. 求：$\Delta=b^2-4ac$ 及对应的 x_1，x_2
3. 判断解集：</td></tr>
<tr><td>$\Delta=b^2-4ac$</td><td>$\Delta=0$</td><td>$\Delta<0$</td><td>$\Delta>0$</td><td rowspan="3">B 组 1：</td></tr>
<tr><td>$ax^2+bx+c>0$
（$a>0$）的解集</td><td></td><td>R</td><td></td></tr>
<tr><td>$ax^2+bx+c<0$
（$a<0$）的解集</td><td>ϕ</td><td>ϕ</td><td></td></tr>
<tr><td colspan="6">A 组练习
(1)　　　　(2)　　　　(3)</td></tr>
</table>

《一元二次不等式及其解法》学习卡

第______组______号　　　　姓名：______

第一题： 完成下列表格

$\Delta=b^2-4ac$	$\Delta>0$	$\Delta=0$	$\Delta<0$
二次函数 $y=ax^2+bx+c$（$a>0$）的图像	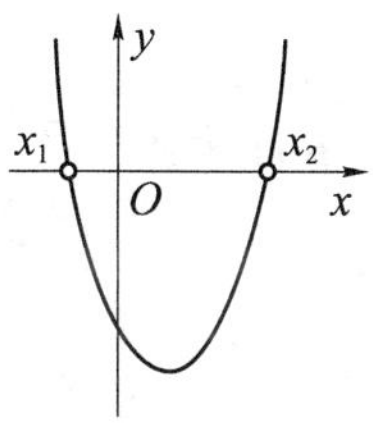	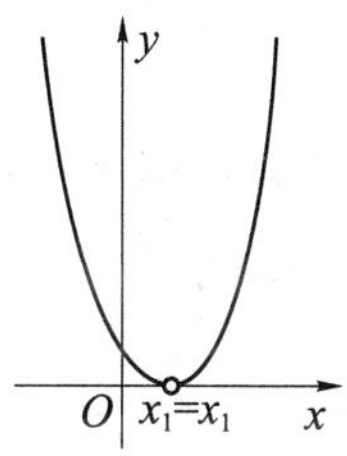	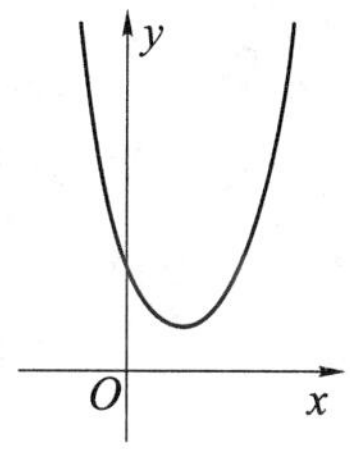
一元二次方程 $ax^2+bx+c=0$（$a>0$）的根			
$ax^2+bx+c>0$（$a>0$）的解集			
$ax^2+bx+c<0$（$a>0$）的解集			

第二题：

A 组题：基础练习题，解下列不等式

1. $3x^2+5x<0$　　　　2. $x^2-3x+5>0$

3. $(x-3)(2-x)>0$　　　　4. $x^2-3>0$

B 组题：深入探究题　　　　解关于 x 的不等式 $x^2-2ax+1>0$

（案例提供：校长室　李素洁）

2. 规范的集体备课

集体备课是对教学内容进行集体研讨的一种有效教学活动。它能弥补教师教学年限、业务水平、学科专长和教学经验的差异，凝聚教师集体智慧，引发参与者智慧的碰撞，共同研究教学中的问题，不断提高教师的教学水平，达到教学效益的最大化，显著提高教学效果。

我们的集体备课以年级备课组为单位，是建立在个人认真准备基础上的自我钻研、集体研讨、分工协作的过程。集体备课的内容既有教学准备、教后反思，也有作业研讨，它显现的合作精神与学校学生培养目标一脉相承。

为了使集体备课落到实处，在每周五课表中，学校专门安排了各备课组集体备课时间，明确提出了“备课组集体备课要求”。

一、总体要求

1. 集体备课由学部教务处管理。

2. 备课组在教务处规定的时间和安排的地点开展集体备课活动。

3. 教务处根据“集体备课纪要”的安排对教师的教案和作业批改情况进行抽查，抽查结果作为教师绩效考核的依据之一。

4. 教务处根据“集体备课纪要”的质量对备课组的集体备课进行检查评比，检查结果作为评选优秀备课组的依据之一。

二、集体备课要求

1. 集体备课前：主备课人对下周主要教学内容提前思考，并用纸质稿或电子稿填写《集体备课纪要本》中的内容（“下次备课安排”栏的内容除外）。组内其他人员提前思考，为集体备课研讨做准备。

2. 集体备课中：组内教师对主备课人填写《集体备课纪要本》中的内容进行研讨、调整、补充、修正，在合作探究中完善备课内容，达到全组教师统一教学进度、明确教学目标、理解教学内容、确立课后作业的目的。

3. 集体备课后：对集体备课中教师们提出的修改意见进行整理，按时上传到各学部指定的FTP文件夹中，各学部教务专干及时收集，并公示于“校务公开”各学部的“通知通报”栏中，以便组内教师交流和教务处检查。

三、备课纪要说明

1. 集体备课主持人为备课组长，主备课人可以由组员轮流担任，记录上传人可以组内指定。

2. “本周教学反思”栏要求对本周本年级本学科教学中的目标达成情况、进度完成情况、任务完成情况、检测作业反馈、成功经验推介、信息收集交流、其他教学反思 8 个方面进行反思，填写时突出重点，不要求面面俱到。

3. “本次教学研究”栏要求对下一周本年级本学科教学中的学校任务传达、课程标准要求、考点知识增减、资料仪器教具、命题内容要求、学案内容要求、备课组研究课、培优补差安排 8 个方面进行探讨，填写时突出重点，不要求面面俱到。

4. “下次备课安排”栏要求主持人确定下次备课的主要教学内容，对下次备课作好任务分解，并对每项任务提出具体要求。

5. “下周课时安排”栏要求对下一周的每节课作思考和探究，除明确课型与课题以外，要求按照学科课程标准对每节课的教学目标作重点探究，从学生提高知识与技能、掌握过程与方法、培养情感态度与价值观等方面设定目标。

课后作业要求布置具体，“限时作业”是指在规定时间内完成的作业，要求学生人人必做，教师全批全改，教务处全面检查；“自助作业”是指由教师提供，学生选做的作业，不要求教师全批全改。

学校实行引领与督导相结合的促进集体备课、提高集体备课效率的工作方式，定期检查、重点抽查备课组集体备课纪要，注重集体备课的评价工作。

集体备课中，老师们首先反思本周教学，主备课人根据自己提前准备的内容，介绍课程标准要求、考点知识增减、资料仪器教具、命题内容要求、学案内容要求、备课组研究课、培优补差安排，其他成员进行补充、矫正，初步形成教学设计预案，最后进行整合，上传至学校内网公示，供教师共享、学生预知，也为学校教学督导提供依据。

表 4.2　中学化学组备课纪要（第三周）

<table>
<tr><td>主持人</td><td>张矫睦</td><td>主备课人</td><td>刘润泽</td><td>记录上传人</td><td>刘润泽</td></tr>
<tr><td rowspan="8">本周教学反思</td><td>目标达成情况</td><td colspan="4" rowspan="8">本周的重点任务之一是分析铝及其化合物的习题，注重铝三角及氢氧化铝图像在解题中的应用，从作业反馈来看，效果较好。铁及其化合物的复习也是本周的重点，我们主要采取由问题引出知识、归纳知识的形式，学生的主动性更强了，效果较好，但部分基础较差的同学感觉吃力，我们需要不断完善教学手段，既要注重能力的提升，又要把基础打牢。本周教研组听了饶挺老师的教研课，非常成功，刘校长及省市教研员给予了肯定，并对高三的复习作了指导，为我们指明了方向。</td></tr>
<tr><td>进度完成情况</td></tr>
<tr><td>任务完成情况</td></tr>
<tr><td>检测作业反馈</td></tr>
<tr><td>学生意见反馈</td></tr>
<tr><td>成功经验推介</td></tr>
<tr><td>信息收集交流</td></tr>
<tr><td>其他教学反思</td></tr>
<tr><td rowspan="8">本次教学研究</td><td>学校任务传达</td><td colspan="4" rowspan="8">1. 刘校长及省市教研员听了高三本学科组的公开课，传达了重要信息，并对高三一轮复习提出了要求和建议。
2. 集体讨论饶挺老师的教改课。
3. 吴政霞老师出了物质的量的限时训练卷。</td></tr>
<tr><td>课程标准要求</td></tr>
<tr><td>考点知识增减</td></tr>
<tr><td>资料仪器教具</td></tr>
<tr><td>命题内容要求</td></tr>
<tr><td>学案内容要求</td></tr>
<tr><td>备课组研究课</td></tr>
<tr><td>培优补差安排</td></tr>
<tr><td rowspan="2">下次备课安排</td><td>主要教学内容</td><td colspan="3">硅及其化合物
氯及其化合物</td><td>各项任务的责任人</td></tr>
<tr><td>具体任务</td><td colspan="4">本阶段主要是完成《创新方案》，由张矫睦老师出金属及其化合物的限时卷。</td></tr>
</table>

续表

<table>
<tr><td>主持人</td><td colspan="2">张矫睦</td><td colspan="2">主备课人</td><td colspan="2">刘润泽</td><td>记录上传人</td><td>刘润泽</td></tr>
<tr><td rowspan="10">下周课时安排</td><td rowspan="2">第一节</td><td>课题</td><td>硅及其化合物的性质</td><td>课型</td><td>复习课</td><td>限时作业</td><td colspan="2">创新方案《作业本》第 176 页</td></tr>
<tr><td>教学目标</td><td colspan="3">1. 硅与碳的类比。
2. 硅及其化合物的特殊性。</td><td>自助作业</td><td colspan="2">自评互评</td></tr>
<tr><td rowspan="2">第二节</td><td>课题</td><td>硅及其化合物的知识应用</td><td>课型</td><td>复习课</td><td>限时作业</td><td colspan="2">创新方案《作业本》第 177 页</td></tr>
<tr><td>教学目标</td><td colspan="3">1. 掌握硅及其化合物的重要性质及用途。
2. 碳及其化合物的相互转化。</td><td>自助作业</td><td colspan="2">自评互评</td></tr>
<tr><td rowspan="2">第三节</td><td>课题</td><td>氯及其化合物的性质</td><td>课型</td><td>复习课</td><td>限时作业</td><td colspan="2">创新方案《作业本》第 178 页</td></tr>
<tr><td>教学目标</td><td colspan="3">1. 掌握氯及其化合物的重要性质。
2. 氯气在工业上的应用。</td><td>自助作业</td><td colspan="2">自评互评</td></tr>
<tr><td rowspan="2">第四节</td><td>课题</td><td>卤素</td><td>课型</td><td>复习课</td><td>限时作业</td><td colspan="2">创新方案《作业本》第 179 页</td></tr>
<tr><td>教学目标</td><td colspan="3">1. 根据氯气的性质结合元素周期律发散引导得出卤素的重要性质。
2. 掌握卤单质的特殊性。</td><td>自助作业</td><td colspan="2">自评互评</td></tr>
<tr><td rowspan="2">第五节</td><td>课题</td><td>卤素的综合应用</td><td>课型</td><td>复习课</td><td>限时作业</td><td colspan="2">创新方案《作业本》第 180 页</td></tr>
<tr><td>教学目标</td><td colspan="3">1. 氯气制备及性质探究。
2. 卤素置换的综合性实验问题。</td><td>自助作业</td><td colspan="2">自评互评</td></tr>
</table>

另外，我校也倡导师生共同备课，要求学生上课前先填写预习表，提出自己解决不好的问题或对老师教学的建议，然后教师对学生预习中提出的问题和教学建议进行梳理并设计教案。这样备出的课，学校称之为“导学案”。师生共同备课的意义不仅在于产生“学案”，更在于引导学生自主学习，逐渐成长为学习的主人。

我们倡导集体备课，要求教师做到共性与个性的统一。既注重教育智慧共享，同时也注意让教师的教学个性和教学风格得以彰显。教师在集体备课后，再根据本班学情和自身特点，进行个性的调整、补充、拓展。

（三）有效教学实施的课型

考虑师情、生情的不同，我们借鉴云南师范大学孟照彬教授的“MS-EEPO 有效教育”对于课型方式的研究成果，鼓励老师选择不同的课型方式，进行个性化的创新实施。

【案例 2】

要素组合方式主体课型

《我学会了……》教学设计

教学目标	掌握乘法口诀求商的计算，初步形成解决简单的数学问题的能力，学会观察和初步归纳，培养合作精神。			主体课型 要素组合方式
设计意图	讲—做—看—讲 1. 初步回顾本单元所学知识。 2. 检查学生的口算能力，进一步回顾、梳理本单元所学的知识。 3. 培养学生的整理、观察、归纳的能力，培养学生的团队合作、评价的能力。	看—讲—做—讲 1—2. 再次激发学生的学习兴趣，在计算过程中体会除法算式各部分之间的关系，提高计算能力。 3. 引导学生体会被除数、除数、商三者之间的关系。	做—看—讲 1. 帮助学生提高计算的熟练程度。 2. 寓教于乐，进一步巩固、提高计算能力。 3. 培养学生思维的发散能力。	看—讲 1—2. 创设情境，再次放权，让学生自主组题并解决问题，培养学生解决问题的能力。 3. 培养学生的问题意识。充分展示学生的个性，培养学生的创造力。 4. 培养学生的归纳、表达能力。

续表

<table>
<tr><td rowspan="2">教学目标</td><td colspan="3" rowspan="2">掌握乘法口诀求商的计算，初步形成解决简单的数学问题的能力，学会观察和初步归纳，培养合作精神。</td><td>主体课型</td></tr>
<tr><td>要素组合方式</td></tr>
<tr><td>各环节操作点</td><td>1. 谈话：你在本单元学会了什么知识？用“我学会了……”说一句话。
2. 出示口算卡片，口算。选取其中一个算式，提问：看到这个除法算式，你会想到相关的哪些除法知识？学生充分发言，教师小结。
3. 分组写出商是7、8、9，除数是7、8、9的除法算式；组内评比，全班展示；仔细观察，小组讨论，发现规律，全班交流。</td><td>1. 出示表格：猜一猜白菜后面藏着的数字娃娃是谁？指名说前两个。
2. 独立把表格填完整，集体订正并说一说：你是怎么想的？
3. 观察表格思考：你在猜数的过程中发现了什么秘密？先独立思考，再组内讨论，全班交流，教师小结。</td><td>1. 学生在学习卡上写一个用7、8、9的乘法口诀求商的除法算式。
2. 开展游戏：学生举起所写算式找朋友，商相同的算式即为朋友。其他学生判断是不是找对了。
3. 互相帮助：把没“找到朋友”的算式举起来，问：你能帮我找到朋友吗？让学生写出相应算式。</td><td>1. 出示“小白兔和小灰兔”的故事情景。
2. 让学生找出合适的条件和问题，搭配出一个完整的数学问题并解答。
3. 提问：你还能提出什么数学问题？
4. 全课总结：通过这节课的整理和复习，你有什么感受？还有什么问题吗？</td></tr>
</table>

（案例提供：小学部 李永红）

“要素组合”课型方式的教学，通过对学生听、看、讲、想、做，以及动、静这七个学习要素的全面调动，不同要素的不同组合、排列，充分调动学生感官，顺应学生在学习中的生理和心理需要，促使学生能全神贯注地投入学习，从而提高课堂学习效率。

【案例3】

三元方式主体课型

《雨是怎样形成的》教学设计

<table>
<tr><td colspan="2">教学目标</td><td colspan="2" rowspan="2">了解雨的形成过程和水蒸气遇冷会变成水。</td><td>主体课型</td></tr>
<tr><td colspan="2"></td><td>二元方式</td></tr>
<tr><th>环节</th><th>时间</th><th colspan="2">操作过程与方法</th><th>设计目的和说明</th></tr>
<tr><td>引入课题</td><td>5分钟</td><td colspan="2">一、老师：同学们，首先我们来猜个谜语：千条线，万条线，掉进水里看不见。是什么？
学生：雨。
老师：那么，你知道雨是怎么形成的吗？
学生讨论、回答。
老师依照学生的回答与学生进行交流，完毕后播放课件：雨是怎样形成的？</td><td>1. 二元方式中一元区要求学生充分地“想”。情境引入环节让学生第一次充分地“想”，从猜谜语到思考雨形成的过程。
2. 播放课件，让学生形象直观地感知雨是怎样形成的。</td></tr>
<tr><td>设计实验</td><td>10分钟</td><td colspan="2">二、老师：我们知道雨是怎么形成的了。那么，我们能不能利用同样的原理来人工造雨呢？你们觉得会需要哪些材料？
学生提出五花八门的材料，老师通过交流肯定学生的想法。
老师：那么今天我们要在教室里人工造雨，老师提供这些器材，你们准备怎么做？（出示PPT上面的器材：酒精灯，三脚架，烧杯，玻璃片，石棉网）
小组合作：完善实验方案，填好实验方案表。</td><td>1. 学生第一次“想”方案，老师引导学生像科学家那样作出假设。
2. 这里出现了最重要的“想”：学生自己设计实验来证明自己的“想”。怎么样设计实验呢？充分地想！师生交流后，反复地想，再次完善实验方案。体现了第二次排序，更科学地“想”。
3. 此处极具生成性，将学生对现实的猜想与所需要的实验仪器相匹配，师生互动，妙趣横生。</td></tr>
</table>

续表

环节	时间	操作过程与方法	设计目的和说明
进行实验	15分钟	三、交流讨论实验方案后，确定完善的实验方案。 老师温馨提示：雨可不是那么容易就下下来的。同学们一定要耐心细致地观察和等待。坚持到底，就会下雨！ 学生分组做实验。 大约15分钟，可见到水滴掉下。 老师：我们人工造雨成功了！ 老师：那么，谁听说过生活中也有人工降雨？	科学地“做”。
拓展延伸	10分钟	四、老师带领学生共同猜想人工降雨的原理和过程，并在交流讨论后给予正确答案。 出示课件：自然界里的雨、教室里的人工造雨、生活中的人工降雨的共同原理是…… 五、布置作业。 课后，请同学们再思考一个问题：既然云和雾都是小水珠组成的，为什么不会掉下来呢？	1. 实验后启发学生进一步思考新的问题。 2. 对整堂课的核心知识进行检测，对全体学生给予直观评价。
板书设计	雨是怎样形成的 受冷 水蒸气 → 水 雾、云、“白气”都是小水珠		

（案例提供：小学部　余理）

三元方式主体课型的教学，教师充分考虑到学生已有的基础，围绕教学目标，创设出适合学生的问题，促使学生在“充分地想”中设计方案，在“二次排序”中筛选方案，在“科学地做”中探索答案，实现自主探究的学习过程。

【案例 4】

体验方式主体课型

“真情 · 自信 · 成功”班队主题活动设计

<table>
<tr><td rowspan="2">活动目标</td><td rowspan="2">体验感悟：一个自信的人，把真诚的赞美和鼓励送给别人，关心他人，可以给别人带去自信；只有自信的人生，才可能是成功的人生。</td><td>主体课型</td></tr>
<tr><td>体验方式</td></tr>
<tr><td>活动准备</td><td colspan="2">1. 学生准备一个饮料罐、一叠彩纸。
2. 老师准备一个自信罐和一些写给学生的小纸条。</td></tr>
<tr><td>活动环节</td><td>课堂实录剪辑</td><td>学生状态及点评</td></tr>
<tr><td>聆听故事
感受真情</td><td>老师：有一个故事，曾经深深打动了我，今天，我想跟大家一起分享。
有一个叫西格的女人，她有三个孩子。4 岁的孩子整天玩玩闹闹，19 个月大的孩子整夜不停地尖叫，还有一个婴儿正需要她喂奶。
孩子们把她吵得心神不宁，她精神都快要崩溃了。这时候，她的朋友海伦托人给她带来了一份礼物。西格欣喜地打开包装，发现里面是一个装饰得很漂亮的陶瓷容器。上面的标签上写着：“西格的自信罐。”
“自信罐里装的是什么呢？”她迫不及待地一个个打开。她做梦都没有想到，里面一张张小纸卷上都是海伦送给她的热情洋溢的赞美和鼓励：（幻灯弹出）
你有好客的天赋；
你做什么事都那么仔细，那么任劳任怨；
我真的相信你能做好任何你想做的事情……
我给你提两点建议：第一，当你完成一件自己想干的事情，或者得到别人的称赞和肯定的时候，就写一张小纸条放在这个罐子里。第二，当你遇到困难和挫折，或者有点心灰意冷的时候，就从这个小罐子里拿出几张纸条来看看。</td><td>设置体验平台。聆听小故事，进入活动情境，为下面“两值”的产生作铺垫。</td></tr>
</table>

续表

活动环节	课堂实录剪辑	学生状态及点评
聆听故事 感受真情	读到这里，西格眼圈湿了。因为她深深地感觉到，她正被人爱着、关心着，困难只是暂时的，自己也是很棒的。从那以后，她把这个“自信罐”摆在最醒目的地方，只要一感到有压力和困难，就可以从中获得勇气和力量。 15 年后，她成了一所幼儿园的园长。许许多多的家长都愿意把孩子送到她的这家幼儿园。因为她的自信带动了孩子们的自信，她是孩子们心中最可爱的园长。（板书：海伦　西格）	
叙谈感受 激发情感	老师提问：听完了这个故事，你想说点什么？ 此环节老师把握两点： 第一，引导学生体会“付出”和“得到”。（板书：付出　得到） 第二，引导学生懂得海伦是一个热心而自信的人，她的自信带动了西格的自信，让西格一步步走向成功。 老师总结：是啊！一个充满了爱的自信罐，一张张饱含深情的纸条，一句句充满了鼓励的话语，重新点燃了西格的自信，最后让她一步步走向成功，成为一名优秀的幼儿园园长。	交流体会：海伦的“付出”和西格的“得到”。认识只有自信的人才能给别人带去自信，帮助别人走向成功。
诱发情感 真情表达	1. 老师的自信罐 杨老师也有一个自信罐。这两天，当我在为今天的主题活动而感到有些紧张和不安时，办公室的同事们纷纷给我鼓劲，为我加油。他们是这样对我说的： （老师读自信条） 读到这些，我感到眼睛一热。他们的真诚和自信给了我莫大的鼓舞。我感到他们注视的目光和支持的力量。	构建体验平台，产生“两值”。 两值：即获得真情的激动和对他人付出的快乐。正是这一传递的过程，让孩子们有了一种强烈的紧张、害怕、渴望的心理。从而获得一种深刻的从没有过的体验。第一个“值”由此诞生，即“获得真情的幸福”。

续表

活动环节	课堂实录剪辑	学生状态及点评
诱发情感 真情表达	2. 选择对象 其实，生活中的每个人都会有对自己失去信心的时候，就像故事中的西格，就像昨日的我。那么，如果今天老师给你机会给别人送去自信，你准备送给哪些人呢？ （送给朋友、送给同桌、送给老师，为什么？） 3. 真情表达 就让我们来做一个自信的、热情的海伦吧！把发自内心的赞美和鼓励送给同学和老师们。 4. 真情快递 写不完的鼓励，道不尽的真诚。今天由于时间有限，我们暂时只能写到这儿。 现在，面对着这些你马上就要送出去的小纸条，你的心情怎样？（可现场采访，可提问举手回答） 好，带着你的激动、紧张，我们马上进入“真情快递”。请认真倾听“真情快递”的要求： （1）请小心打开你的玻璃小罐。 （2）闭上双眼，伏在桌上。听到老师念到你们小队的序号时，请把你写好的小纸条悄悄地、快速地送进别人的小罐里。 （3）在老师宣布统一阅读之前，请耐心等待，不可“偷看”。 按小队顺序开始“真情传递”！ 5. 阅读小语，真情感悟 （1）现场采访。 一场特殊的真情快递，看似风平浪静，实则惊心动魄。 老师注意到，刚才在大家都伏在桌上精心等待的时候，××总是张着指缝往外瞅，老师特别想知道，你在看什么？（看谁在给自己送小纸条。——迫不及待了是不是？）	

续表

活动环节	课堂实录剪辑	学生状态及点评
诱发情感 真情表达	(2) 好，让我们静静地读，用心感受来自朋友的自信和力量。 (3) 分享阅读。 一份快乐如果与他人分享，一定会变成双份的快乐。请同桌之间分享最感动的那一张小纸条，并且说说被感动的理由。	
叙谈感悟 真情告白	体会得到的“幸福”，感受付出的“快乐”。 老师：一张张精美的小纸条，一句句动人的真心话，一个个满载着希望的自信罐，传递着同学之间无私的关爱，表达了同学之间美好的祝福。 此时此刻，谁最让你感动，谁最让你感受到自信和力量？ 1. 孩子们谈得到的“幸福” 好，请读出最感动你的部分，再说说你的感受。 老师相机总结提炼。留意这些小纸条的作者，为下个教学环节做准备。 ◆（念出最感动的） ◆（念出一份意外的惊喜）你没有想到××会赞美你。你觉得他说的对吗？ ◆（送给最不自信的孩子）说说你以前是怎么不自信的？比如上课发言、跟陌生人打招呼、上台表演等。 ◆（送给感动得流泪的孩子）你的眼睛闪烁着晶莹的泪花，我知道这是感动的泪花，这是幸福的泪花，跟大家分享好不好？（大声对大家说：××，你是幸福的！你是最棒的！）	交流感受，两值互换。强化“得到”的幸福和“付出”的快乐，强化“两值”的体验。 这是一个令人难忘的镜头，一个自卑的孩子得到了同学的赞美和鼓励，感动得热泪盈眶，这份来自心灵深处的感动传递给了在座的每一个人。这种感动的传递为第二个值的产生作了有效的铺垫。 “从朋友的幸福中你感受到了什么？”一问的提起，使水到渠成的第二个值喷涌而出。 此时每个孩子心里充满的都是给予的快乐与幸福。 活动充分地营造了给予者的体验和抒发真情的氛围，使这种体验得到了不断的强化。

续表

活动环节	课堂实录剪辑	学生状态及点评
叙谈感悟 真情告白	◆ 给××热烈的掌声，相信有我们大家的支持和帮助，我们的××一定会更加自信，更加勇敢！ ◆ 以后，你还会害怕举手发言吗？你还会担心自己出错吗？ ◆ 说说自己的失落、遗憾和愧疚。 2. 孩子谈“给予”的快乐 我们知道，能够给予的人是更自信的人，更快乐的人。此时此刻，你有这样的感受吗？你从朋友的幸福中感受到了什么？ ◆（采访朋友对方）我想问问××，你看，你简简单单的几句赞美，让你的朋友那么动情，你的心情怎样？（你有能力给别人带去自信，你自己也增加了一份自信了吧。） ◆（采访朋友对方）你的朋友因为有你的祝福和赞美而备感幸福，那你呢？ ◆（送给心心相印的朋友）祝福你们一对心心相印的朋友，一对自信的朋友。 3. 老师谈 今天，杨老师的玻璃小罐里也被大家塞得满满的。 （首先念两张来自同学的……） 谢谢我可爱的孩子们。是你们让我感受到生命的价值，你们的关心和鼓励让我对生活多了一份自信，多了一份热爱！我爱你们！ （念一张来自好朋友的……） 感谢我的好朋友，是你让我感受到友情的珍贵，就像一抹温暖的春光，让我有了风雨无阻的勇气和力量！ 付出一份真诚，我们内心充满了快乐；得到一份关爱，我们心中弥漫着幸福。给予是快乐的，得到是幸福的。（板书：给予是快乐的，得到是幸福的）	

续表

活动环节	课堂实录剪辑	学生状态及点评
激发愿望 主题延伸	老师总结：一个自信的人，把真诚的赞美和鼓励送给别人，可以给别人带去自信；只有自信的人生，才可能是成功的人生。今天，我们捧着一个装满爱的自信罐，在我们的心灵深处播种一颗自信的种子，生命的土壤里，一定会开出娇艳的花朵，结出丰硕的果实！	演化、提升，能动性激励。

（案例提供：小学部　杨池珍）

体验方式主体课型的教学，能促使学生利用校内外资源，通过角色转换，在创设的“两值互换”的实践情境中，获得真实的情感体验，再经过交流讨论，使认识得到强化与内化，增强学生情感态度演化、科学实验、生产实习和技能实训的成效。

【案例 5】

平台互动主体课型

“EEPO 有效教育”教师培训教案

<table>
<tr><td colspan="2" rowspan="2">教学目标</td><td rowspan="2">了解并掌握 EEPO 的课型方式、学习方式、评价方式、备课方式。确立现代教学观念，改进教学行为，提高课堂教学的组织能力和指导学生用不同学习方式开展学习的能力。</td><td>主体课型</td></tr>
<tr><td>平台互动</td></tr>
<tr><td>环节</td><td>时间</td><td>操作过程与方法</td><td>设计目的和说明</td></tr>
<tr><td>明确预习任务</td><td>课前一天</td><td>1. 发放资料：
提前一周发放 EEPO 学习资料（第一期）。
2. 设计预习作业（学习卡）：
请概括出 EEPO 有效教育的内容要点，并选用 EEPO“形式表达”中的一种表达方式呈现出来。
3. 提出作业要求：
课前独立完成学习卡中的任务，并将作业带到课堂。</td><td>● 设计预习作业，明确学习任务。
● 独立完成预习任务为学生自主学习创设了机会，所产生的个性化答案有利于下个教学环节交互。
● 现学现用“呈现方式”，可检测预习效果、提高运用能力。</td></tr>
</table>

续表

环节	时间	操作过程与方法	设计目的和说明
了解内容要点	15分钟	4. 成立合作小组和团队： ① 建立小组： 确定人员：前后四人为一小组 确定编号：明确四人编号1，2，3，4的具体位置 明确分工：1号为组长，组织完成学习任务；2号为控制员，调控组内活动，控制音量；3号为记录员，归纳和记录组员发言内容；4号为统计员，记录和统计评价得分。 ② 建立团队：每三个小组或两个小组为一个团队。 ③ 明确约定："开始"口令为小组开始活动；"3——2——1" 口令为小组暂停活动。两指V形表示基本完成任务。希望表达请举手。 5. 交互强化内容要点： ① 组内交互（明确具体任务）：比较作业的差异，并在组内评出最佳作业。（合作交互：开始） ② 组组交互（提出具体要求）：各组依次由小组最佳作业者表达呈现评选结果。 ③ 教师评价：给每个小组激励性点评和打分。 (4) 师生交互（给出明确结论）：补充完善发言内容，气泡图呈现EEPO内容要点（课件1）。	• 现场成立小组（团队），体验建立合作小组的要点；要点中的约定能使课堂教学更有序和有效。 • 小组呈现后，教师给每组在1—5分内评分，开展组际竞赛式评价，由统计员记录小组成绩。对小组评价也可用符号或语言等激励方式进行非竞争式评价。 • 在组内、组组和师生交互过程中内容要点和呈现方式被强化5—8次。强化不只是简单重复，而要利用资源在变化中提升。
体验学习方式	20分钟	6. 自主归纳学习方式： ① 教师提问1：以上学习过程中，我们用到了哪些学习方式和哪些要点？请独立思考并写在学习卡上，可参看第21—29页。 ② 流程检测：抢答，补充，不重复（重复扣分）。 ③ 教师评价：给每个发言人所在小组点评和打分。 7. 教师拓展学习方式： ① 师生互动总结（给出参考结果）：补充完善发言内容，表格式呈现EEPO学习方式（课件2）。 ② 教师拓展提升：跳出EEPO学习方式，教师举例讲授自主学习、合作学习、接受式学习的概念。	• 教师只评价小组，能提高合作意识、增强合作学习的效率。 • 教师要求学生发言内容不重复，并对重复内容给予扣分，可提高倾听效率，提高课堂注意力。 • 接受式学习对快速了解新概念或突破难点很有帮助。

续表

环节	时间	操作过程与方法	设计目的和说明
强化课型方式	25分钟	8. 互动归纳课型特征： ① 教师提问 2：EEPO 有哪些课型？各课型要点和使用范围是什么？请独立思考，可参看第 7—20 页。 ② 任务呈现：将任务用填空式表格呈现（课件 3）。 ③ 流程检测：顺次指定小组发言（6 个组），补充，不重复。师生合作填表完成任务。 ④ 教师评价：给指定和补充发言人所在小组打分。 9. 体验课型方式运用： ① 教师提问 3：根据课型要点和使用特征，本节课采用了什么课型？独立思考。 ② 流程检测：抢答，不重复。其他组组长表决。 答案：体验式——教师与学生角色互换（特殊课型），要素组合式——七个要素换着用（基本课型）。 ③ 教师评价：给抢答和表决正确的组点评和打分。 10. 设计平台互动课型： ① 教师提问 4：根据平台互动课型特征，结合自己学科特点，请设计一个关键要素，构建多向度平台。 ② 流程检测：抢答，补充，不重复（3 次）。 ③ 教师评价：给抢答和补充发言人所在小组打分。	● 小组竞争性评价时，指定小组发言，使每组呈现机会公平，还能提高课堂紧张度和学生注意力。 ● 用预习作业、表格填空、教师提问、任务呈现等方式明确阶段性学习目标。 ● 用独立思考、自主体验、生生合作、师生合作等方式完成各项学习任务。 ● 用互动归纳、体验运用、设计课型等多向度强化和突破课型特征。 ● 强化平台互动课型，为下个教学环节做准备。

续表

环节	时间	操作过程与方法	设计目的和说明
运用评价方式	20分钟	11. 互动提问深化评价要点： ① 目标呈现：呈现六种评价方式的要点（课件4），可参看第30—40页。 ② 自主提问：针对六种评价的要点，每人独立思考提出一个问题。写在学习卡上。 ③ 小组讨论：将个人问题在小组解答，并确立一个小组提问。（合作解答：开始） ④ 流程检测：接龙顺次指定小组提问（6个组），其他组解答。教师参与讨论和解答。 ⑤ 教师评价：给提问组和答问人所在组点评和打分。 12. 平台互动体验评价运用： ① 构建平台：各团队分别以经典性评价（互动、主动和能动，个性、创造性）、项目性评价（要素组合课型）、学科性评价（目标、梯度、教材开发）、单要素评价（合作学习）四个向度为平台，通过小组合作，对本节课给予评价。（合作讨论：开始） ② 流程检测：各团队以小组为单位发言、补充或评价。 ③ 教师评价：给团队点评和打分，计入各个小组。	• 学生相互提问，深化对评价的理解，培养批判性思维。 • 小组（团队）合作时操作越具体明确，任务越紧扣教学目标，效果就越好。 • 四项评价分别在四个团队中体验完成并呈现，比用教师讲授每项评价的效率要高，效果要好。 • 以团队为单位评价小组，能形成小组之间的合作，促进团队的形成。 • 本节课设计了6次流程检测，以提高课堂效率。
反思备课方式	10分钟	13. 反思备课思维方法： ① 呈现教案资料：发放本节课教案。 ② 讲授教案书写特点： 教学目标要明确（知识目标+发展目标）（针对点讲）； 阶段任务要清晰（6个环节）（针对点讲）； 教学过程要有节奏（14个步骤）（针对点讲）； 板书设计要重点突出（知识基本结构图）（针对点讲）； 知识内容在书本上、课件中（4个）、教师的大脑里。 14. 总结反思布置作业： ① 教师总评：统计员呈现小组得分，对优胜小组给予鼓励。 ② 课后作业：请写150字左右的课后反思（或课堂随笔）。	• 有小组指定、小组推选、小组随机、小组表决等小组呈现形式，使用时要根据任务难度、广度、梯度及学生情况选择。 • 合作学习可用于交互信息、解答疑虑和讨论问题等，使用时视教学任务而定。本课各用1次。

续表

环节	时间	操作过程与方法	设计目的和说明
板书设计	EEPO 的基本结构{学习方式 课型方式 评价方式 备课方式}		

（案例提供：校长室　李素洁）

平台互动主体课型的教学，抓住知识点、能力点、考点、方法、思维、创造点等关键要素，构建学生不同渠道、不同思路、不同方法、不同个性表达的“多向度”平台。引导学生在这个平台上，进行一定梯度形态下的交互学习，从多角度来强化关键要素的掌握，从而达到有效学习。

（四）自主合作的学习方式

学生的学习方式包括接受式学习、自主学习、合作学习等相互关联的类型。

接受式学习是指学习者在课堂教学中，通过教师以定论的形式讲授教材，来接受文化科学知识的一种学习方式。它不要求学习者去独立发现，只要求他们把教师所传授的东西加以内化。接受式学习是学生在课堂教学中经常运用的学习方式，它让学生成了一个被动的听众。

自主学习是与传统的接受式学习相对应的一种现代学习方式。自主学习是把学生作为学习的主体，通过学生独立的分析、探索、实践、质疑、创造等方法来实现学习目标。

合作学习指学生为了完成共同的学习任务，有明确的责任分工的互助性学习。合作学习鼓励学生为集体的目标和个人的追求而一起学习和工作，在完成共同的学习任务的过程中实现自己的理想，在合作学习中形成关心和被关心的双边关系。

学校培养学生“自主”、“合作”精神的育人目标，我们落实在教学活动中，就是培养学生自主、合作的学习方式，实现学习方式的转变和优化。学校重点探究了如何变接受式学习为自主合作学习，将不同的学习方式有机整合，从而提高学生的学习兴趣、学习能力、知识广度、知识深度和班级整体学习水平，构建生动活泼、思维碰撞的课堂学习文化。

学校推行建立在自主学习基础上的合作学习，为此专门对班级合作小组的建设提出了要求，进行了论述。

【案例 6】

《班级合作小组（团队）建设的探究》实施要求

1. 建立合作小组：

● 组建要求：四人一组，“器”字结构；固定序号，以号定责；自取组名，自定要求。

● 组建原则：组间同质，平等竞争；组内异质，互补合作。

● 调整原则：以整组为单位调整座位，确保四人小组稳定。小组成员每学期调整不超过两次。

2. 明确评价内容：

● 没有评价就没有管理，评价内容要共性和个性相结合。

● 年级组提出共性评价内容，班主任创设个性评价内容，评价内容可以先少后多，不求一次到位。

● 评价内容要与“学生综合素质评定”内容相结合。

3. 建立立体评价：

● 个人评价与小组评价相结合。在评价个人的同时，必须对合作小组给予评价。

● 学生评价与教师评价相结合。班主任要让学生成为管理主体，明确学生的评价内容，指导学生参与评价。

● 班主任评价与任课老师评价相结合。班主任要让任课教师成为管理助手，明确任课老师的评价内容。

4. 呈现评价结果：

● 班主任向任课老师和生活老师公示班级合作小组名称、组员名单、组员序号、小组座位，以利于他们开展合作学习和参与评价。

● 在家校互联上按标准格式呈现评价结果，每周一次，姓名用学号代替，10 月 23 日第一次检查（高三年级自愿）。

● 评价结果可以用★数呈现，也可以用 A、B、C 或优、良、中等第呈现，还可以用积分呈现等。

● 每周的评价结果可作为期末学生综合素质评定的重要参考依据。

5. 解决小组问题：

● 班级建立合作小组后，班主任要及时发现问题和解决问题，不断调整策略和方法，解决合作小组中存在的问题。

● 年级组要经常开展“班主任沙龙”，用集体智慧解决问题。

● 学校将收集班级合作小组中存在的问题，作为本学期德育研讨会的研究内容。

评价结果呈现表（标准格式）

<table>
<tr><th rowspan="4">团队名称</th><th rowspan="4">小组名称</th><th rowspan="4">组员序号</th><th rowspan="4">组员学号</th><th colspan="16">评价内容</th><th rowspan="4">个人评价</th><th rowspan="4">小组评价</th></tr>
<tr><th colspan="5">年级共性评价内容</th><th colspan="11">班级个性评价内容</th></tr>
<tr><th rowspan="2"></th><th rowspan="2"></th><th rowspan="2"></th><th rowspan="2"></th><th rowspan="2"></th><th rowspan="2">志愿任务</th><th rowspan="2"></th><th rowspan="2"></th><th rowspan="2"></th><th colspan="7">学习情况</th></tr>
<tr><th>语文</th><th>数学</th><th>英语</th><th></th><th></th><th></th><th>其他</th></tr>
<tr><td rowspan="8"></td><td rowspan="4"></td><td>1</td><td></td><td></td><td></td><td></td><td></td><td></td><td></td><td></td><td></td><td></td><td></td><td></td><td></td><td></td><td></td><td></td><td></td><td></td><td></td></tr>
<tr><td>2</td><td></td><td></td><td></td><td></td><td></td><td></td><td></td><td></td><td></td><td></td><td></td><td></td><td></td><td></td><td></td><td></td><td></td><td></td><td></td></tr>
<tr><td>3</td><td></td><td></td><td></td><td></td><td></td><td></td><td></td><td></td><td></td><td></td><td></td><td></td><td></td><td></td><td></td><td></td><td></td><td></td><td></td></tr>
<tr><td>4</td><td></td><td></td><td></td><td></td><td></td><td></td><td></td><td></td><td></td><td></td><td></td><td></td><td></td><td></td><td></td><td></td><td></td><td></td><td></td></tr>
<tr><td rowspan="4"></td><td>1</td><td></td><td></td><td></td><td></td><td></td><td></td><td></td><td></td><td></td><td></td><td></td><td></td><td></td><td></td><td></td><td></td><td></td><td></td><td></td></tr>
<tr><td>2</td><td></td><td></td><td></td><td></td><td></td><td></td><td></td><td></td><td></td><td></td><td></td><td></td><td></td><td></td><td></td><td></td><td></td><td></td><td></td></tr>
<tr><td>3</td><td></td><td></td><td></td><td></td><td></td><td></td><td></td><td></td><td></td><td></td><td></td><td></td><td></td><td></td><td></td><td></td><td></td><td></td><td></td></tr>
<tr><td>4</td><td></td><td></td><td></td><td></td><td></td><td></td><td></td><td></td><td></td><td></td><td></td><td></td><td></td><td></td><td></td><td></td><td></td><td></td><td></td></tr>
</table>

组员职责分工参考：要求每人在合作学习与小组管理中同时承担责任。

1号组员：提问人兼卫生委员。在合作学习中，负责提出组内无法解决的问题，但不能提出与其他组相同的问题。在小组管理中，负责督促小组成员维护周边卫生及桌面整洁，并作评价。

2号组员：发言人兼学习委员。在合作学习中，负责收集小组意见和答案，进行归纳总结后，代表小组发言。在小组管理中，负责督促小组成员完成作业，并对作业和考试成绩情况进行统计和评价。

3号组员：记录人兼纪律委员。在合作学习中，负责记录教师布置的任务和小组成员完成任务的情况。在小组管理中，负责督促小组成员遵规守纪，并对迟到、早退、违纪行为进行登记。

4号组员：组织人兼联络委员。在合作学习中，负责召集小组成员完成学习任务。在小组管理中，负责联络班主任或班级任课教师，上报个人和小组周评价结果。

志愿任务评价参考：学生只要在小组、班级、年级、学校中承担了志愿任务，每项均计1分，各项分值之和即为完成志愿任务的得分。

合作学习在我们的教学中发挥了非常积极的作用，它将个人之间的竞争转化为小组之间的竞争，培养了学生合作的精神和竞争的意识；弥补了一个教师难以面向有差异的众多学生教学的不足，从而真正实现使每个学生都得到发展的目标。

在合作学习中由于有学习者的积极参与，高密度的交互作用和积极的自我概念，使教学过程远远不只是一个认知的过程，同时还是一个交往与审美的过程。在合作学习过程中，教师和每个学生之间的差异能得到承认，其潜能能得到充分的发挥；合作学习张扬了个性和满足了学生个体的需要，使学生感到学习必须有信心；合作学习活动使学生体会到相互间的关心和帮助，使师生在多维互动、相互砥砺、取长补短的过程中达到在和谐中进取的境界。

（五）以生为本的分层作业

作业是为促使学生完成学习目标而设置的各种训练，是教学目标是否达成的重要检测手段。除了实践性作业，书面作业是教师经常布置的一种形式，由教师布置掌控。编制规范、合理的作业，正确使用好作业能促使学生有效利用课外学习时间，激发学生学习兴趣，实现有效教学。我们认为，实现有效作业的具体方法是作业分层、作业限时，并倡导尝试学生作业自编。

根据不同学段的特点，我们在小学实施了限时作业、自编作业，中学实施了限时作业、分层作业。通过编制典型性、针对性的作业，我们实现了作业内容与课堂教学内容一致，保证学有所练、精选精练，消除了没有学习的内容编入作业的弊端，使同学科的作业量不断趋于合理，各学科之间作业量更加协调。而分层性的作业使作业难易程度更加契合学生实际，培养了学生自主学习的精神品质。

【案例 7】

限时作业实施办法

一、指导思想（略）

二、情况分析（略）

三、作业限时的基本要求：

减少教师的授课时数，把时间还给学生；把自习课还给学生，教师不准以任何形式占用自习课；减少作业量，提高作业质量。

1. 课程设置为学科正课（以下简称正课）、学科自习和公共自习三种，正课为老师正常授课时间，学科自习为限时作业时间，由任课老师组织，公共自习组织老师只检查学生的自习纪律，不得干涉学生的学习。

2. 正课准备：每堂正课任课老师要准备学案和相应知识的限时作业，学案课前一天发给学生（供学生预习和自主学习用），各科正课不留作业（可留开放性的、学生感兴趣的探求问题），限时作业在每天规定的学科自习内统一完成。

3. 限时作业必须全年级统一，每次限时作业必须有命题人、审校人和使用日期，而且必须由备课组长审核签字后才能统一印制，每次限时作业任课老师必须批改查阅，给学生打出作业等第和批改日期，并给学生提出相应鼓励性的建议。

4. 各科限时作业由各科备课组长统一收集（必须是打印稿），根据课表要求每节对应的学科自习课必须有一次作业。每个学期年级组统计一次各学科的作业次数计入工作量，对学科限时作业次数有缺少的根据学校问责制作出相应处罚。

5. 各科可留适当的学习自助餐。自助餐作业只能由学生自主选择，学科教师不得检查或变相检查。（学科教师的自助餐作业设置要有层次、有吸引力，激发学生兴趣，满足不同层次学生的学习需求。）

三、彰显个性的学科特色

每门学科都有自己的学科性质、学科特点，除了共性的育人目标，教师在教学时应根据不同学科的知识体系和逻辑体系来采用适宜的教学方法，追求最佳的教学效果。我校教师在追求教学有效性时，并没有将其仅仅定位为对教学技术性和策略性框架的实用性追求上，而忽略学生的学习必须建基于学生的思想、信念和情感。教师们努力挖掘学科的育人功能和学科特色，将教学的技术性和艺术性融合在一起，让学生享受各学科独特的魅力，主动学习、享受学习、创造性地学习，为培养"豪迈的中国"人奠基。

我校以教研组为单位，广泛而深入地开展了对学科课程标准、教材的系统解读，对学科思想、学科内涵的文献研究，对解决学科教学常见问题、探讨学科教学方法的课例研究，积极开展学科建设，形成学科自身的教学特色，将学校的育人目标通过课堂落到实处。

（一）语文——文本对话，滋养心灵

从1993年建校开始，学校一直倡导和践行"文化育人"之理念。"学会生存"、"学会关心"、"做豪迈的中国人"集中体现了麓山人对现代教育的理解与追求。如何让我们的教育植入人的心灵与精神世界，为孩子的成功奠定坚实的基础？文学名著的阅读厥功甚伟。我们认为，文学作品的阅读，不仅仅是对作品中描述的世界的理解与认同，更是对自我潜能的发现与发展。通过母语阅读的扎实推进，我们不仅要培养孩子们开阔的视野和博大的胸襟，更要培育他们不屈不挠的意志力和永不满足的探索精神。

基于此，从关注学生心灵成长的角度出发，围绕着"充实精神生活，完善自我人格，提升人生境界，构建人文价值体系"这个文学经典阅读的总目标，经过反复研讨与实践，我们为各个学段设置了不同的具体目标，在教材的基础上进行拓展，确定了不同的阅读书目。

表4.3 不同学段文学经典阅读的具体目标及书目

学段	目　标	阅读书目	重点培育的意识
小学一至三年级	培植热爱祖国语言文字的情感，养成语文学习的自信心和良好习惯，掌握最基本的语文学习方法。	《中华经典诵读本》、《郑渊洁童话》、《唐诗三百首》、《增广贤文》、《新三字经》等	自我意识、仁爱意识、合作意识、自由意识
小学四至六年级	认识中华文化的丰厚博大，吸收民族文化智慧。关心当代文化生活，尊重多样文化，吸取人类优秀文化的营养。	《小学生必背的古诗》、《繁星·春水》、《朝花夕拾》、《呐喊》、《鲁滨逊漂流记》、《格列佛游记》、《泰戈尔诗选》、《欧·亨利小说集》、《爱的教育》、《童年》、《昆虫记》等	人权意识、法律意识、公民意识、平等意识

续表

学段	目　　标	阅读书目	重点培育的意识
初中	具有独立阅读的能力，注重情感体验，有较丰富的积累，形成良好的语感。学会运用多种阅读方法。能初步理解、鉴赏文学作品，受到高尚情操与趣味的熏陶，发展个性，丰富自己的精神世界。能借助工具书阅读浅易文言文。	《骆驼祥子》、《钢铁是怎样炼成的》、《西游记》、《海底两万里》、《名人传》、《水浒传》、《傅雷家书》、《培根随笔》、《简·爱》、《人类群星闪耀时》、《毛泽东诗词》等	全球意识、诚信意识、包容意识、生命意识、达观意识、科学意识
高中	对未知世界始终怀有强烈的兴趣和激情，敢于探异求新，走进新的学习领域，尝试新的方法，追求思维的创新、表达的创新。学习多角度多层次地阅读，对优秀作品能够常读常新，获得新的体验和发现。	《三国演义》、《红楼梦》、《呐喊》、《子夜》、《家》、《边城》、《堂·吉诃德》、《巴黎圣母院》、《欧也妮·葛朗台》、《匹克威克外传》、《复活》、《老人与海》、《语文常谈》、《谈美书简》、《歌德谈话录》等	责任意识、环保意识、忧患意识、怜悯意识、文化意识、评判意识

虽然培养目标各有侧重，但各个学部各个年级在推荐书籍时共同的原则是：思想与文笔俱佳，多种流派风格并存，追求文理交融。

全班集体读完一本书后，语文老师都要组织一些活动来引导孩子们对所读的书进行评价与反思，这些活动包括读书心得交流会、辩论赛、情景剧表演等。在此基础上，为了让孩子们体验到创造的快乐，我们引导鼓励孩子们进行摘抄、改编、续写等。孩子们经常参与和讨论的话题主要有：

口语表达方面：用简洁的语言概述故事情节；朗读你最喜欢的段落；抢答赛；人物形象的描述；作品风格的讨论……

写作训练方面：摘抄优美的词句段；仿写句子或段落；写读后感；

给故事中的人物写信；改写故事情节或结局；续写。

创造力训练方面：绘连环画或插图；为书中的主题谱曲；书签设计；将书中的情境改写为一首诗；改写为剧本后进行表演。

通过以上活动的开展，学生的理解力、感悟力、审美力、归纳力、表现力都得到了快速提升，学生自身的知识结构日趋完善，精神世界日趋丰富。

小树苗要长成参天大树是一个漫长而艰难的过程，文学经典的阅读亦复如是，这一活动也会遭遇种种偏见的冲击。为了让文学经典的阅读成为不断滋润孩子心田的潺潺清泉，我校设置了四个“必读”：

每晨必读。每天早自习专设 15 分钟经典诵读时间。每学期的诵读内容编成《早读课本》，学生人手一册。

每周必读。每周要上一节交流展示课，或交流读书心得，或推荐精品佳作……既能共享读书的快乐，又能及时跟踪阅读实效。

每月必读。每月必须上两节阅读评价总结课，全面总结本月的阅读情况，对本月的阅读情况进行全面总结，对下月的阅读进行展望。有时也邀请专家学者来校作读书报告。

每期必读。每逢寒暑假，都要布置学生阅读两至三本名著，并写出读后感或阅读心得。每年的十月份我校都要举办“阅读节”，对学生一个学年的阅读实绩进行全面的检阅。

积土成山，风雨兴焉；积水成渊，蛟龙生焉。阅读是一种文化传递，通过文学经典的广泛阅读，民族的传统文明、人类的文明成果渗透到孩子的精神之中，为孩子的心田抹上一层明亮的底色。不管身处何种境地，他们始终都能保持积极向上的精神态势和蓬蓬勃勃的青春精神。

（二）高中数学——注重探究过程，发展数学思维

数学是中小学教学的重要基础性课程，是“育人”的重要载体。我国义务教育和普通高中的《数学课程标准》强调：数学教学是数学活动的教学，是师生之间、学生之间交往互动与共同发展的过程。因此，我们认为教学过程不仅是传授知识与技能、发展学生思维和能力的

过程，而且也是发展学生的态度、兴趣等非智力因素的过程，更是实现育人目标的过程。

因此，我校数学教学的改革，从原来关注数学知识的层面向更深的层次开发。我们认为，数学学科对于学生的发展价值，除了数学知识本身以外，至少还可以提供学生特有的运算符号和逻辑系统，使学生具有数学的语言系统；可以提供学生认识事物数量、数形关系及转换的不同路径和独特视角，使学生具有数学的眼光；可以提供学生发现事物数量、数形关系及转换的方法和思维策略，使学生具有数学的头脑；可以提供学生一种唯有在数学学科的学习中才有可能经历和体验并建立起来的独特的思维方式。因此，在我们的教学中，我们着重注意思维训练的过程式教学。

1. 抓概念教学，让学生亲自参与概念的形成和概念同化过程

概念形成的具体过程为：辨别一类事物的不同例子，归纳出各例子的共同属性；提出它们的共同本质属性的各种假设，并加以检验；把本质属性与原认知结构中的适当的知识联系起来，使新概念与已知的有关概念区别开来；把新概念的本质属性推广到一切同类事物中去，以明确它的外延；扩大和改组原有数学认知结构；最后以适当的语言符号表达这个新的内容①。数学概念是数学的基础知识，它是从客观实际中直接或间接抽象出来的，对于初次接触的或较难理解的概念，有必要让学生亲自参与概念形成的过程。在讲解概念前要引用一些学生所熟悉的生产和生活中的实例，利用实物、模型、图形、语言等多种活动，对向学生提出的感性材料进行分析，明确概念的内涵和外延，启发引导学生对概念下定义，然后引导学生对实例进行比较、分析、概括、分化和类比，这样使概念的关键属性变得清晰，使实例成为理解概念的思维载体，然后再引导学生将新概念与已有认知结构中的概念建立联系，形成概念系统。许多抽象的数与量，数学思维可以在现实中找到它们的原型，如平

① 夏子厚，李伟．利用探索或教学培养学生创新能力［J］．教育探索，2000（12）．

行线的概念教学，首先让学生讨论说出生活实例中所见到的实物（如黑板的边线），然后从感性概念上升到理性概念揭示出平行线概念为：在同一平面内不相交的两条直线。

学习直接用定义形式陈述的概念时，引导学生主动地与其认知结构中原有的有关概念相互联系、相互作用，并领会新概念的本质属性，从而获得新概念，即通过概念同化的过程学习概念。例如，学生在学习梯形的定义“梯形是一组对边平行，另一组对边不平行的四边形”时，教师引导学生主动地与自己认知结构中原有的概念（平行、四边形、四边形的对边）联系起来思考，认识到梯形是原有四边形中特殊的一类，从而明确它的内涵与外延。接着与原有的一些概念（如平行四边形）区别开来，并相互贯通组成一个整体，纳入原有的概念（四边形）的体系中。最后通过例题的学习以及练习、习题的解答，加深对梯形本质属性的认识，使它在认知结构中得到巩固。

通过狠抓概念、训练思维的过程教学，能培养学生的抽象概括能力，让学生能舍弃所研究事物的非本质特性，揭示其本质特性。

2. 抓定理（公式、法则）教学，让学生亲自参与规律的发现过程

对于数学公式、定理、法则的教学，我们并不急于把结论直接呈现给学生，使学生对公式、法则只能进行简单的模仿，对其提出、形成的过程知其然不知其所以然，而是在教学中以启发式教学思想为指导，注重数学学习的过程性和活动性，引导学生在学习过程中进行主动的思维以培养学生养成独立思考的习惯，使他们掌握数学思想方法。我们在教学中充分利用数学知识的形成过程，使数学思想方法融合在数学知识的学习过程中。例如在菱形的有关定理的教学中，就可以与原认知关系中的平行四边形的定理相联系，直接将新定理纳入原有认知结构中。让学生构建从特殊到一般，从简单到综合，从直观到抽象不断转化的化归思想，从心理上通过分析、归纳、转化，将新知识内化到已有的认识结构中去，使学生的数学思想得到有效的培养和提高。

3. 抓解题教学，让学生亲自参与解决问题的探索过程

"学的真谛在于悟。"让学生在理解了概念，掌握了公式、定理和法则之后，再通过运用已有知识探索解决问题的方法是数学教学目的之所在。同时，在解题的教学过程中培养学生的数学技能和数学思想方法。

例如，求$\sqrt{2+\sqrt{2+\sqrt{2\cdots}}}$的值。

此题初看难以求出值，教师要科学渗透引导学生采用将无限化为有限的方法去求：可令原式等于y，把无限化为有限，则$y=\sqrt{2+y}$，取正根得$y=2$。

通过狠抓解题过程教学，促成学生由对思想方法的盲目的、不自觉的应用向有意识的、自觉的应用转化，即要把未知化为已知，把变量化为常量，把无限化为有限，把间断化为连续或相互转化，激发学生主动探索，求知求真，实现主动建构。

4. 抓知识整理，让学生亲身体验知识的整理过程

教师在教完每章每节后，要通过"先扶后做"的办法，教会学生对知识分章节进行系统的梳理，让学生对每章每节的内容在大脑中形成清晰的知识网络，对数学的概念、公式、定理、法则、重点、难点、典型例题、举一反三的练习题来一次全面的回顾，形成"数学知识树"。首先可以让学生自我整理，自己整理的记得最牢，教师可适当引导学生对知识进一步科学系统地整理，让学生亲身体验知识的整理过程。例如在讲完二次函数后，对二次函数的图像，一元二次方程的解法、求根公式、判别式、一元二次不等式等内容科学比较记忆，使知识融会贯通。

教学实践表明：教学目的是在学生思维碰撞、各类感官并用的教学过程中实现的，教学的基本规律存在于教学的发生、发展过程中。因此，要实现教学目的、探讨数学教学的基本规律，就要研究数学教学过程，正确理解数学教学过程，从而为科学地制定教学原则、确定教学方

法、合理地组织教学活动提供理论依据。

（三）英语——体验多元文化，加深国际理解

《普通高中英语课程标准（实验）》（以下简称《课标》）对学生英语学习八级目标的整体描述为：有较强的自信心和自主学习能力；能就熟悉的话题与讲英语的人士进行比较自然的交流；能就口头或书面材料的内容发表评价性见解；能写出连贯且结构完整的短文；能自主策划、组织和实施各种语言实践活动，如商讨和制订计划、报告实验和调查结果；能有效利用网络等多种教育资源获取和处理信息，并根据需要对所获得的信息进行整理、归纳、分析；能自觉评价学习效果，形成有效的英语学习策略；了解交际中的文化内涵和背景，对异国文化采取尊重和包容的态度。麓山国际实验学校作为湖南省最大的基础教育学校之一，拥有英语教师68位。作为一所国际学校，我们认为英语教学应该按照《课标》的要求，明确英语学习目的，发展学生自主学习和合作学习的能力；在发展学生综合语言运用能力的同时，着重提高用英语获取信息、处理信息、分析问题和解决问题的能力，特别注重提高用英语进行思维和表达的能力。在高中阶段，英语课程还应根据学生的个性特征和发展需求，为他们提供丰富的选择机会和充分的表现空间。中学英语课程应有利于学生进一步拓宽国际视野和增强爱国主义精神和民族使命感，为他们未来发展和终身学习奠定良好的基础。因此，长期以来，学校一直把英语作为重要特色来抓，并据此形成了教研组独特的教学理念：培养学生的跨文化意识，培养具有中国灵魂的“世界公民”。那么，怎样才能培养学生的跨文化意识，使之成为具有中国灵魂的“世界公民”呢？这些年来，我们所有的英语老师都在不断地思考并达成了共识：英语学习的最终目的就是为了与不同文化背景的人进行交流，也就是跨文化交际。因此我们的英语教学就要有意识地让学生了解英美国家文化背景，培养学生用英语文化模式思维的习惯，掌握两种文化的差异，把语言学习和文化学习有机地结合起来，只有这样才能真正提高综合运用英语语言的能力。同时我们也在不断地摸索和尝试，并逐渐形成

了一定的教学模式。

1. 立足常规教学，营造学习氛围，培养多元文化意识

语言有丰富的文化内涵。在外语教学中，文化是指所学语言国家的历史地理、风土人情、传统习惯、生活方式、文学艺术、行为规范、价值观念等。接触和了解英语国家文化有益于对英语的理解和使用，有益于加深对本国文化的理解和认识，有益于培养世界意识。

英语教学在中国，仍然是属于外语教学而不是第二语言教学，因此英语语言首先要立足于常规教学，也就是以校园和教室作为教学的主要场所，以课堂教学作为教学的主要方式。在麓山我们是这样做的：

营造良好校园语言学习氛围。学校是学生学习的重要场所，学校设施、校园设计和教室布置都会对学生的英语学习产生重要影响。走进麓山，我们可以看到学校的每一块牌匾、每一条宣传标语都使用的是中英双语，学校的校训“学会生存，学会关心，”也有对应的英文“Learn to be. Learn to care”。“学会生存，学会关心，做豪迈的中国人”这句豪情万丈的誓词，在每周一早晨的升旗仪式上，由八千充满朝气的师生口中响亮喊出（先汉语后英语），成了麓山人共同奋斗的目标。这样的校园环境让人一踏入校门就能感受到浓厚的英语学习氛围。

开设英语选修课，培养多元文化意识。当今世界是一个多元文化相互碰撞、相互融合，争相展示其独特魅力的社会。我们学习的语言是人类用来表达思想、交流感情的工具。它作为文化的载体，浸透了民族文化。但是由于各个国家和民族有着不同的社会制度和历史文化背景，再加上各个民族的人们生活的地理环境不同，人们的生活方式和思维方式不一样，反映在语言表达上就存在着很大的差异。了解这些差异，丰富文化背景知识是学习语言所必需的。然而这些语言背后的东西很难在课堂教学中一一展现，学校英语角、英语沙龙和选修课就成了英语学习有力的补充。

在中学部，每周都有由外籍教师组织、中国老师协办的英语角和英语沙龙活动。每次的活动都根据学生的年龄层次、不同的时期有着不同

的主题。例如在圣诞节、复活节、万圣节以及感恩节期间，外教会组织开展一些有特色的活动来让学生了解西方文化。

2. 丰富课后语言实践活动，提高交流能力

我们认为：无论是对于交流工具的掌握，还是对于异国文化的理解，外语教育对于国际理解教育都发挥着其他学科无法替代的作用。同样，外语课程的设置和教学也应该基于国际教育理解的需求。学校领导通过走访日本、美国、英国、台湾、香港等国家和地区，分析和总结他们开展国际理解教育的经验，提出了基于国际理解教育的外语教学应该特别强调培养学生的外语交流能力，并在交流中重视外国文化的渗透和体验。

对于学生来说，课外语言实践应是一种真实的语言学习过程。它不只是英语语言知识的复现和技能的巩固，也是综合性的语言实践活动，能逐步培养学生用英语获取、加工、传递信息的能力。在麓山，学校开展了丰富多彩的英语课外活动来提高学生的交流能力。尤其是一年一度的“校园英语文化艺术节”为期一个月，为学生们打开了一扇通往多元文化的大门。在文化艺术节中，既有中外英语教师针对文化碰撞所做的各种知识讲座，例如“英美中教育体系对比”、“西方节日的由来”、“走进澳洲”等一系列讲座拓宽了学生的视野，为他们展示了一个色彩斑斓的世界，更有学生自己参与组织的活动，例如初一年级的英语海报、手抄报设计比赛，初二年级的英语歌比赛、课本剧比赛，初三年级的英语口语大赛，高中生的英语演讲比赛、英语电影配音大赛、英语戏剧展演。这些活动已经成为学校校本课程的一部分，充分展示了麓山学子的才华和魅力，学生通过这些活动的体验，不仅增加了英语学习的信心和兴趣，体验了在课堂上学不到的语言生活，更加充分理解了多元文化的含义。

3. 充分利用资源，拓展学生视野，加深国际理解

外语教学的目的是交流，而对于异国文化、风土人情、历史沿革、

价值观、思维方式的深入了解无疑有助于提高交流的效果。从这个意义上来说，外语教学应该是基于国际理解的。传统的外语教育重知识轻文化，把语法、翻译当成语言的精髓，从而失去了语言所蕴含的文化精神和交流动力。我们认为，基于国际理解的教育应因地制宜地为学生创造真实的语言环境，尽可能增加师生与外语国家人们的交流机会，在交流体验中提高学习英语的兴趣，积累国际理解教育的经验。

麓山，作为一所国际学校，与英国、美国、日本、澳大利亚等多所学校结为姊妹学校，每年寒暑假均为学生提供了去国外交流学习的机会。我们的每次交流，都为学生精心准备了丰富多彩的访问学习活动，既有课程表和根据学生程度挑选的合适的教材，有姊妹学校热情洋溢的师生接待团，为学生安排住在社会信誉良好、热爱孩子的寄宿家庭，让学生充分理解并融入他们的日常生活，更有开拓视野、发展个性的游学活动，如参观迪斯尼乐园，体验唐人街，帮助热爱篮球的孩子与 NBA 的巨星们亲密接触，接受他们的训练和指导。在每一期交流活动结束后，寄宿家庭、接待学校和带队老师都会根据学生的表现作出具体评价，还有学生自己的学习心得总结，作品展示，使得整个活动有始有终。学生通过活动不仅在英语语言运用方面得到了极大的提高，更加亲身体验了文化差异，拓展了视野，加深了对不同文化风俗习惯的了解，同时也通过走出国门，展示了自我风采和本国的优秀传统，体现了新一代中国青少年的风貌。

总而言之，语言教学正因其本身所带有的浓厚的文化背景，因蕴含在语言表达深处的文化、历史、宗教、习俗等使学生充满了对语言学习的兴趣和热情。作为英语教师，首先要转变观念并不断提高自身的文化素养，对西方的地理概貌、风土人情、交际礼仪等要有充分的了解和研究。有了丰厚的文化底蕴，教师才能灵活地向学生阐述中西文化差异，也就是说，教师不仅要做一个语言知识的传授者，还应成为两种不同文化的媒介和解释者。同时还要把自己培养成具有热爱中华文明，有多元文化意识和国际理解意识的人，这样才能给学生带去学习的动力，用自己的人格魅力、深厚的专业功底、丰富的教学经验以及先进的教学理念去感染学生，引领学生。这也正是我校英语组孜孜不倦追求和奋斗的目标。

（四）政治——讲时事新闻，论天下大事

“学会生存，学会关心，做豪迈的中国人”这是我校建校以来的铿锵校训。从思想政治课教学的角度来讲，就是要让我们的学生感受社会生活的发展变化，增进关心社会的兴趣和情感；感受个人情感与国家命运之间的联系；了解当今世界发展趋势，知道我国在发展中面临的机遇与挑战。

中学生身心发展趋于成熟，社会接触面更广，他们的认知能力、辩证思维能力增强。时事资源中所蕴含的层出不穷的有关信息能培养学生对社会对国家的责任感、使命感，养成学生关心国家大事的良好习惯。电视、报纸等新闻媒体所关注的时事热点，对缺乏生活阅历和生活经验的中学生也可以起到一定的导向作用。

“讲时事新闻，论天下大事”是我们学生讲时事政治提出的一句口号。在封闭式学校，如何让学生了解社会关心社会问题，增加社会信息量，提高评论时政水平？我们着重从以下几个方面作了努力。

1. 课堂教学中的时事教育渗透

利用最新时事导入新课。在讲授新课前，根据教学内容和教学目标，利用最新时事和社会新闻创设教学情境，激发学生学习这节课的积极性，努力实现“自主学习”，完成意义建构。如在讲授高一的“我国现阶段的分配制度”时，先用最新时事“胡锦涛总书记 4 月 27 日在全国劳模和先进工作者表彰大会上讲话”导入新课：“要切实发展和谐劳动关系，建立健全劳动关系协调机制，完善劳动保护机制，让广大劳动群众实现体面劳动。”什么是体面劳动？如何让劳动者实现体面劳动？体面劳动和分配制度有什么关系？并针对学生思维的疑点设计问题，层层递进，极大地调动了学生学习的兴趣，引导学生主动探究，做到“不

愤不启，不悱不发”。

2. 直面“阴暗时事”，提升课堂价值

肮脏、恐怖的地沟油，令人震惊的麻疹患儿被误输过期药……相对于中学思想政治课的课程性质，这些现实事例就是典型的消极材料，即“阴暗时事”。由于学生并没有真正深入了解社会，容易被表面现象迷惑，看问题容易偏激，就可能产生错误的价值取向。而教师基于惯性思维，往往“报喜不报忧”，故意屏蔽“阴暗时事”。但与其回避，不如直面“阴暗时事”，以广阔的视角、多角度的逆向思维、开放式的教学理念以及高度的社会责任感审视“阴暗时事”，充分认识并想方设法开发其“光明意义”。

例如，一次“时事播报”：哈尔滨一医院麻疹患儿被误输过期药事件。在之后的课堂教学中，又补充了事件的经过、医院的处理、政府的表态等。对该事件的各个相关环节予以递进式设问，引导学生通过分组讨论、协作探究等互动式学习途径提升“自主学习”的能力。最后，从经济视角学生归纳出的观点有：市场经济是法制经济，社会主义市场经济需要法律保障；市场经济是诚信经济，社会主义市场经济需要道德建设。从社会视角学生归纳出的观点有：社会主义初级阶段我国具体制度还不成熟、不完善；公民的生命健康权利受国家法律的保护……正因为“阴暗时事”的涉及面广，思维连接点多，学生在分析归纳知识观点的探究性学习中，其现象剖析能力、开放式思辨能力和自主知识建构能力的提升就水到渠成了。

3. 建立课堂学习常规制度，发展学生思辨能力

时政演讲及评价制度：课前五分钟时事讲演，要求是全员参与，一事一讲，介绍国内外时事政治，给予评论，启发思考。通过“时政讲演”，一方面使学生拓宽了视野、增长了知识，调动了课堂气氛；另一方面锻炼了学生的观察能力、思维能力以及语言表达能力。

《没有永远的朋友，也没有永远的敌人——从奥巴马访华看中美关

系》、《长江大学“人梯”救人》、《哥本哈根会议》等时政和社会新闻，很好地激发了青少年的好奇心和求知欲，使学生逐渐养成关心国内外大事，关心社会生活和社会发展的良好习惯，从而使学生对时事的学习成为其生活中不可缺少的一部分。

了解热点时事只是感性认识，更重要的是对其进行理性思考。任何时事热点都是在一定时空中发生的事件，都有着它的来龙去脉，前因后果，既有历史的渊源，又有空间的现实意义。需要关注者从一点出发，发散开来，对其进行多角度、多层次、辩证地、历史地思考，放在一定地域环境中思考。

我们设计了评价制度，一讲一评，一位同学讲时事，老师和同学们对其进行补充和评价。评价包括对所讲时事内容的评价，也包括对讲时事水平的评价。每次评价都有记录，成绩纳入学期综合考核。有评价才会有提高，保证了演讲的质量。每学期，我们会在班上评选优秀时政讲解员和优秀点评员，有 15% 的学生获此殊荣。

课堂辩论制度：根据教材要求和学生关心的社会问题进行课堂辩论，分组推荐代表发言。辩论结束后评选时政优秀辩论手和获胜小组。辩论结合教材和时政热点进行，有利于培养学生关心国家大事，提高学生综合分析能力和竞争意识。

撰写政治小论文制度：为了指导学生学会用教材所学的理论知识去点评时事新闻，挖掘学生的创造潜力，培养学生的批判意识和怀疑意识，我们鼓励中学生尝试撰写小论文。学生通过认真地收集整理时事材料，对自己关心的社会问题进行思考和探索，表达富有个性的观点。我们把学生的小论文汇编成册，充分保护学生的思想火花；组织小论文评比活动，成绩计入考评成绩，并推荐优秀政治小论文参加长沙市小论文评比活动。动笔把自己的心得体会写出来，这既是总结也是从理论上提高认识。

时政竞赛制度：每年 12 月长沙市举行中学生时政大赛，以此为契机，我校也会在每年 10 月举行校中学生时政大赛。于是，我们组织学生先在班级内进行预赛，之后举行年级复赛，最后确定学生参加学校的决赛。通过广泛宣传，层层选拔，激发了学生的兴趣，也大大增强了他们的集体主义观念。我校连续三届拿到长沙市中学生时事政治竞赛第一名，这不仅源于学生的天赋与才智，更源于平日对国内国际时事的关注和把握。

实践证明，我们在思想政治课中渗透时事教育不仅使思想政治课生动活泼，激发了学生的兴趣，而且使学生积极参与，充分发挥了学生的主体作用，培养了学生观察问题和分析问题的能力；不仅拓展了学生的视野，给学生呈现了一个五彩缤纷的世界，而且使学生具备了比较健康的政治头脑，也练就了其表达能力，是一个知识积累的过程，使学生终身受益。在这几年的各大学自主招生中，这些学生表现非常优秀。

（五）历史——让生活解读历史，用历史思维塑造学生

早在1923年11月29日，著名史学家李大钊先生在他发表的《研究历史的任务》一文中，就明确提出：史书“固然浩如烟海，但这不是历史，而是供给吾人研究历史的材料”。“历史是有生命的、活动的、进步的；不是死的、固定的。”“吾人研究有生命的历史。”[①] 可见历史本来就是活泼泼的，充满生命力的；历史课堂绝不是死板的“老古董”，而是人类在漫漫长河中不断追求进步、追求真理的生命探索过程。但现在很多人竟有意无意地把“历史”完全等同于一堆毫无生气的秦砖汉瓦之类的“老古董”，不得不令我们深思。我校中学历史组的老师们通过不断的探索和研究，提出了自己的教学理念：让历史走出课堂，让生活解读历史。并以此为原则，作出了一系列的探索，为我校教育事业做出了应有贡献。

教学要改革，首先要改变教师的教学方式。一直以来，很多人都认为，历史只要背了就一定学得好，使得历史平白无故地被边缘化，甚至使部分历史老师走向迷失。要想恢复具有生命力的课堂，就必须从转变教学方式开始，让历史走出课堂。为此，历史组进行了一系列课程开

---

① 李大钊．研究历史的任务［N］．民国日报．觉醒，1923-11-29.

发。在这一系列的课程开发中，历史教师的视野不断扩大，教师素养不断提高。

1. 打造富有魅力的历史课堂

课堂是教育的主阵地，要想提高学生素质，课堂效率必须保证。历史课堂必须立足于学生的发展，为其提供舞台，打造富有魅力的历史课堂。为此，我们作了特别研究，准备将历史资料及相关影视，做成一套历史教学资料库。其中有书本，有电子文字，有相关课件，有影视资料，实现组内共享。多种形式的资料用于教学，既拓展学生的视野，又丰富了课堂。

在资料齐备的基础上，挖掘课堂的新内涵。每堂课前五分钟，学习一则历史典故，如不耻下问，教育学生学习必须谦虚；井底之蛙，讽喻学生学无止境，不能故步自封；等等。或者学习三十六计中一计，引导学生处理事件时从多方面多角度去思考，从而找出更好地解决问题的办法。以此引发学生思考，培养学生的历史思维，并且反观自省，真正学习历史智慧，提高学生兴趣。

教学过程中，EEPO 有效教育理论为我们提供了很多有益的探索经验。课堂上，突出学生主动性，结合多种学习方式，将多种要素科学组合，使学生主动探究，发现问题，解决问题，获得真知。另外，立足于历史学科的特色，将历史剧的表演引入课堂，使学生在编排、表演和体验当中感受历史背景，体验人物情怀，升华民族情感。如昭君出塞，让学生自主地找资料，编排历史剧，使学生充分了解当时的历史背景。在表演中展现昭君个人的大义凛然，从而体会和平的可贵与来之不易。整个过程中，真正体现了以学生为主体的原则，让学生积极主动地去学习、去合作、去体验。历史教学不再只是单纯的课本讲述，而是学生的倾情演绎。整个课堂都灵动起来。

一系列教研探讨，既提高教师的教研水平，也使得学生的学习方式发生转变，从被动地听转变为主动地学，在自主学习当中培养历史思维及分析历史问题的能力。教师在课堂中搭建了一个个舞台，由学生在舞台上展现自我；在课堂外，搭建一个个大舞台，让学生去表演，去体验。

2. 打造丰富多彩的室外课堂

教育并不是简单机械地传递知识，更不是毫无目的地活动开展。历史是有生命力的。生命的活动不只局限于课堂，那历史就不应该只是课堂中的学习。应该让学生用自己的生命去感悟，用自己的情感去体验，用自己的智慧去辨取。以初二年级“20 世纪歌曲中的历史”这一课为例。任何一个时代都有其独特的歌曲。如今，音乐已经成为人们生活的一部分。以此启发学生去关注生活，在音乐当中去感悟历史，使学生从一个新的视角去体验不同时期的精神风貌，并且以此为契机，以合作小组的形式让他们在活动中学会理解他人，共同参与，相互学习，共同提高。无形中丰富了历史课堂，让历史真正走出了课堂。

真正的教育须与生活相结合。校园生活就是一部丰富多彩的书，把这部书读好了，才能在课堂中绽放出最有魅力的智慧花朵。在历史教师的指导下，我校创立了以学习历史为主题的社团“历史社”。几乎每周历史社都会进行一些学生自发的学习和讨论活动。如钓鱼岛问题的历史渊源，或面对日本核泄漏，中国该不该支持等，学生查找资料并进行自主的学习和辩论，让历史学习成为校园生活中一道亮丽的风景线。社长张如还对整个社团制度提出了一系列设想，将历史中所学的君主立宪制运用到社团的建设中，由议会、元老院和社长分管立法、司法和行政权，形成了一套别具一格的社团管理体系，真正将历史学习运用到实际。社团还定期进行历史剧的排演。丰富多彩的社团主题活动，吸引着越来越多的学生参与其中。

但是校园生活毕竟有限，与学生相处更密切的是家庭。高一、高二年级举行“口述历史”征文活动，以“爷爷、奶奶亲历的文革”、“爸爸妈妈记忆中的文革”等为主题，通过寻访爷爷辈、父母辈等许多重大历史事件的参与者或见证者，撰述真实历史的发生，记录珍贵的历史时刻。初一、初二年级举行的“追寻历史的足迹”历史主题摄影大赛，鼓励家长们在假期带领孩子们走出校园，去看看祖国的大好河山，去追寻中华文明的足迹，并撰写观后感，让学生真正地在历史实物中去把握历史，让学生在中华文明的河流中去游弋。并以此为契机，拉近校园与家庭之间的关系，共同实现育人目标。

然而，再小的孩子总会长大，必然会涉足社会。必须引导学生关注社会，在社会中锻炼自己。如近年，以新课程开发为契机，历史组诚邀地理组和政治组，共同开发了新课程“评历史大事”，带领学生关注热点，以中国社会发展为历史课堂，使学生关注社会，培养学生找出问题、分析问题、解决问题的能力。让学生在知识性和趣味性的活动中得到提升。

通过上述努力，历史真正以一种新的姿态，引导学生去关注生活，关注校园，关注家庭，关注社会；使学生感受到生活中的历史，学会用生活去解读历史，用生活去体验历史，用生活去演绎历史，让学生学得“活”起来；也让历史在生命的追寻与探索中得到延伸和拓展，在生命的追问中得到提升和延续。

历史本来就是活的，历史本来就是充满趣味的，历史本来就是充满生命力的。只有教师以高度的责任感去关注生命，才能真正地教育好学生。伟大的人民教育家陶行知先生说：“我们要活的书，不要死的书；要真的书，不要假的书；要动的书，不要静的书；要用的书，不要读的书。总起来说，我们要以生活为中心的教学做指导，不要以文字为中心的教科书。”① 生活的中心是一个个充满生命力的人，关注生命，关注生活，让学生们去读那些动的活的有用的书，是包括历史教师在内的所有教师的使命。

（六）生物——探索自然，敬畏生命

生物学科具有自身的学科特点，是以实验为基础的生命学科。如学科知识中含有大量生命教育的素材，实验活动研究的对象就是生命本

① 陶行知．教学做合一下之教科书（下）［J］．中华教育界，1931，19（4）．

身，各种纪念日又紧密与生命相关，这些都是其他学科无可比拟的。因此在课堂教学中应充分发挥学科优势，探索自然世界，关爱绿色生命，培养学生健全的生命观，接受生命中的一切必然和偶然，理解生命，善待生命，尊重生命的伦理，发掘生命的意义并珍惜生命。如何利用生物学科自身特点进行教书育人呢？我校教师从以下方面作了一些尝试。

1. 在生物学科中探索自然世界

（1）在实验的探索中了解自然的奥秘。作为一个自然学科，实验是基础。知识的获得都是通过实验来完成的。生物组的老师在平时的教学中注重学生实验技能和独立实验的能力的培养，引导学生敢于自己设计实验，敢于动手实验。只要学生有灵感，只要学生有想法，老师就鼓励他们通过实验去证明，并随时可以指导他们去完成各种实验。生物兴趣小组在老师的带领下经常为了一个现象进行多次实验。如对于《DNA的粗提与鉴定》中何种实验材料获得 DNA 效果最理想这一问题，学生通过不断的实验、比较、分析，在探索中获得快乐，在探索中追求真理。

（2）在主题的探索中获得新经验。通过课堂或班会活动，结合当前的热点问题，如“环境污染、水资源、温室效应、世界地球日、世界粮食日”等主题活动，组织学生利用所学生物知识进行讨论，让学生在辩论中成长，让学生关注社会，关心社会，以便更好地服务于社会。

（3）在大自然中探索，感受自然的神奇。生物组的老师利用春、秋游的机会，让学生用他们的眼去观察自然的神奇、去发现自然的奥秘，让他们真正从自然中获得知识，从自然中发现问题、探索问题，并让学生懂得关爱绿色生命。每年暑假组织学生进行生物夏令营，通过收集标本、鉴别标本获得新的知识，同时调查环境资源情况。学生通过自己所见、所闻和自己的思考分析写出了许多调查报告。

2. 在生物学习中懂得关爱生命、理解生命

（1）进行恰当的课堂渗透，感悟生命存在的意义。生物学课堂教

学是实施生命教育的主要渠道，生物学本身就是关于生命的科学，因此，在生物学教学中进行生命教育具有很大的空间。教师应做有心人，认真研究教材，寻找生命教育的最佳结合点，做到适时、恰当地渗透，这样可起到“润物细无声”的效果。

例如高中生物必修三《稳态与环境》第2章第3节“神经调节与体液调节的关系”的问题探讨：“既然知道坐过山车是安全的，为什么心跳还加速呢?”即引出哪些与神经调节有关，哪些与体液调节有关，两者的关系如何。学生通过学习此节内容，明确神经调节和体液调节的协调对内环境稳态的重要性，由此也更能理解毒品的危害，拒绝毒品，慎用心理药物。

又如高中生物必修二《遗传与进化》第1章第1、2节“孟德尔的豌豆杂交实验”（上、下）中介绍了孟德尔生平及其科学研究工作和杂交水稻之父袁隆平的故事，通过学习这些内容，学生们被科学家坚韧不拔的毅力和锲而不舍的科学精神所震撼，同时也体会到只有经历苦难的洗涤，生命才会有永恒意义。

再如教材中提供了有关生命的起源问题，生命的诞生、生病、衰老与死亡等现象的大量素材，使学生了解到各种生命的诞生、成长一直到死亡的过程，所以更要爱护、珍惜每种形式的生命及生命所处的环境，并且学生能从中欣赏生命诞生中的美丽，从心灵深处孕育出关怀生命的情感。

（2）在实验探究中开展生命教育，懂得与自然和谐相处。生物学是一门实验科学，很多实验中都涉及生命观问题。如在进行“遗传病调查”时，不仅要让学生获取遗传病的相关知识，还要引导学生正确对待遗传病患者；在进行“种群密度调查”时，尽量要注意不要随意采摘花草树木，要呵护大自然的一草一木；在进行动物解剖实验时，要尽量减少解剖动物的数量，不虐待实验动物，不恶意处置实验动物，培养学生善待动物，善待生命。

又如探究空气污染与人类健康的关系及家庭改善空气质量的方法与措施、探究酸雨对生物的影响、探究废电池对生物的影响等，这些丰富多彩的活动必然会调动学生关注周围世界，思考各种“习以为常”的生活方式和生产方式对环境的影响。通过自主探究，学生提高了对人与环境关系的反思能力，增强了热爱生命、保护环境的意识，培养了保护环境的行为习惯，树立了人与自然和谐发展的可持续观念。

（3）进行适量的课外活动，养成健康的生活方式。例如利用各种纪念日有针对性地进行生命教育：“3·12”植树节、“4·12”地球日、“6·5”世界环境日、“6·26”国际禁毒日、“12·1”预防艾滋病日，对学生进行生态教育、健康教育，引导学生关心人类生态危机，自觉参与环境保护，养成健康的生活方式。又如组织学生参加“救救濒危野生动物”之类的生物竞赛活动，关注野生动物的生存环境，引导学生尊重生命，关爱生命，保持人与自然和谐发展。

将生物知识与生命教育结合起来，对学生进行情智结合、文理交融的教育，在普及生物知识的同时，养成学生尊重生命、爱惜生命、敬畏生命的情感。这是我们全组老师共同的心声，也是我们共同努力的方向。我们将一如既往地坚持下去。

（七）科学——问题情境，启发探究

科学课引领学生以探究为主要的学习方式，通过创设情境，让学生自己发现问题、提出问题，并亲历假设预测、设计方案、收集证据、整理资料、得出结论、发表成果等过程。

在“发现问题”这一环节，我们重视如何在课堂上给学生创造有价值的情境。众所周知，一个好的教学设计，必定要创设一个把学生领进学习内容的动人的教学情境。而我们的目标是，创设一个能让学生提问题的情境。一个“魔术”、一段视频、一场游戏……教师首先要思考：它是否有趣，能激起学生的好奇心？如在教“轮轴”一课时，先让孩子们来玩“比谁力气大”的游戏。当平时力气小的孩子却战胜了力气大的孩子时，他们就会带着问题去探究比赛工具的结构，发现轮轴省力的原理。问题情境不仅仅局限于课内，我们还经常鼓励孩子们从生活中去观察、去思考、去形成新的问题。比如与孩子们在校园里玩游

戏，老师会带领他们观察脚底下的水泥路面，发现有的地方会有裂缝，思考“裂缝是怎样产生的”；比如与孩子们一起去野外烧烤，老师会引导他们思考“怎样能让火烧得比较旺呢”。

在“提出问题”这一环节，我们进行了大胆的创新，具体做法是：(1) 教师为学生提供一个可见的操作性较强的平台“问题库”，以直观的形式展现在科学教室。(2) 教师在科学课的教学中，营造民主的学习氛围，让学生敢于提问；创设丰富的提问情境，让学生有问可提；教给正确的提问方法，让学生善于提问。(3) 课内课外都可以提出问题，全面展开师生互动、生生互动，及时实施激励机制与完善评价体系，推进“问题库”的发展。(4) 适时进行阶段小结：哪些学生在“问题库”提出了问题；哪些学生提出了有价值的问题；哪些学生解决了“问题库”的问题；解决了哪些问题；运用了哪些方法来解决问题；还有哪些问题没有解决；没有解决的问题中哪些是有价值的问题；“问题库”产生了哪些专题研究课题；哪些学生进行了专题研究，研究的过程是怎样的……这些方法和措施与常规教学能有效结合，切实提高了学生的科学素养。

为了给学生提供更多的开展科学探究活动和展示探究成果的机会，我校每年都会举办一次“科技节”。在科技节期间，学生们会以个人或小组为单位确定一个或多个自己感兴趣的问题实施探究活动，还会以班级为单位参与老师设计的大型主题探究活动，时间一般会持续一个月以上。到目前为止，个人或小组通过自主探究获得了不少优秀成果，以课件、小报、展板的形式在班级、年级、学校发表，以论文的形式在省、市创新大赛上获奖。在教师的引导下，学生以班级为单位完成了“不一样的养蚕”、“人工条件下的蚯蚓越冬”、“蚯蚓对亮度变化的反应”、“城市小区规划设计”、“关注商品包装”、“城市绿化要根据不同的方法选择树种”等主题活动。在这些活动的过程中，孩子们的探究能力与科学意识都得到增强。

(八) 体育——奠体能基础，育团队精神

“体育与健康”课程是一门以身体训练为主要手段、以增进中小学

生健康为主要目的的必修课程。新课标强调尊重教师和学生对教学内容的选择性，注重教学评价的多样性，使课程有利于激发学生的运动兴趣，养成坚持体育锻炼的习惯，形成勇敢顽强和坚韧不拔的意志品质，促进学生在身体、心理和社会适应能力等方面健康、和谐地发展。我校体育教研组深刻领悟“体育与健康”课程的意义，以“共营”、“共赢”作为学科建设的理想，特别关注对学生体能的训练和团队精神的培养。

“共营”——共同扎营在教育第一线、努力营造合作的氛围、齐心经营学生的健康事业。

“共赢”——共同学习赢得友谊、共同进步赢得动力、共同成长赢得成功。

围绕学生体能的训练、团队精神的培养，体育组开展了一系列教学及研讨工作。

（1）加强学习，围绕《提高课堂实效》、《新课标的实施与措施》开展学习与讨论，更新教学观念，将理念付诸实践，不断提高体育教师的专业素养。

（2）围绕《体育与健身课程标准》实施要求，以校本研修为载体，加强教研组活动的专题性，开展单元式主题教研活动，在活动中求创新，在研究中求发展，形成学校校本研修特色。

（3）聚焦课堂，提高对教材的整体理解与分析能力。提高教师的课堂教学能力，不能单独地进行一堂课的研究，而应该站在单元的层面上，先分析单元中的教材。在每次单元研究的共营活动中，首先大家集体讨论，选定研究教材、制订单元总目标和分课时目标，然后各位教师各自承担相应单元的课时分析，制订出各分课时计划；接着教师之间相互交换所写单元，进行探讨；最后集体修改定稿。在有分有合的共营活动中，教师们既体验了团队合作的乐趣，又产生了个体独立研究的动力。

（4）强抓跑操质量，通过早操、课间操的严格管理，提高学生体能；同时增进班级凝聚力，培养学生的集体意识，加强学生纪律观念。

（5）组织文体活动。跳绳、跑操、篮球等一系列比赛的有序开展，深受学生喜爱，营造了浓厚的校园体育运动氛围。同时更多地开展群体性活动，促进团队合作的进一步发展。

（6）每年一度举办的体育文化节、校运会，为体育课程的开设成功导航，不但可以激发学生体育锻炼的激情，提高学生体育运动水平，而且可以进一步巩固良好的班风、校风，进而培养学生强烈的爱国主义、集体主义情感和自强不息、坚韧不拔的意志，并营造和谐奋进的校园文化氛围。体育文化节的成功举办，让我们领略了“团结拼搏、争创一流”的精神，更让我校在素质教育的大舞台上，显示出“追求卓越、创造和谐”的办学思想。

（7）开展体育知识抢答赛，使这样一项富有体育知识积累、讲究团队合作、培养体育兴趣的活动，成为我校体育文化节的一大亮点。知识就是力量，体育知识是中学生必备的能力素质，赛事的开展提升了学生自身的体育综合素质，充实了学生的体育文化知识，加强了学生的交流，增进了同学之间的友谊，提高了学生对体育的兴趣爱好，为我校体育的发展创造了机会。

第五章 主体德育

为『世界公民』的人生奠基

主体性德育，这是一种侧重道德认知的德育模式。学生是道德教育的主体，德育应充分发挥师生的积极性、主动性和创造性，尤其要承认和尊重学生的主体地位和主体人格，培养学生成为具有自主性、能动性等“主体道德素质”的社会主体。

我校继承湖湘文化注重学生德育的优良教育传统，多年来，始终把开展主体性德育，培养学生高尚人格作为学校教育创新的重大课题加以研究和实践。作为一所十二年一贯制的“国有民办”寄宿制学校，其与众不同的办学体制，独特的生源结构和家长群体，小学、初中、高中大跨度的学制特点等，决定了它在德育工作方面必然要有所突破、有所创新。针对我校学生的特点，结合学校的培养目标“学会生存，学会关心，做豪迈的中国人”，我们探讨了以学生主体“自主体验”为主要特征的德育工作策略，做到“知”的晓理，“情”的感染，“行”的训练，“意”的锻炼。道德教育的逻辑起点、核心是价值取向与行为习惯[①]，德育过程的本质是价值引导情境中德育学习主体的自主建构[②]，因此我们把德育活动全过程还给学生，使德育成为学生的生活本身，培养学生在现代社会生活中应该具备的“自主、自理、自信”能力和态度，形成“爱心、责任、合作”的人生观和价值观，从而塑造学生健全的人格，使学生成为一个具有中国灵魂的人、一个能走向世界的中国人。

一、育人的困惑

（一）封闭式的学校管理

全校7800多名学生中，85%的学生为寄宿生，这一特殊的状况，决定了我校的管理模式——封闭式。封闭式管理有一定的特点：学生从吃饭到睡觉，从学习到锻炼，从掌握知识到塑造品质，从知识学习到能力发展，无一不是学校关注的实际问题。寄宿制学校实施的全方位、全

---

① 裴娣娜，孙鹏．学校教育创新力研究的几个基本问题［J］．中国教育学刊，2008（6）．
② 檀传宝．主体性德育——欣赏型德育模式论要［J］．深圳教育科研，1999（1）．

天候的教育管理模式，使其教育时间和空间利用得更加充分，受到的外部干扰相对较少，学生的弱点易成为共同解决的问题，教育教学的针对性更强，同时有利于学生的集体观念、合作意识和自立能力的培养。

但是，从另一个角度来看，寄宿制、封闭式的管理对于年龄尚小的孩子们的心灵会产生负面效应，主要体现在疏离了父母与子女的亲密关系，使教育的责任几乎全落在了学校的肩上。特别是那些刚入校的小学低年级学生和部分衣来伸手、饭来张口的“小皇帝”们，生活自理能力较弱，时刻需要老师的照顾和呵护。学校不仅要提供教育，还要提供服务；不仅要教给学生知识，还要教会学生生活。在学习和生活中教会学生做人。

（二）相冲突的价值观念

我校德育工作面临严峻的价值观相冲突的问题。我国正处于社会转型时期，随着社会开放程度的不断加深，文化交流也空前频繁，而在不同文化的交流与对话中，冲突与对抗也随之产生。价值观是文化的核心，价值观的冲突正作为一种普遍社会现象存在于当代社会中。我校当然无法逃避，且某些问题较一般学校更加突出。

1. “贵族”化的学生构成

我校作为一所“经费自筹”的“国有民办”学校，它的最初建立就是适应社会经济的发展，满足社会先富起来的人群对教育消费的需要，为他们的子女提供“高收费、高消费、高标准、高质量”的中小学教育。这种定位就决定了我校的学生大多数来自社会的高收入家庭，而事实上也是如此。

这种“贵族”化的学生构成，给学校德育工作的开展造成了很大的困难。首先，这些孩子因自身家庭条件的原因在心理上具有一定程度的优越感，因而盲目自信，不会轻易听信教师的说教。而且也有极少数学生沾染了挥霍、浪费的习气，养成了任性、霸道的性格以及自私、虚伪等不良品格。其次，这些学生的家长大多数工作繁忙，对孩子的道德成长关注很少。而且，还有少数家长对学校持有错误的态度，认为自己花这么多的钱把孩子送到学校来，所有的教育责任都应该是学校承担。于是，将学校当“保险箱”，把子女往学校一“锁”，万事大吉。教师煞费苦心的德育工作，可能出现 5 + 2 < 7 甚至等于 0 的结果。要让学生继承和弘扬中华民族的勤劳、节俭等优良传统美德，克服盲目攀比的心理，需要家庭和学校的协同努力，最终形成学校、家庭、社会横向沟通的德育网络。

2. 中西方的文化差异

我校是在邓小平同志“教育要面向现代化，面向世界，面向未来”这一思想的指引下建立的。学校更是提出“继承传统，博采众长，面向世界”的口号，致力于办成一所面向国际的现代化学校。学校在教学中坚持从小学一年级开始英语的教学与训练，开设比普通学校更多的外语课程，聘请专业的外籍教师授课。同时，不断加强同国外的直接交流合作，经常接待国外的师生团队，并且在寒暑假组织学生去国外参与各种冬（夏）令营活动。如此，的确开拓了学生的视野，为学生成长为国际化的人才奠定了基础。但是，也带来了西方价值观念在学生心灵中的潜移默化。学生一方面接受学校传统道德价值观念的引导，另一方面也受到西方价值观念的影响，在价值取向上产生冲突。那么，在这种情况下如何引导学生正确处理相互冲突的价值观念，就又成为一个不容忽视的问题。而作为一所“国际化”的学校，学校教育应以更加开放、宽容、科学的态度去面对冲突，引导学生形成正确的价值观，进而促进国际的文化认同。当代青少年的价值观冲突是我国社会转型时期的一个特殊现象，也是正在成长的青少年必然要经历的一个过程。学校有责任引导、教育和帮助学生在纷繁复杂的多元价值观冲突中学会正确选择，使他们经过反复实践，逐步确定自己的价值观，形成稳定的价值体系，养成良好的世界公民素质。

（三）大跨度的学制设置

学生从小学到高中，12 个年级在同一所学校，年龄跨度大，包括学生儿童期、少年期和青年期的成长阶段。不同的年龄期有不同的心理、生理特点和不同的教育目标与要求，这些对学校的德育提出了高要求。面对大跨度的学制实际，我校将 12 年的学生成长期作整体统筹、全面安排，学校德育工作具有综合性、阶段性，既遵循学生的认知规律，为学生自主发展提供平台，又注重小、初、高过渡阶段的联系，使学生懂得基本的道德规范，培养学生具有开放的态度，拥有一生获取知识的能力、良好的意志品质和健康的人格。

（四）复杂的文化生态环境

经济全球化的发展带动了社会的进步，也带来了人们对各种意识形态的新认识。网络的普及，开拓了人们的视野，也引发了对学生网络安全的新探讨。长沙的文化产业发展、文明城市建设等，这些社会大环境中呈现的文化动态，无不对身处校园的学生产生或多或少的影响。虽然我校位于岳麓山下，望月湖全国文明小区中，深受湖湘传统文化及现代文明的熏陶，但在传统与现代的双重冲击下，学生的文化意识、文化积累、文化感悟，更需要学校及教师的正确引领。

二、价值的引领

价值观是人们对价值及价值关系的理解和追求，是价值判断的重要尺度和标准，是价值选择和价值行动的持久动力源泉。培养学生做负责任的未来世界公民，形成高尚的道德情操和创造力，以及对多元文化的理解与欣赏能力，是时代赋予我们的使命。我国正处在社会转型时期，学校教育中如何建设具有生命力、内涵丰富、积极健康的价值观教育体系，是深化学校教育改革的核心内容。

给予学生正确的价值引领是德育的首要任务，在建立人类共同的基本价值观——“和平、尊敬、仁爱、宽容、幸福、责任、合作、谦虚、诚实、简朴、自由、团结”的基础上，基于新时期学校德育的总体要求和我校德育中存在的困惑及特有的问题，基于我校的办学理念，我们从学校的培养目标“学会生存，学会关心，做豪迈的中国人”入手，深化其具体内涵，将“学会生存”的价值目标具体落脚到培养学生“自主、自理、自信”的心理品质和行为；将“学会关心”的价值目标具体落脚到人类共同基本价值观中的“爱心、责任、合作”；将“做豪迈的中国人”的价值目标与培养爱国情操，担负“世界公民”的责任和义务相结合，落实于国际教育之中。

（一）营造文化氛围，强化价值目标

学校文化，是一所学校在发展道路上淬炼的风骨与品格。美丽的麓山国际实验学校南依岳麓山，东临湘江水，与千年学府岳麓书院毗邻。幽雅的校园、现代化的教学设备、先进的教学理念、优秀的教师队伍，为学生的道德成长提供了良好的环境。

1. 从校徽校歌中体现学校文化

我校校徽设计受韩愈的名言“学海无涯”的启发。标志的组成包括：主体——正圆，象征海洋，寓意知识的海洋，拥有海洋一样开阔的胸怀，提供给学生大海一样广阔的空间，也象征着湖湘包容、多元、海纳百川的精神；外环是一个略浅于内环的圆环，意为广阔的未知领域；中间为麓山的拼音首字母“L”，近看是曲径，远观是航道，蕴含着麓山沿着创新之路，扬帆远航；标志的主色调为深蓝色，表明致力于教育创新的理智与坚定。标志的寓意为：学海无涯，麓山有路。

从以下我校校歌的歌词中也能体会到学校的价值目标所在。

湘水滔滔流，岳麓青又青，山俊水秀育新花，麓山学校扬美名。面对着时代风云，实验中创造求新，自强自律，学会生存，和谐发展，学会关心。在麓山的怀抱里长大，像那向上的青松，在麓山的怀抱里长大，像那展翅的雄鹰，展翅的雄鹰。

楚天多广阔，人杰地又灵，文化胜地古麓山，更喜今朝展新容。面对着光辉未来，塑造完整新主人，自强自律，学会生存，和谐发展，学

会关心。在麓山的怀抱里长大，像那向上的青松，在麓山的怀抱里长大，像那展翅的雄鹰，展翅的雄鹰。

2. 从校园环境中体现学校文化

没有令人振奋的学校精神，就意味着失去凝聚；没有正确的价值引领，就没有学校灵魂。每天迎着朝阳走向学校，稍稍抬头，校门上方及教学楼墙上醒目的校训和升旗仪式上的誓词赫然出现在我们面前：“学会生存，学会关心，做豪迈的中国人”。我们把学校教育的核心价值凝练成这样一句话，并逐步通过学科渗透、课外实践活动、国旗下讲话、共生道德教育、学校文化的陶冶等落实在各类显性和隐性的教育活动之中。

从办学理念到培养目标，从校训到誓词，学校在让文化上墙时既注意整体的协调一致，又注重其教育性，学生沐浴其中，必定潜移默化，受到熏陶感染。学校墙壁上“面向世界、博采众长”，“做现代人、做地球人”等巨幅标语，宣传橱窗里反映麓山学子出国游学的异国风情和学习生活图片，校园里随时传播的国际教育交流的信息，还有家校互联网站上传出的对外交流实践活动的趣事，催生了每一个麓山学生“做地球人”的梦想。

在对校园进行改造和修缮时，学校每一处自然景观也都渗透着育人的目的，学校的一墙一垣、一草一木、一楼一景，都在默默地向学生展示着什么是真、什么是善、什么是美。

3. 从班级建设中体现学校文化

班级文化对德育工作有着重要影响。寄宿制学校，中外师生都住在同一个校园里，共同过着集体生活。这里的生活制度和服务流程，这里的课堂教学和课外活动，这里的运动会和文艺演出，这里的学生自我管理和自主服务，特别是近年来组建起来的班级学生合作学习小组，凸显了这种集体生活环境中“学会关心”的团队精神，也让学生从中体验到团结、合作等全世界共同的基本生活价值的意义。

为了加强班级文化建设，使班级成为学生相互关心的温馨家园，我们让学生主动参与班级管理，激发学生爱班的热情，增强班级凝聚力，培养学生的自主性和创造性，更让学生能拥有一种“我长大了”的自豪感、成就感。各班班主任想了许多点子，提出了一系列“让学生自己来”的想法：班名自己取，班徽自己设计，班训自己制定，班级自己管理，座位自己编排，活动自己组织，进步自己争取，困难互帮互助，先进自己评选，教室自己布置，班长轮流担任等。

如在设计班名时，首先是教师组织学生讨论，和学生一起找出班级的特点，确定班级奋斗的目标。目标是一个班级的努力方向，它起着唤醒学生成功愿望和心理潜能，激发学生的学习动机和拼搏精神，统一全班思想认识的重大作用。然后通过班上的集体讨论，教师引导学生从粗浅的想法或是幼稚的认识中提炼出响亮且含义深刻的班名。在老师的发动和组织下，学生们纷纷开动脑筋，给班集体取了许多可爱而有意义的班名。如“小龙人”、“大风车”、“响叮当”、“雄鹰班”等。在众多的班名中，经过热烈的讨论和激烈的争论，有意义的班名脱颖而出，如“大拇指”班，它不仅形象、直观、富有童趣，而且含义丰富，代表着全班学生的共同心声，象征着“自信”、“向上”、“我能行”、“我真棒”。

围绕班名设计班徽，学生更是兴趣盎然。五颜六色的图案设计代表着一颗颗童心，一点点创造火花。兼顾儿童的心理，综合学生们的创意，“大拇指”班班徽成了一个翘起的大拇指，颜色鲜明，富有新意。之后，班主任老师进一步引导孩子们制定班规，甚至鼓励他们编写班歌，那又是一次“心灵花园的盛会”。

通过一系列班级建设活动，同学们主人翁意识和热爱集体的意识增强，班级成员心定而神聚。这种向心力进而转化为友好合作、民主参与、人人爱班、人人管班、人人建设班集体的班级文化。

4. 从主题仪式中体现学校文化

学校需要号角，催醒校园人奋进；学校需要战鼓，擂响校园人的精神。学校举行各种仪式的目的是通过包孕性强、极富意味、极富魅力、有象征意义的程序和场景，使有意义的事情能够拥有一种伟大的时刻，获得神圣、庄严与郑重。意识作用于心灵，它唤起学生内心的神圣，使生命能经常与伟大的事物交汇在一起，留下深刻的印象，从而形成长久的动力。学校仪式不一定需要红地毯，不一定需要鲜花，但一定要基于自身的愿景、文化，形成自己独特的魅力。我校定期或不定期举行各种具有主题和倡议性质的仪式，如升旗仪式、初一年级少先队离队建团仪式、新团员宣誓仪式、成人宣誓仪式、少先队入队仪式、青年党校开学典礼及结业典礼等，使学校的价值目标得以强化。

（1）“善行 2008 · 善行之夜暨长郡未来基金会启动仪式”。2008 年 10 月 11 日晚，由长郡教育集团、长郡未来基金和长沙市公共频道共同发起慈善活动——“善行 2008 · 善行之夜暨长郡未来基金会启动仪式”。无数富有爱心的学生、家长和社会各界人士奉献爱心。在启动仪式上，学校还正式接收抗震小英雄王佳淇为我校学生。募集的 5000 床印有“善行”和“长郡未来基金会”标志的爱心棉被送往四川受震灾区。这一仪式感动了来参加活动的全体人员，特别是感动了我校全体师生。通过这一仪式，爱的情感在学生心中流淌，学生由此明白：爱心是一种担当，爱心是一种能力，爱心是人类的美德，也是中华各民族大团结的光荣传统和珍贵遗产。作为这一时代的学生，不仅要认识爱、感受爱，还要在生活中践行爱，自觉地施爱于己、施爱于人、施爱于自然世界。

（2）开学典礼。德育的主要目的之一是调整和引导人的价值选择，引导人的价值生活与行为，引领精神的崇善取向。一位优秀的校长必须具有广阔的价值视野、丰富的价值意识和卓越的价值领导能力，时刻想着青少年的成长、社会的进步、民族的复兴和未来的希望，引导学生选择那些能够体现人类基本价值、社会主流价值的价值观念。怎样让学校的校训为老师和同学们所理解、能把握、可操作？我们通过宣传、交流、讨论、对话等行为来洞察、分析、改变和重塑师生群体的价值观念。

以开学典礼的讲话为例，我们并没有把每学期学校建设、教学活动、上级检查等主要工作安排和学校的荣誉、办学成绩等，作为在开学典礼上演讲的重点内容。而是将价值引领作为每次开学典礼讲话的主旋律。如：

为获得双文凭而努力

——李校长在2009年春开学典礼上的讲话

各位老师、同学们：

大家好！

一元复始，万象更新！满载着新春佳节的祝福，我们又以抖擞的精神，全新的面貌重聚麓山，共同走进新学期。在此，请允许我代表学校向全体老师和同学致以新春和新学期的问候！

回顾波澜壮阔的2008年，麓山人团结奋进，共创美好的日子历历在目。在百年未遇的南方冰灾、汶川地震之后，我们用爱心谱写奉献之歌；在全球聚焦中国，点燃奥运圣火之时，我们用激情畅享运动之乐；在长沙文明创建工作蓬勃开展之际，我们用热情展示文明之风；在庆祝建校15周年的欢乐舞台上，我们用豪情重温奋进之路；特别是在2008年的岳麓区小学毕业统考、长沙市初中毕业会考、湖南省高考中，我们师生携手，明志笃学，以优异的成绩再次刷新麓山红榜，创造了历史新高！

此刻，我们满怀豪情站在2009年的新起点，同学们将要完成新的学业，毕业年级更是要发起最后冲刺，迈过人生一个重要求学阶段的终点线，去获得一纸成绩优异的毕业文凭。这纸文凭往往代表着我们所拥有的知识和技能，它看得见、摸得着，如果我们把它看成是一张显性文凭的话，那么，作为麓山学子，我们在学好书本知识的同时，经过接受学校教育后，人人都还必须拥有一张隐性文凭。这张隐性文凭应包含勤奋、踏实，相信“一分耕耘一分收获”；这张文凭还应包含坚韧、自信，相信“坚持就能成功”；这张文凭更应包含诚实、谦卑，懂得敬畏，遵守规则和秩序，相信“尊重他人就是尊重自己”。它代表了我们的价值取向和人生态度，它将伴随一个人的终身，决定着一个人能够走多远，能够飞多高。

我衷心地希望每位麓山学子能够获取优异的显性文凭，以优异的成绩迈上求学新台阶，更希望同学们都拥有一张合格的隐性文凭，用正确的价值观走出精彩的人生路。

最后，祝全体师生在新学期里：身体健康，学习进步！

像这样，每个学期的开学典礼我们都有不同的讲话主题，如《播种习惯，收获成功》、《构建和谐校园，争当文明学生》、《不抛弃，不放弃》、《文明的尺度》、《自主学习，精彩人生》等，通过这些主题讲话，让学生知道既要掌握好知识与技能，更要有“爱心”、“自信”、“诚实”、“谦卑”、“协作”、“尊重”等品质，要有良好的习惯、自理的能力、民主的意识、坚韧不拔的毅力、开拓创新的精神、和谐共处的原则等，促进学生树立正确的价值取向和积极的人生态度。

（3）毕业典礼。毕业是人生一个阶段的结束，更是人生另一个阶段的开始。每年的毕业年级经过艰苦奋战，都会迎来轻松时刻。高三、初三、小六师生分别欢聚小剧场，隆重举行毕业典礼。在毕业仪式中，通过校长、教师、家长的讲话及校园生活情景表演，给学生留下终生记忆，在仪式的洗礼下，学会感恩，学会对自己的未来承担责任。

感谢麓山

——2010 届高三学生家长代表在毕业典礼上的讲话

尊敬的学校领导、老师，亲爱的同学们：

上午好！

作为麓山一名普通学生的家长，我很荣幸受邀来参加同学们的毕业典礼。

看到台下的同学们，我很激动，很欣慰，也很惭愧。激动、欣慰是缘于三年来，同学们从懵懂少年已成长为意气风发的青年。从衣来伸手、饭来张口的娇娇女和调皮贪玩的小男生变为尊老爱幼、关心别人、体谅父母、善于思考、追求上进且能基本独立生活的俊男靓女了。惭愧的是，作为母亲，作为家长，我并没有尽到教育关心之责，借此机会，我向儿子说声“对不起”！

也许大多数家长和我一样，三年前，将孩子送到麓山，把孩子的身心健康、知识积累、品性及良好行为习惯的锻造培养都交给了麓山。作为家长，我们曾经有过犹豫，有过忐忑不安，但我们很快释然了。从我儿子的身上，从与儿子同学们的接触交流中，从多少次流连于麓山校园的观察中，我真的感受到了麓山超前的教育理念、一流的管理服务、不凡的教学质量。麓山，昭示了“学会生存，学会关心”的竞争意识、团队意识；麓山，彰显了“追求卓越，永不满足”的进取精神；麓山，兑现了“为每个学生的全面发展奠基，对每个学生的终身发展负责”的承诺；麓山，真正迸发了“做豪迈的中国人”的豪气！

在这个离情依依的日子里，纵有千言万语，我也只能将主旨归结为四个字——感谢、感恩：作为家长，衷心感谢像严父、似慈母、如知心大哥哥、大姐姐而又知识渊博、呕心沥血的老师们；感谢管理科学、缜密的校领导，任劳任怨的教辅人员，周到细致的后勤保障者；作为学生，应该感谢麓山，是麓山为同学们将来的成长和发展奠了基啊！我想，麓山将是同学们永远难以忘却的纪念；麓山，永远是我们心中的骄傲！

我们更有理由相信，岳麓山下，湘江河畔的麓山，这颗全省乃至全国中小学教育界的明珠将更加璀璨！

5. 从主题活动中体现学校文化

活动是德育的生命，丰富多彩的活动是学生体验生命成长的重要途径。在实施“全面发展、个性鲜明、全球胸怀、独立人格”的教育过程中，我们组织了内容丰富、形式多样的德育活动。让学生在活动中获得真实的体验，获取对自我、对他人、对生活等的认识和理解；在活动中增长知识，开阔视野，培养才干，学会合作。在自主参与的过程中，把时间给了学生，把空间给了学生，逐渐培养了他们对集体的认同感、归属感，而这些感受最终将会升华为社会责任感。这一切都是在活动过程中萌发并形成的，它们将进入学生的潜意识，蛰伏于内心深处，起着潜移默化的作用，慢慢转化为学生的自觉意识。这种自觉意识，是学生终生都汲取不尽的精神营养，这种最真最深刻的活动经历，会让一个人铭记在大脑的深处一生一世。

（1）主题队会。2010 年 12 月 30 日，寒冬中的麓山校园却是一派红色飘扬、生机勃勃的景象，来自团省委、省教育厅和市教育局的领导们和各地州市的学少部部长、各兄弟学校的大队辅导员们走进麓山校园，与全体少先队员们共同隆重举行“湖南省优秀少先队集体”（五星级）创建验收活动。

上午九点半，学校体育馆内鼓乐声起，队歌嘹亮，主题为“向着太阳飞”的大队会在领导、老师和家长们的关注下拉开大幕，全体少先队员们一组组精彩的节目，紧扣少先队工作目标，凸显学校教育理念，反映少先队员精神风貌，展示出麓山少先队集体的卓越风采。下午，活动检查组领导和老师们又走进了小学部各中队教室，观看主题为“绽放自信快乐之光”的中队会，了解麓山少先队阵地建设的情况。各中队的活动发挥出年级和中队特点，彰显各中队学生特色，艺术表现形式丰富。最后，大家来到学校会议室进行中队辅导员座谈和师生问卷调查。少先队员在问卷中写道：参加这种有意义的大队主题活动，是每个少先队员的一次宝贵经历，一种荣耀，因为它反映了学校少先队员的优秀品质。通过观摩与交流，大家畅所欲言，对麓山少先队工作给予了高度的评价。检查组还由衷赞叹：麓山这次活动主题鲜明，以雏鹰争章为抓手，凸显学校特色，展现了湖南省少先队工作的高水平，这在全国都属领先，希望我们的工作经验能够辐射到全省的少先队工作中去，为全省少先队工作的整体提升与发展做出贡献。

（2）互访交流。20 世纪初，随着全球一体化进程的加速，一方面地球变成了地球村，国际文化联系与交往越来越频繁；另一方面民族文化面临着巨大的挑战。让今天的学生在将来既能融入国际多元文化环境，又具有良好的中国文化素养，植立民族之根，是麓山人不懈追求的教育理想。基于长沙市与日本鹿儿岛市建立的友好城市关系，建校之初，我校曾多次作为长沙市的友好使者出访日本，与日本鹿儿岛市建立了深厚的友谊。2007 年 10 月、2009 年 10 月，我校先后两次赴日本参加第二届和第四届鹿儿岛“亚洲青少年艺术节”。参加艺术节的共有来自日本、韩国、新加坡、孟加拉国、马来西亚、中国六个国家的代表团。我校京剧社的数十名小演员表演的京剧《西皮流水》、钢琴独奏《向阳花》、葫芦丝合奏《竹楼情歌》在艺术节众多节目中大放异彩，获得现场观众的啧啧称赞。出访期间，我校访问团受到了鹿儿岛市森博幸市长的亲切接见和组委会的热情接待。在体验日本教育，领略鹿儿岛美丽风光的同时，与各国青少年共享了亚洲艺术盛宴，增进了友谊，加深了相互了解，也进一步拓展了文化胸怀，增强了对民族文化的理解与情感。

（二）自主感悟体验，内化价值目标

人是在社会实践活动中，通过认识和改造客观世界来改造自己的主观世界。活动是主、客观交往作用的过程，通过活动才能把外部世界和主观内部世界联系起来。活动作为教育的外部因素纳入学生主观反映中，与学生内部的需要动机、思想情感等发生作用，从而引起学生一系列心理变化，形成某种思想品质。

我校注重挖掘主题教育的功能，坚持课内、课外活动相结合，学校、家庭、社区相结合，突出时间节点和教育主题，依据社会和学生成长的需要，遵循学生的身心发展和道德品质形成规律，整合教育内容，以活动课程为载体，内化价值目标，让学生在活动中提升自己的道德认识，转变自己的道德情感，磨砺自己的道德意志，形成良好的道德行为习惯。这些活动的开展，不仅营造了具有麓山特色的文化氛围，而且使学生在活动中感悟，在体验中内化，综合素质得到全面提升。

1. 心理教育活动，在体验中提升自信心

学校心理健康教育是有目的地培养学生良好的心理素质，提高其心

理机能，充分发挥其心理潜能，促进其整体素质提高和个性发展的教育；是运用心理学理论、知识和方法，通过语言文字或其他信息传递给教育对象以帮助、启发和教育的过程，是一种促进学生自我认识、自我完善和自我发展的过程。而学生良好的心理品质，并不是从外部灌输的，而是在一定的环境和条件下自主发展起来的。心理健康教育只有转化为学生的内在要求，转化为学生的自主体验时，才能取得积极而持久的效果。心理健康教育的自主体验强调学生自己是心理发展的主体，通过主体“自己体验”来起作用。因此，我校开展的心理健康教育就重在为学生创造适宜的环境和条件，切入学生的生活天地，加强学生内心的自主体验，调动学生自身的能动性，使学生能调控自我，发展自我，从而逐步完善学生个体心理品质，使学生真正实现健康和谐的发展。

（1）利用资源，丰富自我。学生的心灵是敏感的，周围的环境潜移默化地在影响着他们那稚嫩纯洁的心灵。我校的心理健康教育工作首先就是为学生创设一个良好的环境，让环境熏陶成为学生心理自主体验的园地。

学校专门设置了一块“心灵园地”的宣传栏，定期向学生们传达着心理信息，引导学生关注自己的心理健康。每周一次的“心灵直通车”校园广播和“心灵之约”寝室广播，由心理老师和学生共同搜集广播资料，如一些富含哲理的心灵美文、蕴含科学道理的心理知识、有趣的心理测验，或及时为大家解答近段时间学生中所出现的一些心理困惑等。

（2）开设课程，提升自我。学校教育更多是以班级为单位开展的课堂教学活动，因此课堂也是实施心理教育的主阵地。学校利用班会课、活动课及学科课中的教学契机，对学生进行心理教育。我们的教师不是一个道德、价值的灌输者，而是一个引导者；不是教给学生一套观念，而是引导学生积极主动地参与、体验、感受和领悟。只有参与才会有所体验，才会领悟人生的道理，才能学会自我调节，达到自助自主的目标。

（3）设置岗位，挑战自我。在心理教研组的指导下，我们在初一年级各班设置了心理委员——朋辈辅导员。委员们都是由各班对心理学感兴趣，而又积极热情的同学组成。借助心理委员这个群体，心理教师一方面对他们进行培训，让他们具有一定的心理常识，增进自身心理健康；另一方面积极听取同学的意见和建议，支持和协助同学开展各种各样丰富多彩的活动来宣传和普及心理健康知识，关心和帮助同学健康成长。

初一年级心理委员（朋辈辅导员）队伍建设计划

在青少年发展时期，同龄人更容易成为效仿的对象、学习的榜样，他们年龄相仿，在价值观、心理特征等方面具有相似性，更容易互相理解和沟通。心理委员（朋辈辅导员）作为心理健康的基层防线，对学校心理健康工作起着越来越重要的作用。

学校倡导“朋辈互助，助人自助”的理念。为推行朋辈之间心理互助，充分调动学生在心理健康教育中的“自我教育、自我管理、自我服务”的主体性，特在初一年级组织筹建心理委员队伍。

（一）心理委员的产生

依据个人自愿、班主任和班级推荐产生，每班选出男、女生各一名。请各班将心理委员的名单于5月19日之前交罗瑶君老师。

（二）心理委员应具备的条件

1. 对心理辅导感兴趣，能遵守保密原则；

2. 善于沟通，人际交往能力强；

3. 有较好的组织协调能力和团队意识；

4. 有亲和力，领悟力强；

5. 善于倾听，有责任感，乐于为同学服务。

（三）心理委员的主要职责

1. 心理学爱好者：积极掌握更多心理健康知识，以健康向上的生命影响他人；

2. 心理知识宣传员：在班级中宣传心理健康知识；

3. 心理健康活动组织者：协助学校开展各项心理健康教育活动；

4. 心理观察员：关注同学心理健康状况，发现心理问题及时向相关部门汇报；

5. 心理辅导员：协助专业心理辅导老师对同学进行简单的心理辅导。

（四）心理委员的义务和权利

1. 心理委员的义务

（1）准时参加学校组织的相关学习培训活动，并遵守相关要求；

（2）宣传普及心理健康知识，组织相关校园文化活动；

（3）帮助同学解决一般性的心理问题；

（4）及时向相关部门反映学生心理健康情况。

2. 心理委员的权利

（1）可接受学校组织的培训，学习心理学知识；

（2）可优先参加学校组织的心理健康教育活动；

（3）可利用学校心理辅导中心的相关资源，如书籍等；

（4）可获得相关实践证明，并在表现出色的情况下获得荣誉。

（五）心理委员的培训

1. 心理委员必须接受4课时的基础培训，由学校心理老师为主组织实施；

2. 开展与外校心理委员的交流，聘请专业心理辅导讲师来校讲座等；

3. 搜集初一年级新生的典型心理案例，开展案例分析和对策研究与交流。

校心理健康教育中心、校团委、初中学生处

2010年5月14日

（4）开展活动，激励自我。我校的心理健康教育活动，为学生提供了一个实践体验与展现自我的平台。学生在参加活动的过程中，一方面增加了心理学方面的知识，同时学会了关心他人、帮助他人，学会了与人交往。5月25日是我国“大中学生心理健康行动日”，“5·25”是“吾爱吾”的谐音，其意为爱自己以及更好地爱他人。借这个日子，我校也在每年的5月25日前后开展为期一周的"5·25心理活动周"活动。

爱自己　信自己　做快乐豪迈的麓山人

——2010年5月24日心理活动周启动仪式上刘松书记的讲话

老师们、同学们：

大家早上好！

这个周末，在湖南本土最富盛名的综艺电视节目《越策越开心》的舞台上，麓山学子一展风采，不仅用一连串精彩的民乐演奏、京剧表演和舞蹈、武术表演征服了名嘴主持汪涵、马可，更用自信幽默的现场表现，向广大观众展示出麓山少年落落大方的气质，自信满满的风度。一个半小时的欢声笑语，让我深深沉浸在自豪感中，为我们麓山学子的多才多艺自豪，更为我们的开朗自信而骄傲，这种人格魅力甚至超越了艺术表演，让每个人都会情不自禁地想：麓山不仅是读书求学的地方，更是一个百花齐放的大舞台，它孕育了灿烂的艺术之花，更开拓了广阔自由的发展之路，使人自信，助人自强！

明天是5月25日，正值团中央确定的全国大中学生心理健康行动日。"5·25"是取自"吾爱吾"的谐音，强调关爱自我心理的成长和健康，突出认识自我、接纳自我，体验自己存在的价值，追求乐观自信的心态。这样的人才能用尊重、信任、友爱、宽容的态度与人相处，才能分享、接受，给予爱和友谊，才能与他人同心协力，用团队的力量创造成功，我们更多的麓山英才也将因此越飞越高。

因此，学校选择以全国大中学生心理健康行动日作为契机，这个星期在全校范围内举办"心理活动周"，开展一系列的心理健康教育活动。本次活动的主题是"关注心理健康，构建和谐校园"。时间定在5月24—28日。本次心理健康周活动以宣传心理健康知识，提高心理素质为首要目的，将由学校心理咨询室牵头，制作宣传海报，广播宣传心理学知识，播放心理电影，举办心理讲座、心理班会，开展心理漫画、心理健康知识板报比赛，并进行现场心理咨询、心理测量和心理游戏等活动，让心理健康的意识散播在校园的每一个角落，走进同学们和老师们的心里。

在这一系列丰富多彩的活动中，我们倡导每一位老师、每一位同学都能积极投身其中，共同关注自身和他人的心理健康，分享心灵智慧，共创和谐氛围；倡导团结友爱、自信自强的生活方式；倡导学会关心，从关心自己到关心他人，进而关心国家，关心社会，关心这个美丽的世界的阳光心态，为自己的成长与成才铺开进取之路。

老师们，同学们，让我们每一个人从今天开始，用心去感受生命的活力，去体会成长的快乐，让自己的心灵更自信更强大！我们相信，今天，你以麓山为荣；明天，麓山将以你为荣！

（5）咨询辅导，悦纳自我。在一定情况下，学生有释放心灵的需要，但有时在于教育者是否提供了适宜的环境。我校为学生开辟了心理自主体验的交流阵地——心灵驿站。学校有心理学专业和获取了国家心理咨询师资格证的专兼职心理老师 14 人，每天中午和下午放学后，都会有心理老师在“心灵驿站”中热情地接待来访的学生。从咨询的情况来看，学生的心理问题主要集中于学习压力问题与人际交往问题。让我们引起思考的是，来咨询学习问题的更多的是那些成绩上等或中上等的学生，他们似乎更害怕失败，如何提高学生的心理承受能力，增强他们的耐挫性，以及提高他们的自信心就是很值得我们关注的问题。另外，现在的家庭大都只有一个孩子，在家里，孩子就是中心，大人们都让着、宠着，这可能使孩子在与人交往时陷入误区，有孩子在咨询时就直接提出“我不知道应该怎么跟别人相处”、“我牺牲了自己的时间，想跟他交朋友，为什么他不领情”等疑问，可见有的学生在人际交往方面是很茫然和无助的，这时很需要有个人能及时对他提供支持和引导。

现在，我校的个体心理咨询工作已经得到了很多学生的认同，学生通过与心理老师的交流，倾诉了痛苦烦恼或传达了愉悦之情，同时在老师的指导下，加深了对自我的探讨，促进了自我心理的调节，进一步加强了对自我的关心。我校的“心灵驿站”还正在考虑开展团体心理辅导，争取让更多的学生得到心理上的帮助（见表 5.1）。

表 5.1　2011 年心理健康节活动课程实施细则

“关注心灵，美丽生活”心理健康节活动课程实施细则

		学部共同活动特色	个性特色活动	目的和要求	评价内容	评价方式	评价人
小学部	小一、小二	学部整体目标：帮助学生适应新的环境、新的集体、新的学习生活与感受学习知识的乐趣；乐与老师、同学交往，在谦让、友善的交往中体验友情。帮助学生在学习生活中品尝解决困难的快乐，调整学习心态，提高学习兴趣与自信心，正确对待自己的学习成绩，克服厌学心理，体验学习成功的乐趣，培养面临毕业升学的进取态度，培养集体意识；在班级活动中，善于与更多的同学交往，养成健全开朗、合群、乐学、自立的健康人格，培养主动参与活动的能力。 学部共享活动：	心理游戏	目的：对孩子来说，游戏是学习，游戏是劳动，游戏是重要的教育形式。低年级学生的思维以形象思维为主，他们的注意力有强烈的兴趣性、直观性和感情色彩。心理活动采取游戏的形式，将游戏的形式和心理教育的目标有机地融合成一个整体，能让学生在游戏的快乐里不知不觉地受到教育，从而恢复他们健康心理的自然状态。 要求：(1) 组织各班主任了解所进行的心理游戏的目的、规则、操作流程及注意事项； (2) 班主任组织班上学生开展心理游戏； (3) 学生反馈游戏中的感受，可将之写于“随意贴”上，在班上集中展示； (4) 班主任对心理游戏的开展进行总结。	心理游戏开展的情况，学生的反馈，班主任的总结	自评、互评、师评、年级评	自己、同学、班主任、学部、年级组

续表

<table>
<tr><th></th><th></th><th>学部共同活动特色</th><th>个性特色活动</th><th>目的和要求</th><th>评价内容</th><th>评价方式</th><th>评价人</th></tr>
<tr><td rowspan="2">小学部</td><td>小三</td><td rowspan="2">1. 心理健康教育宣传画
要求：根据主题，绘制图画，选取优秀，集中展出，渲染氛围。
2. 心理游戏
各年级都有其适用的心理游戏，心理咨询室可将其整理成册，发放到班主任老师手中，老师可根据自己班上具体的情况，从中作出选择。活动结束后，要组织学生及时反思，分享感受，要注重对学生进行引导，同时班主任老师也要及时作出总结。
3. 心理活动课
课堂是心理健康教育的主阵地，心理活动课的开展，要按学生心理发展的规律和特点，通过各种活动，有目的、有计划、有步骤地去培养、训练，使学生心理品质受到实际锻炼并得到切实提高。同时，心理活动课是全面实施素质教育的需要，它强调全面性、全体性、发展性，就是素质教育思想的体现。</td><td>心理测验——意志品质</td><td>目的：低年级学生的自制力一般不太好，约从三年级起，在教育的影响下，学生的自制力可以得到较大的发展。此时，掌握学生的意志品质情况，便于增加教育的针对性。
要求：（1）组织学生完成心理测验；
（2）将测验结果反馈给班主任老师，并提出相应的教育建议；
（3）对于个别情况特殊的，与班主任进一步交流。</td><td>心理测验的结果</td><td>对数据进行分析评价、师评</td><td>班主任、心理老师</td></tr>
<tr><td>小四</td><td>心理健康教育手抄报</td><td>目的：为提高学生的心理健康意识，普及心理健康知识，让学生在收集相关心理资料的过程中，进一步提高对健康心理的了解，调适心态，培养进取心与自信心。
要求：（1）围绕主题，规定尺寸，要求每人绘制一份手抄报；
（2）班上选出最优秀的5份，年级评奖，统一展出；
（3）剩余手抄报可在班上展出。</td><td>手抄报</td><td>互评、师评、年级评</td><td>同学、班主任、年级组</td></tr>
</table>

续表

<table>
<tr><th colspan="2"></th><th>学部共同活动特色</th><th>个性特色活动</th><th>目的和要求</th><th>评价内容</th><th>评价方式</th><th>评价人</th></tr>
<tr><td rowspan="2">小学部</td><td>小五</td><td rowspan="2">(1) 心理老师上一节示范课，全体老师进行观摩；
(2) 相关年级班主任老师利用班会课时间，用同一个主题，在自己班上也上一次。
(3) 提交上课的反思与资料到心理咨询室备档。</td><td>观看心理健康教育、电影</td><td>目的：通过对影片的欣赏，使学生在潜移默化中实现心灵的成长，提高了解他人心理的能力。
要求：(1) 班集体组织学生观看电影；
(2) 布置观后感作业，150 字以内；
(3) 班主任选择优秀的 5 篇交年级组，集中展出或上传家校互联。</td><td>观看电影的情况，观后感</td><td>自评、互评、师评、年级评</td><td>自己、同学、老师、年级组</td></tr>
<tr><td>小六</td><td>心理健康教育主题班会——感恩的心</td><td>目的：5 月心理健康节开始的时候，六年级学生毕业考试也已经基本结束，回顾六年的学习生活，一定有很多曾经帮助过自己的人。此时引导学生学会感恩，学会重情，让孩子们的情感世界温暖如春。
要求：(1) 精心设计班会流程，由各班班长负责，最终提交班会记录（班会流程）及相关活动资料，交至学部。
(2) 班会后每个学生写一篇反思，字数不超过 150 字，整理成册。
(3) 班主任选 5 篇优秀的反思上传家校互联，并结合班会活动的情况作一个总结。</td><td>班会开展情况，活动相关资料，学生反思</td><td>自评、师评、学部评</td><td>自己、老师、学部</td></tr>
</table>

续表

<table>
<tr><th></th><th></th><th>学部共同活动特色</th><th>个性特色活动</th><th>目的和要求</th><th>评价内容</th><th>评价方式</th><th>评价人</th></tr>
<tr><td rowspan="2">初中部</td><td>初一</td><td rowspan="2">学部整体目标：帮助学生适应中学的学习环境和学习要求，培养正确的学习观念，发展其学习能力，改善学习方法；把握升学选择的方向；加强自我认识，客观地评价自己，积极与同学、老师和家长进行有效的沟通；逐步适应生活和社会的各种变化，培养应对挫折的耐受能力。
学部共享活动：
1. 心理健康教育主题班会
2. 心理健康教育主题黑板报评比
3. 心理健康教育手抄报
4. 现场心理咨询（自愿参与）
5. 心理游戏
可由心理咨询室组织现场游戏，学生自愿参与；也可年级组统一组织大型的心理游戏，以班级为单位参加。
6. 观看心理健康教育电影
7. 团体心理辅导</td><td>青春期教育</td><td>目的：了解自己，学会克服青春期的烦恼，逐步学会调节和控制自己的情绪，抑制自己的冲动行为。
要求：（1）分男女生同时不同场地统一进行青春期生理心理教育；
（2）学生反馈信息：我的收获与困惑（可不记名）；
（3）同一周的班会时间，班主任老师可就学生们所提出的一些问题或困惑以开班会的方式引导学生们进行思考与讨论，同时老师也可以给出较科学的解答；
（4）周末可布置给学生相关话题的周记作业，从学生的反馈中加强与学生之间的交流。</td><td>学生的反馈信息，如提问或周记等</td><td>自评、师评</td><td>自己、班主任</td></tr>
<tr><td>初二</td><td>心理测验与团体心理辅导</td><td>目的：初二是学生心理状态变化较大的一年，适时的心理测验可帮助老师们及时了解学生的心理状态，调整教育的策略；同时，针对某一类心理现象的学生，可组织起来进行团体心理辅导，通过成员间的交流、相互作用、相互影响来实现对自己问题的认识，从而解决自己的问题。</td><td>心理测验的结果，团体心理辅导中的情况</td><td>对数据进行分析、评价、自评、师评</td><td>自己、班主任、心理老师</td></tr>
</table>

续表

<table>
<tr><th colspan="2"></th><th>学部共同活动特色</th><th>个性特色活动</th><th>目的和要求</th><th>评价内容</th><th>评价方式</th><th>评价人</th></tr>
<tr><td rowspan="2">初中部</td><td>初二</td><td rowspan="2">8. 心理健康教育讲座
9. 心理测量
10. 心理漫画
11. 心理摄影</td><td></td><td>要求：(1) 网上完成心理测验；
(2) 将问卷结果反馈给班主任老师，对于情况比较严重（数据结果显示比较脱离常态）的学生，与班主任交流，并提出相应的建议；
(3) 组织情况相类似的学生进行团体心理辅导，注重学生的体验与分享；
(4) 与班主任进一步交流。</td><td></td><td></td><td></td></tr>
<tr><td>初三</td><td>考前心理辅导</td><td>目的：帮助学生缓解考试压力，调适好情绪和心态，提高考试的信心和技能，争取优异的成绩。
要求：(1) 学生完成“考前焦虑测试”心理测验；
(2) 以讲座或团队心理辅导的方式，对初三的学生进行考前心理辅导；
(3) 获得学生反馈信息。</td><td>心理测验情况，学生反馈情况</td><td>数据分析评价、自评、互评、师评</td><td>自己、同学、班主任、心理老师</td></tr>
</table>

续表

		学部共同活动特色	个性特色活动	目的和要求	评价内容	评价方式	评价人
高中部	高一	学部整体目标：帮助学生具有适应高中学习环境的能力，发展创造性思维，充分开发学习的潜能，在克服困难取得成绩的学习生活中获得情感体验；在了解自己的能力、特长、兴趣和社会就业条件的基础上，确立自己的职业志向，进行职业的选择和准备；正确认识自己的人际关系状况，正确对待和异性伙伴的交往，建立对他人的积极情感反应和体验；提高承受挫折和应对挫折的能力，形成良好的意志品质。 学部共享活动： 1. 心理健康教育主题班会 2. 心理健康教育主题黑板报评比 3. 心理健康教育手抄报 4. 现场心理咨询（自愿参与） 5. 心理游戏 6. 观看心理健康教育电影 7. 团体心理辅导	心理剧的创编与表演	目的：心理剧是目前在中学、大学校园里备受青睐、流传极广的学生活动之一，通过心理剧的编创、表演，学生可以把生活学习中的情景、心理冲突、人际互动问题等进行展示，引起广大学生的关注和思考，促进和谐班级、和谐校园的建设。 要求：（1）参赛心理剧主要采用自编自演的形式； （2）主题创意以正面引导为主，能真实反映学生生活学习中的情境，能够引起反思，引起共鸣，能够展现现代中学生的心理状况及精神面貌； （3）评比办法：总分 100 分，其中剧本内容 40 分，主题创意 20 分，表演 30 分，道具场景 10 分。	心理剧	评选年级一、二、三等奖	评委
	高二		户外拓展活动	目的：激发学生在个人生活和学习方面的责任感，通过集体活动增加班级凝聚力及学生集体归属感，磨炼意志、陶冶情操、完善人格、熔炼团队。 要求：（1）以小组为单位参加拓展活动； （2）积极参与活动中的体验与分享； （3）写一篇反思，200 字以内。	参与情况与反思	自评、互评、教官评	自己、同学、教官

续表

		学部共同活动特色	个性特色活动	目的和要求	评价内容	评价方式	评价人
高中部	高三	8. 心理健康教育讲座 9. 心理测量 10. 心理漫画 11. 心理摄影 12. 心理健康教育主题征文比赛 13. 心理格言征集	考前心理辅导	目的：针对高三学生面临高考的巨大压力，给高三学生进行考前心理疏通和调节方法的指导。 要求：(1) 学生完成“考前焦虑测试”心理测验； (2) 以讲座方式，对高三的学生进行考前心理辅导； (3) 获得学生反馈信息。	心理测验情况，学生反馈情况	对数据进行分析评价、自评、互评、师评	自己、同学、班主任、心理老师

心理咨询记录（面询）

2009 年 9 月 17 日　自 18 时 00 分始　19 时 00 分结束

<table>
<tr><td>学生姓名</td><td>×××</td><td>班级</td><td>G0807</td><td>性别</td><td>女</td><td>年龄（岁）</td><td>16</td></tr>
<tr><td>咨询次数</td><td>第 1 次</td><td>咨询教师</td><td colspan="5">罗瑶君</td></tr>
<tr><td>咨询缘由</td><td colspan="7">觉得自己不够自信。</td></tr>
<tr><td>学生自述</td><td colspan="7">高二重新分班，我被分到了 7 班。班上有许多同学是原来 3 班的，班主任老师也是原来 3 班的。于是班上的常规管理也是沿用了原来的。下周是我们寝室轮值当班干部，我负责卫生部分。但因和大部分同学都不熟，觉得这会给我的工作带来很大的困扰。同时我坐在现在的座位上感觉压力很大。左右两边的同学成绩相当好，自己总喜欢与他们进行比较，从而觉得自己很差劲。上课时，很羡慕一位同学，他虽然成绩不好，但敢于回答问题。自己却从来不敢，每次总想着班上还有那么多优秀的同学，担心自己会出丑。</td></tr>
<tr><td>初步分析</td><td colspan="7">高二分班，有些适应不良。性格内向，不善于与他人主动交际。遇到挫折容易退缩，不能对自己进行正确的评价。缺乏自信心。</td></tr>
<tr><td>咨询过程</td><td colspan="7">第一阶段：调整认知阶段
（1）调整求助者的认知，让她明白要想真正克服心理上的障碍，关键还要通过自己的心理调适正确地面对。
（2）把重点放在认知改变上，在咨询过程中向求助者讲清正确评价自己的原理，帮助求助者认清每个人的身上都有优点，必须学会正确地看待，还有认清自身好胜心过强对心理健康的危害。
（3）指导求助者进行自信训练，以增加内心的勇气。帮助她认识到：不要被生活中的困难吓倒，生活必须要勇敢和正确地面对。
（4）指导求助者分析自己现在是什么状况，认清现实，并敢于接受现状，正确地面对缺点和不足，积极地去改变，制定相应的应对措施。
第二阶段：训练治疗阶段
在改变认知层面的基础上，针对求助者在生活学生中出现的认知反应、行为反应和生理反应，使用自信训练法、放松治疗法进行训练。
（1）自信训练法
首先，学会觉察个人消极的自我意识。把所有的消极意识一一罗列，并给予认知，使求助者清楚地意识到当前消极的自我暗示有哪些。</td></tr>
</table>

续表

<table>
<tr><td>咨询过程</td><td>其次，与不合理因素进行自我质问、辩解。从质问、辩解中指出这种消极暗示的不现实性、不合理性、危害性。明确了这些，就能在今后给自己积极的自我暗示，使之有更多的信心和勇气面对现实中的困难。
最后，通过一段时间反复的这种对抗手段运用，利用反射原理使求助者养成不断地给予自己好的暗示，对抗消极暗示的习惯，用这种行为主义的疗法最终替换掉消极暗示。
（2）放松训练法
采用放松训练法，可以通过想象一种放松的情景，来不断地达到刺激大脑放松，对新班级环境有更好的承受能力或不再过度敏感。
在他人指导或者自我引导语的暗示下缓慢进行，在训练开始之前可以仰面躺在床上或者舒服地坐在沙发上。常用的暗示语如下：“我的呼吸很慢很深”，“我的双手、双臂、双肩感到柔软和放松”，“我的腹部感到很温暖”，“轻松的暖流流进了我的双腿，我的双腿感到放松和温暖”，“我的全身处于放松、舒适和平静的状态”，“放松和沉静现在结束，我的身体感觉到充满了活力，我的精力感到特别的充沛”。
放松训练每天可以训练两次，早晚各一次，每次20—30分钟。
第三阶段：结束巩固阶段
在整个心理咨询过程结束后，求助者对学校心理咨询工作的成效表示了满意，经双方同意结束咨询关系，但要巩固咨询的效果，还需要各方面力量因素的协同配合与调节，主导因素当然还在于同学本人，因此需要日后继续跟踪。</td></tr>
</table>

2. 社会实践活动，在体验中增强责任感

苏联教育家马卡连柯明确指出：“培养一种认真的责任心，是解决许多问题的教育手段。”① 我校将责任感的培养作为“学会关心”的重要内容贯穿于学生的德育活动中。我们以陶行知的生活教育思想为指导，运用其“教学做合一”的教育方法，开展社会实践活动，让学生经历“在劳力上劳心”的切身体会，增强责任感。

（1）竞选学生干部，组织社团活动。我校新生每年在高一年级和

① 蒋培成，等. 中学生自我责任心培养的理论与实践［J］. 教育探索，1999（5）.

初一年级军训后，经过半个月左右的磨合与适应，学校将组织新一届学生会、学生分会、大队干部的竞选活动。每一个学生都可以通过自荐和班主任推荐报名参加。经过自愿报名、竞选演说、才艺展示和现场问答，一批批优胜者走上学生会、学生分会、大队委的各个管理岗位。学校利用升旗仪式，由学生会主席总结前任学生会一年来所取得的成绩，并对新一届学生会寄予新的期望。新一届学生会主席将发表“施政”演说，对全校师生作出承诺，接受师生们的监督。学生在自主承担责任中成长。不仅如此，学校组织的社团活动更是为学生搭建了培养创新精神、实践能力的平台。学生可以根据自身发展需求，自发地参加一些社会活动团体。学校为社团聘请了一些经验丰富的老师担任指导教师，由校团委社团部统一协调。目前，我校成立的全省第一个学生网络协会已取得长足发展，拥有自己的网址、完整的制度、系统的活动方案，并开始吸收校外网友；无线电测向爱好者协会更是硕果累累，在历届全省无线电测向比赛中稳居榜首，在全国比赛中，也是成绩喜人；艺术代表团的实力展示已登上金鹰电视艺术节、湖南省春节联欢晚会等大型演出的舞台，在各级比赛中光彩夺目；书法、美术、摄影兴趣小组从个人到集体，让专家评委们一次次被折服；文学社不但有自己定期的小集子出版，而且已有上千篇作品在各级报刊上发表；社会实践活动小组定期走出学校，到社区、到农村、到工厂、到军营、到科研院所体验生活，考察学习，写出了许多观点新颖、反映实际的调查报告。

青年志愿者协会吸引了全校青年学生参加，校团委通过填写青年志愿者服务申报登记表、制订学期服务计划、张榜公布各支部服务项目、组织服务情况跟踪调查、收集服务对象反馈意见等环节，对优秀社团和个人进行总结表彰。志愿者协会每年组织青年志愿者开展清扫卫生死角、推进垃圾分类、美化城市环境等志愿服务。组织全体学生以团支部为单位，自主发现、承包青年志愿者服务项目，其中初中部服务项目以校内项目为主，高中部服务项目以社区服务等校外项目为主。各团支部根据支部成员特长和建议，选择力所能及的服务项目进行长期承包。校团委联系学校附近望月湖街道岳龙社区居委会，根据社区提供的残障居民名单，各支部报名对口扶助 2—3 户。望月湖小区的 11 位孤寡老人一直是我校青年志愿者“做孤寡老人亲儿女”活动的受益者。我校与长沙市盲聋哑学校和长沙市第一社会福利院等单位进行长期性的志愿服务合作，志愿者协会系列活动的开展，拉近了学生与社会的距离，长期开展的社区服务活动赢得了社会的广泛赞誉。

（2）搭建管理平台，推行班级值周。我校为了将“学会生存、学会关心”的培养目标转化为具体的教育行为，同时也为了解决封闭式寄宿制学校 7800 多学生的衣、食、住、活动的高难度管理的难题，学校实施班级值周制。将学生的事情交给学生自己做，将学生中最难的事情交给学生做。实施几年来，校园环境卫生、校风校纪令人满意，尽管校园人口密度很大，但一切井然有序。更重要的是学生的责任意识、自主和关心的意识与能力明显增强。

来自比较富裕家庭的孩子，他们习惯了被人关注、受人服务。长久如此，他们更加容易形成自我中心的价值取向，对他人、社会冷漠的道德情感。针对这个问题，学校积极组织学生参与服务他人的活动，在服务他人中体验善行的幸福感，从而真正学会关心他人。

学生服务他人具体包括两个层面：一是服务身边的人。通过班级值周服务学校的师生，通过小组协作的班级管理服务班上的同学。二是服务社会上的陌生人。学生利用课余时间到公共场所开展为他人、为社会服务的活动。

以班级为单位的值周服务活动在中学部和小学高年级广泛开展，目的是让学生在服务他人中锻炼能力，感受责任，学会关心。班级值周是指学校在广泛征求老师、学生意见的基础上，将学校管理的每个地方、每个时间段分解为不同工作岗位，以周为单位，每个班轮流进行管理。每个班的全体学生根据管理的岗位设置，主动申请岗位，在规定的工作时间内，到岗工作。班主任和班级总协调人负责协调、检查和督促，学生会进行全方位检查和评比。一周工作结束，学生会对班级团队进行评价，班级根据评价标准和学生工作过程的跟踪检查，对每位学生的工作作出评价，其评价要纳入学生的综合素质评价及毕业学分之中。班级值周的具体要求如下。

值周学生的职责

① 严格遵守校纪、校规，以自己的行动做全校同学无声的表率。

② 服从分配，按时上岗，坚守岗位，不做与值勤无关的事，认真完成所在岗位的任务。

③ 值勤上岗时必须戴值周红袖章，注意仪表端庄、精神饱满。

④ 如实检查、评定、记录各班遵守行为规则的情况，劝阻违纪现象应做到讲文明、有礼貌、以理服人。

⑤ 对重大违纪的人和事敢管、善管，并及时与学生处联系。

⑥ 每个值周班的同学，都应爱护值勤用品，如有损坏，照价赔偿。

值周班班长的职责

① 当周到校第一个晚自习前到学生处领取值周红袖章，检查记录表册等用品，接受任务。

② 合理安排一周的值周工作，认真巡视各岗位的值勤情况，向班主任、学生处老师汇报值周情况。

③ 及时汇总每天值周情况，并认真填写考核表，第二天课间操公示。

④ 周末写好值周工作总结，并在下一周升旗仪式上向全校师生汇报一周的值周情况。

⑤ 向校长直接汇报值周工作体会、学生思想动态、学生的建议呼声等。

⑥ 及时组织人力完成学校交给的突击任务。

值周班指导教师的职责

① 全面负责一周的值周工作，并进行指导。

② 认真巡视各值勤岗位的工作。

③ 及时处理偶发事件，指导值周班班长写好值周总结。

学生处的职责

① 负责做好值周班级的安排和各岗位的督促检查工作。

② 及时处理值周班学生所反映的问题。

③ 认真听取领导、老师及有关部门、科室对值周班级工作的评价，

并及时反映值周班同学的合理化建议，促使值周工作的进一步完善。

以下是一个班的班级值周安排表（见表5.2）。

表5.2　值周工作安排表

第五　周　C0801　班　班主任：晏樱　班长：朱咸丽

口号：团结一班　服务麓山

<table>
<tr><th>项目</th><th>时间</th><th colspan="3">工作职责与要求</th><th>学生值勤安排表</th></tr>
<tr><td rowspan="4">第一岗</td><td rowspan="4">7:00至7:33</td><td colspan="2">寝室门口（共6人）</td><td>到岗后向出寝的同学问早安，并在规定时间内协助寝室生活指导老师登记迟到（6:55到岗，7:15撤岗，此岗先值岗再吃饭）</td><td>绿楼：1（1门口）、2（2门口）
红楼：3（1门口）、4（2门口）
男生楼：5
女生楼：47</td></tr>
<tr><td colspan="2">晨练各班人数（7:00—7:15）（初一、初二：16人，初三：6人，每人数三个班人数，此岗先值岗再吃饭）</td><td>数人数，数完问清楚该班班干部或班主任老师应到人数以及未到人员缺勤原因，并且要跟着所属班级跑步（检查领操员是否戴帽子，队伍是否整齐，口号是否响亮）</td><td>初一：6、7、8、9、10、11、12、13、14
初二：17、18、19、21、22、23、24
初三：26、27、28、29、30、31</td></tr>
<tr><td rowspan="2">早餐（初中）（此岗先吃饭再值岗）</td><td>餐台、回收站（共6人）</td><td>清理好餐台，收拾好餐盘，对同学道“谢谢”，对将餐盘乱扔的同学记录学号姓名，将情况汇总至组长处</td><td>餐台：32、33、34、35
回收站：36、37</td></tr>
<tr><td>就餐纪律、门岗、排队、餐桌卫生、送纸巾（共14人）</td><td>在食堂中流动，管好食堂就餐纪律，杜绝在食堂追跑打闹以及玩手机的现象，对插队现象加以制止。主要是餐桌卫生，拿抹布将不干净的桌椅擦干净</td><td>门岗：38、39、40、41
排队：43、44
餐桌卫生：45、48、49、50、56、61
送纸巾：57、58</td></tr>
</table>

续表

<table>
<tr><th>项目</th><th>时间</th><th colspan="3">工作职责与要求</th><th>学生值勤安排表</th></tr>
<tr><td rowspan="4">第一岗</td><td rowspan="4">7:00至7:33</td><td colspan="2">南门传达室（共2人）</td><td>迎接老师和走读生入校并道“早安”，检查入校者是否带有手机、危险物品等（只是检查表面）</td><td>60、66</td></tr>
<tr><td colspan="2">艺体楼入口（7:33起，记迟到至7:38）（共2人）</td><td>迎接师生并道“早安”，在规定时间到后记迟到</td><td>55、63</td></tr>
<tr><td colspan="2">初中部大厅（7:33起，记迟到至7:38，共2人）</td><td>迎接师生并道“早安”，在规定时间到后记迟到</td><td>59、64</td></tr>
<tr><td colspan="2">后篮球场（7:33起，记迟到至7:38）（共2人）</td><td>迎接师生并道“早安”，在规定时间到后记迟到</td><td>67、68</td></tr>
<tr><td rowspan="3">第二岗</td><td rowspan="3"></td><td rowspan="3">课间操</td><td>后篮球场（共2人）</td><td>管理后篮球场纪律，包括对打闹、占场事件的及时制止，同时制止踩草坪者，下雨时提醒同学勿追跑</td><td>1、69</td></tr>
<tr><td>各楼层、公共区保洁（跑操完毕后兼楼道纪律管理）（初一、初二共8人，初三共4人）</td><td>分层检查各班卫生情况，要求将检查结果公布于各班黑板上，初一、初二同时检查（于第二节课下课），初三于第三节课下课检查，跑操后注意提醒勿追跑（站在楼道间一、二、三楼）</td><td>一楼：48、58
二楼：32、67
三楼：44、64
四楼：60、50
五楼：45、33
六楼：59、55</td></tr>
<tr><td>校园主干道流动岗（共2人）</td><td>检查制止校园的不文明现象，包括乱扔纸屑，将零食（除饮料外）带出小卖部等现象</td><td>3、4</td></tr>
</table>

续表

项目	时间	工作职责与要求			学生值勤安排表
第二岗		眼操	各楼层、保洁（包括公共区）（初一、初二于第三节课下课，共20人；初三于第二节课下课，共10人）	分层检查各班和公共区卫生情况和眼保健操情况，要求将检查结果公布于各班黑板上	初一：19、21、22、23、24、46、51、52、53、54 初二：6、7、8、9、11、12、13、15、17、18 初三：14、16、20、26、27、28、29、30、36、42
第三岗		略			
第四岗		略			

注意：1. 表中最右栏数字为学号，下画横线的为组长；值勤时间：第四节提前到11:20下课，提前吃中餐，星期天6:50开始值勤。2. 星期一升旗仪式派2名同学检查教学楼（灯、门、窗），如教室有同学要查明原因。3. 课间：安排4名同学分别站在后篮球场、小学篮球场督促同学文明礼仪，安排2名同学到各楼层检查课间秩序。安排4名同学到小卖部维护秩序。

通过班级值周，培养和提高了全体学生自我管理、自我教育的意识和能力。同时，也提升了班级和学校的管理水平，让学生提前体验“社会生活”，为学生终身发展奠定基础。对班级值周，学生的感悟很深：

我们充满期待地从班长手中接过红袖章。从那一刻起，我们便有了对自己更加严格的要求；从那一刻起，我们更加有了要克服困难的信心和勇气；从那一刻起，我们更加坚定了自己的信念：管理是一种沟通，管理是一种服务，管理是一种引领。

把袖章小心地戴在手臂上，看着红底袖章上两个金黄的大字："执勤"，不禁想到自己要担负的责任，在心中坚定地告诉自己：我要做得最好！

也许因为是第一次执勤，我们碰到了一些困难，如不熟悉岗位的职能以及到岗时间，笔直地站着好累等，但我们都抱着最大的热情，积极主动地克服困难。在执勤的第一天，就有两位同学病倒了，我们的执勤工作却并未因此而被打乱，我们将对他们的担忧化为工作的动力，与岗位没有冲突的同学都争着要去为他们替岗，这是怎样的一个让人感到幸福的班级啊！我们满怀激情地坚持着……

虽然担负着全校管理的重任，但是在黄老师和班团干部的指导下，我们自己的学习，自己的教室、寝室的工作也都井然有序。暂时没有岗位的同学都争着帮忙打扫卫生，看着他们劳动的身影，不禁感叹这是怎样一个让人由衷热爱的班级啊！

这次执勤后，感觉班级凝聚力更强了，同学们对工作的热情和责任心也得到充分展示，互帮互助尤其让人感动。我们就是在这样一个相互关心的温馨的大家庭里成长着、感动着。

2010年6月21日《德育报》以《长沙麓山国际实验学校让学生"享受"德育的阳光（下）——班级值周服务活动》为题，在"全国中小学德育细节"栏目中将我校"班级值周"的经验向全国推广，文中写道：

麓山国际实验学校积极开展班级值周的服务活动，让学生在服务他人中锻炼能力、感受责任。班级值周具体做法是：学生会在广泛征求老师、学生意见的基础上，将学生管理的每个地方、每个时间段（或重大活动）分解为不同工作岗位，以周为单位，每个班级轮流进行管理。班级值周主要工作为：一是常规检查，对寝室纪律与内务、卫生、三操、文体活动、学生仪表、迟到早退、校服着装等各项常规进行检查评分；二是校园文明监督，及时制止损害环境卫生、践踏草坪等不文明行为，同时督促做好卫生保洁；三是安全巡逻，在课余及自由活动时间加强巡视，及时发现安全隐患并报告相关部门；四是食堂值勤，在就餐期间由值勤同学负责维护食堂就餐纪律，协助食堂工作人员维护食堂卫生、餐具的洗放等；五是参与组织学校重大活动，如学校田径运动会、艺术节、各种演出、对外接待任务等。

……

麓山国际实验学校从建校始，坚持以德育为先的教育理念，确立“学会生存，学会关心”的德育目标，经过不断的探索和反思，形成一套学校独特的德育模式，学习、活动小组合作培养团队协作精神，班级值周培养自主管理和服务意识，让学生享受德育的阳光。

（3）关注社会事件，奉献一片爱心。2008 年四川汶川大地震发生之后，我校在长郡教育集团组织的“千名教师、万名学生”为四川地震灾区捐款活动中，筹集善款 100.1 万元，通过银行转入中国教育工会长沙市委员会赈灾专户，希望为四川灾区援建一所希望学校。随后，党员教师们和团员学生们再捐出特殊党费 14 840 元、特殊团费 30 921 元，募集棉被 5000 余床送往地震灾区。我校全体师生不仅为灾区捐献了大量的财物，而且组织学生积极参与了由团省委、省少工委、省青基会共同主办，长沙广播电视局（集团）承办的“爱心愿景之旅——湖南青少年慰问团赴川西灾区”的“川西之行”。

“川西之行”的感悟

本次活动的目的是为青年志愿者提供一个与灾区儿童交流的机会，并且带去募集的物资（我们与长郡本部一共用这些钱购进了 202 张临时黑板，50 多套羽毛球拍，篮球、跳绳若干，以及其他的一些物资）。而我们，是本着去看、去听、去触摸、去感受的心态完成活动的。

我们一行人经过五天的车程到达理县，而后的两天住在营盘街小学。小学原先的教室在震后出现多道明显的裂痕，变为危房。平坦的操场上已经搭满了活动板房，一部分作为教室，一部分作为寝室，于是孩子们都生活在学校。在这短短两天的时光里，我们和他们同吃同住。

早晨，我们才起来的时候，窗外就飘来了读书声，那是某个年级某个班的学生在自觉地晨读，而路过他们的寝室，看到他们的内务更是整理得整整齐齐，卫生也已打扫干净。他们只不过是小学学生，却能做到这般，实属不易。

看到我们这些远道而来的大哥哥、大姐姐，孩子们很高兴，但说到这次地震，孩子们脸上、眼睛里露出难以掩饰的悲伤。我们没有经历过地震，所以我们不能讲我们此刻看到、听到这些后，能感同身受。我们只能想象，当我们面对突如其来的灾难时，我们是否能做到和他们一样坚强、勇敢。房子没有了，甚至父母都不在了，但依然乐观面对现在的生活。此时，我们觉得他们每一个人，都是我们的老师，我们能在他们身上学到的东西太多了。

曾经，我们因为在学习上碰到困难而忧虑，在生活中遇到不便而沮丧，但如今和他们相比，还值得一提吗？大概多数普普通通的人，一辈子经历的，自认为的千难万难，在他们面对的灾难面前都不值一提。而他们，小小年纪，却要承担这一切，我们在的几天中，从未听到一句抱怨，一声哀叹，这怎不叫那些在小波折、小困难面前泄气、怨怼的人汗颜？

有人说，看到灾区的人民，再看看自己，觉得自己很幸福。的确，我们没有在瓦砾堆中凄惶地等待救援，也没在一群群伤员中失魂落魄地呼喊亲人的名字。但我们认为，此时，觉得自己幸福的情绪大可不必有，因为人的幸福感不是通过人与人境遇的不同而比较出来的，我们最多只能感到幸运，因为我们并没有经历这些，同时，我们应当学会感恩，也许有时不知道这种情感指向何方。我们要感谢有这么一次机会深入灾区，看、听或者触摸然后用心感受；我们也要感谢父母、老师、朋友，感谢你们在我们身边，更多地感谢身边的一切。

可喜的是，现在各条通往灾区的道路已经疏通，各类生活必需物资在当地也几乎供应正常，孩子们在我们到达的前几天开始复课，生活也渐渐恢复。我们相信，灾区人民那种自强不息、坚韧不拔的精神，将会给所有听过或接触过他们的人包括我在内以鼓励，使我们在今后的道路上，更加坚定、更加坚强，勇于直面困难。那些在前方等待着我们的一个又一个困难也将一个个被我们克服。

（作者：张彦博　符映婷）

学校不仅组织学生深入地震灾区体验生活，送去我们的爱心，也有幸迎接了四川理县30名骨干教师。他们走进学校、走进课堂，与我校教师进行教育教学的深度交流。以下是我校小记者在校园网上对这次活动的报道。

自“5·12”四川大地震发生之后，往日“藏歌松柏晴烟外，羌笛牛羊夕照中”的美丽小城——四川理县也遭受了巨大创伤。在党中央、国务院的号召下，湖南省立即开始对口支援理县灾后重建工作。华夏儿女同根连枝，麓山教师和理县教师更是教育事业的同道中人。2008年12月24日，正是麓山国际实验学校建校十五周年的日子，学校借此时机，盛情邀请理县30名中小学教师走进麓山校园，进行为期十天的同学科同年级教师结对互动，聘请专家座谈，探讨教育心得，交流教学经验；并且通过走访长郡中学、博才小学、实验小学、师大附中丰富见闻，了解长沙优质教育；走访伟人故里韶山，充分感受湖湘文化。在校庆当天下午，长沙市副市长何寄华一行也来到麓山，亲切会见了理县教师们，表达了长沙市委市政府对理县教育工作者的欢迎和关心。

结束了十天的学习交流活动之后，大家在麓山会议室举行了总结座谈会。会上，理县教师代表在发言中以“麓山十日行，胜读十年书”来表达麓山之行的感触，理县教育局何局长也真诚地向我校领导表示感谢，并送上了锦旗作为留念。从此，湘川教师定将携手并肩，为两地教育发展尤其是灾后重建工作做出自己的贡献。

3. 互助关爱活动，在体验中培养爱心品质

（1）城乡手拉手。我校坚持“城乡少年手拉手”扶贫帮学活动。

通过组织小五、初一、初二年级学生上街义卖报纸活动募集助学善款，派学生代表集中到“手拉手”扶贫学校开展一天农村体验及帮助小伙伴活动，给农村小伙伴送去助学款和爱心玩具、爱心书籍，并让学生在活动中得到体验。

以下是我校小记者的一段报道。

2009 年 11 月 4 日上午，我校在党总支刘松书记的带领下，校团委书记、大队辅导员和小学部少先队员代表，带着满满的捐赠物资和浓浓的爱心驱车来到浏阳市普迹镇书院村金江完小，受到了全校师生的热烈欢迎。“长沙麓山国际实验学校，走进新农村社会实践活动——赴普迹镇捐赠活动”，在庄严的国歌声中正式开始。党总支刘松书记对本次捐赠活动首先致开场词。

随后，向普迹镇书院村捐赠烈士陵园修缮款 1 万元整，向普迹镇书院村金江完小捐赠校服等学生用品购置款 3 万元整；接着，少先队员代表向金江完小小伙伴赠送了新校服、新书包和新玩具；最后，金江完小潘校长致答谢词，衷心感谢麓山学校对金江完小发展的深情关注和大力支持，并表示在三湘名校的指导、带领和帮助下，通过辛勤劳动，金江完小一定可以开创新的局面，谱写新的篇章。

仪式结束后，校领导和少先队员代表们参观了金江完小的新宿舍、阅览室，走进教室和同学们一起上课，和完小的大队委员们亲切交谈，互相交流学习工作经验。融洽的谈话气氛，同龄人的共有话题，让整个会议室洋溢着一片欢乐。临走时潘校长把孩子们一张张字迹工整的小纸条，送到了带队老师的手中，其中一张写道：

今天在我的记忆中是最快乐的日子，因为我收获了珍贵的礼物，那里面包含着感动、鼓励，还有那浓浓的不舍之情……城乡手拉手，你我好朋友。同在一片蓝天下，爱会一起走。爱，会让世界更温暖！此刻，我的感受只能用一个词来形容，那就是：“幸福！”谢谢你们！——金江完小　周安娜

（2）义卖报纸。学校每年三月开展“学雷锋活动”，其中“义卖报纸”是学雷锋系列活动中的一项常规内容，学生通过自己的劳动赚取爱心款，捐赠给手拉手对口学校或灾区。以下是校园记者对2010年“义卖报纸”活动的报道。

爱心改变命运，爱心传递真情

当三月的春风拂去冬日的萧瑟，当新发的阳光让暖意融入我们的心房，我们想起了依旧在灾区奋斗的同龄人。一滴水可以感动小草，一点绿可以感动沙漠，一片阳光可以触动黑暗的心灵，一点爱心可以让我们心心相连。为此，麓山国际实验学校号召全体中小学生开展了三月学雷锋为灾区献爱心的募捐活动。

3月18日上午，初二年级20个班1300余位同学拿起自己亲手制作的募捐箱，走上街头义卖报纸，募集善款。每逢遇到行人，我们麓山学子便会恳切地请求他们买一份报纸，不一会儿，爱心就像雨滴一样越聚越多。同时，我们麓山学生还发扬了学习上的刻苦精神，在义卖报纸的过程中，不辞辛劳，四处奔走，有些同学甚至从河西一直走到了袁家岭、地质中学，行程五六公里，只为了能多卖出一份报纸，多募捐一份善款，多帮助一个需要帮助的学生。

中午时分，各班的义卖报纸活动陆续结束了。活动中得到的善款既包含了素不相识的路人的爱心，也包含了我们麓山学子的汗水，更将会包含被帮助学生的感动。通过活动，我们更加深切地感受到：社会就是一个温暖的大家庭，只要一方有难，就有八方支援！同学们遇到了形形色色的人。有慷慨大方一下子就捐出20元的叔叔阿姨，捏在手里的钱一瞬间仿佛不是“钱”，而是一份份沉甸甸的爱。

在这次活动中，我们成长了许多。今后，我们会继续给予贫困学子帮助，为他们的漫漫求学之航架起一片云帆。

学校的爱心公益活动潜移默化地影响着每一位麓山学子，他们的行动也常常感动社会、感动成人。以下是《长沙晚报》的一篇报道。

8 龄童大爱拯救小男婴

因无法筹到巨额手术费用，衡阳市衡南县一名患有严重先天性心脏病的小男孩的父母在省城一家医院不辞而别，小男孩的生命危在旦夕。望着可怜的小病友，邻床的长沙小女孩张昕果献出不同寻常的爱心，感动了父母和周围的人，他们纷纷伸出援助之手，终使这名小男孩重获新生。

年仅 8 岁的张昕果是麓山国际实验学校小学二年级学生。6 月中旬，一向很健康的她却持续低烧。父母急忙将张昕果送往湘雅二医院救治。医院将她安排在儿科重症区住院治疗。在医生采取得力措施后，张昕果的病情第二天就得到了有效控制，她很快又像往常一样有说有笑了。

这时，邻床一名小病人引起了张昕果的注意。这名叫罗杰的小男孩来自衡南农村，刚出生 6 个月，患有肺炎、先天性心脏病等多种严重病症。为了给他治病，罗杰的父母不仅花光了多年在外打工挣来的全部积蓄，还负债数万元。医生告诉他们，治愈罗杰的病至少要七八万元，还不包括后期治疗费用。

听了医生的话，已一贫如洗的罗杰的父母绝望了，亲戚朋友早就借了个遍，这次来省城给儿子治病所带的 5000 元钱，还是磨破了嘴皮从信用社贷的款。

一筹莫展的罗杰父母成天抱着孩子在病房徘徊。望着整天唉声叹气的罗杰的父母，张昕果的心里沉甸甸的。住院的这些天，她喜欢上了罗杰，经常逗他玩。了解实情后，张昕果的父母对小罗杰的境遇也深表同情。

6 月 22 日清晨，张昕果睡觉醒来后，发现邻床只有罗杰孤零零地躺在那儿，可她清楚地记得清晨 5 时许上厕所时，还看到罗杰的父母睡在旁边。张昕果将此事告诉了陪护阿姨。院方经过调查，确认罗杰的父母已不辞而别。

望着可怜的罗杰，张昕果闷闷不乐地躺在床上。“不能让小弟弟没人管，一定要想办法救他。”她拨通了正在外地出差的父亲的电话：“爸爸，罗杰的爸爸妈妈跑了，他现在一个人在医院好可怜，我们一定要想办法救他啊！”听到女儿略带哭腔的话语，张先生的心里猛地一颤：多好的女儿啊，小小年纪心地就这么善良！他向女儿承诺：等慎重考虑好回长沙后再作决定。

由于罗杰的身边没有亲人，医院一方面继续给罗杰进行治疗，同时安排专人护理；另一方面派人紧急寻找罗杰的家人。在此期间，张昕果的父母也给罗杰买来了奶粉等食品。张昕果不断动员父母伸出援助之手，她说不能就这么眼睁睁地看着罗杰死去。

几天后，院方费尽周折终于联系上了罗杰的父母，并告知罗杰若不及时动手术，生命将危在旦夕。但罗杰的父母很无奈：“我们也舍不得丢弃自己的亲生骨肉，眼下确实无能为力了，求你们找个好心人收养这个可怜的孩子吧。”

万般无奈之下，医院只得派人将罗杰送回他的衡南老家。

听说罗杰被送回家了，张昕果心里非常难受，她眼泪汪汪地对父亲说：“爸爸，你再不下决心，罗杰真的没得救了。”其实，张昕果的父母心里也很不是滋味，只不过他们比女儿想得更细、更周全些。见女儿救罗杰的决心如此坚定，张先生决定找来几位好友商量。好友们听说情况后大为感动，他们惊讶于小小年纪的张昕果竟然这么有爱心，均支持张先生满足女儿的心愿。好友郝小鹰主动提出承担罗杰的一半治疗费用，苹果树国际幼稚园的邱晖也掏出2000元钱表示心意。

见罗杰有救了，张昕果悬着的心才放了下来。远在衡南老家的罗杰的父母接到张先生的电话后，喜极而泣，称张先生是罗杰的“大恩人”。

7月18日，罗杰的父母带着罗杰重返湘雅二医院。张先生亲自找到院长尹邦良商量罗杰的手术事宜，表示他将同朋友一道承担罗杰住院期间的全部治疗费用，将女儿的爱心进行到底。知道了事情经过后，尹邦良院长也深为这人间的真情所打动，对罗杰的手术方案作了周密安排。

7 月 26 日，罗杰的手术非常成功，一直守候在手术室门口的张昕果得知消息后，高兴得手舞足蹈。

据医生介绍，罗杰有望很快康复出院。眼下，张昕果每隔几天就要跑一趟医院，每次望着正在康复中的小弟弟，她觉得自己成了世界上最幸福的人。

——摘自《长沙晚报》(2007 年 8 月 6 日)

本报昨日对 8 岁小学生张昕果说服父母成功拯救病童罗杰的感人经历进行报道后，在广大市民中产生了强烈反响，不少读者纷纷给本报打来电话，表达对张昕果及其家人的敬意，同时十分关心罗杰的病情。不少市民表示，“这个小女孩确实不简单”，她的助人为乐的精神值得在全社会大力弘扬。

——摘自《长沙晚报》(2007 年 8 月 7 日)

4. 家校互动活动，在体验中感受亲情

所谓家校互动，就是通过营造学校、家庭、教师、学生等多边互动的育人环境，在教育双方平等交流探讨的过程中，达到不同观点碰撞交融，进而激发教育双方的主动性和探索性，达成提高教育效果的一种育人方式。家长积极参与学校组织的集体活动，不仅可以密切与自己孩子之间的亲子感情，而且可以更加了解学校教育的内容，配合学校教育教学。

(1) 亲子运动会，追寻成长的幸福。学校每年都会举办一次“家庭趣味运动会”，发动广大学生以家庭为单位参与各种有趣的比赛项目，让家长在与自己的孩子一起参与的比赛中增进感情，学会合作与共享。在一次运动会后，X0901 班张楚涵妈妈不无感动地说：

金秋送爽，丹桂飘香。10 月 30 日，女儿学校“亲子运动会”隆重开幕了！我早早从家来到学校，明媚的阳光把校园照得格外美丽，自己的心情也格外的好。因为今天总算又可以看到我可爱的女儿了，幸福无比！来到操场，看着孩子们一个个生龙活虎、精神抖擞地站在操场上，

看来他们早已适应了学校的寄宿生活，也许他们真的比我们更早地适应了分开的日子！

伴随着雄浑有力的《运动员进行曲》，运动会拉开了帷幕，首先学校领导发表了热情的讲话，孩子们也整齐地展示了一套运动体操。坐在看台看着女儿矫健的步伐和敏捷的身姿，再看那稚气的小脸充满着朝气，心里不自觉激动起来。小家伙真是长大了，小学生了！相信在场所有的爸爸妈妈都一样激动吧！

由于孩子她爸工作特忙，送了我们八个字：注意安全，争取夺冠。于是运动会只有妈妈冲锋在前了。周六等女儿完成作业后，我们一起把运动会四个参赛项目都预演了个遍，由于规定只能参加一至两个项目，经过一家人共同商议，最后我们确认的参赛项目为“袋鼠跳”、“二人三足”。女儿很喜欢袋鼠跳，觉得很好玩，提着个环保袋跳个没完没了。看着女儿练习时快乐的笑容，我们也忍不住幸福地笑了起来……

比赛正式开始了，首先是袋鼠跳！查看了一下我们的组号，15 组！早着呢，于是带着女儿在旁边为班上其他好朋友加油助威！最终同学王樱璇得了第二名！孩子高兴地拿着奖品向其他同学展示着自己的努力成果。正在这时有个同学不小心摔倒，正好我叫女儿给她们加油，我突然看到女儿眼里含着泪花。咦，怎么回事呢？刚才还高高兴兴的啊！我悄悄地把女儿牵到一旁，“宝宝，怎么了?”“我怕。”“怕什么？是怕摔跤吗?”“不是，我怕拿不到奖品。”看着女儿害怕的样子，我就很耐心地对她开导起来。“傻宝宝，其实比赛名次不重要，关键是自己付出全部努力就行，那就是自己的第一。再说咱们现在还没比呢，说不定就能拿第一呢。”小家伙经过我的不断开导，脸上逐渐露出了笑容，“来，我们一起加油!”终于轮到我们了，我心里也在暗想，我也要加把劲才行！“呼!”开始了，我快速地朝女儿跳去，看了一下其他的参赛者，咦，我好像第三，快速地把麻袋递给了女儿，女儿麻利地换上，飞速地跳了起来。竟然从第三个跑到了第一个，旁边的同学也在不断为她加油，小家伙更卖力起来。耶！第一！“妈妈，第一!”孩子对我兴奋地喊着！看着孩子坚定地说着下一个比赛还要得第一的样子，想着赛前她害怕的眼神，突然觉得她自信起来了！在接下来的比赛中我们也获得了第一名的好成绩！

快乐的时光总是稍纵即逝的，运动会很快就接近了尾声。此次活动我觉得让孩子们学会了合作，懂得了拼搏；让我们也体验了和孩子一起游戏的快乐。孩子们是幸福的——有爸爸妈妈和老师的爱；家长们是幸福的——有可爱的儿子和女儿；老师们是幸福的——拥有一群天真活泼的小宝贝……

（2）别样家长会，建立多向度对话平台。

家庭教育与学校教育的密切合作，是教育成功的基本保证。一次成功的家长会可以促使家庭教育很好地配合学校教育，使教育得到深化和完善。家长会要求高效，高效的前提必须是精心准备，可以主题明确，年级统一。班主任前期收集班上学生或家长比较关注的问题，给家庭教育提供一些建设性的建议；将家长深感困惑的话题作为交流重点，从专业的视角出发，为家长答疑解惑，如孩子的学习兴趣、注意力、阅读能力的培养。家校达成共识：教育孩子是家长和老师共同的责任。以下为初二年级《真情对话·心灵之约》的家长会方案。

初二年级家长会方案

一、时间：2009 年 11 月 21 日 8:30—11:00

二、地点：各班教室

三、主题：真情对话·心灵之约

四、主要环节

1. 观看学校视频——刘松书记谈《做合格家长，育成功孩子》（20 分钟）

2. 《家长如何面对青春期的孩子》——心理专家讲座（40 分钟）

3. 《咱们 × × 班》——班主任先介绍班级各方面情况，然后总结段考成绩，再重点谈自己的带班理念（20 分钟）

4. 真情对话·心灵之约（40 分钟）

甲　方：学生（各层次学生，10人左右）

乙　方：家长（不同职业的家长，10人左右，可以是甲方学生的对应家长，也可以由班主任另行安排）

主持人：班主任

观众席：其余家长，各科任老师（下班老师具体安排见附表）

五、操作要求

1. 甲乙两方，就目前各自困惑或特别关注的问题进行对话和交流。学生的问题事先由小组讨论产生，家长的问题由参与交流的家长事先做好准备，观众席现场提出一部分问题。主持人进行调控、归纳和提升。

2. 班主任讲话稿必须在11月22日19:00之前上传至年级组（家长会发言稿文件夹）。

3. 家长会总结（文稿）须在11月22日19:00之前添加到家校互联《班级周刊》里，编辑成首个栏目，名为《班主任的话》。学校将以此进行评分。

4. 学生交流的话题，必须提前分组讨论、归纳出来。

5. 各班要精心布置教室，并在黑板上写明本次家长会主题"真情对话·心灵之约"。

（策划人：张辉）

为了开好家长会，使家长会成为沟通的桥梁，实现共同育人的目的，各年级组的班主任还会设计几套不同的方案来选用。学校德育工作的有效开展，得到了广大家长的认同。

五年级学生龙涛的父亲深有感触地说：

孩子的教育是比任何一项投资都更加值得的大事。拿着这笔钱去干一些其他的事情固然也可能是好的，可是自己的孩子没有教育好，我想我会因此而抱憾终生的。与其留给孩子一栋房，不如留给他知识、能力、毅力和良好的品德。而这些正是麓山国际实验学校所能给予我的孩子的。

回顾以往，我发现龙涛在四方面发生了较大的变化：一是自信心大增；二是行为得到规范；三是树立了远大的目标；四是学习成绩有了明显的进步。从孩子的变化看学校的特色：一是教育学生的系统性、全面性明显优于一般学校，包括对学生生活上的照顾。道德品质的培养能让家长放心；二是多种多样的特长训练有机会展示每个学生的才能，发掘学生的潜力；三是学习内容的改革有利于孩子今后适应新的挑战。

在麓山，家长和老师成了真诚的朋友、合作的伙伴。家长、老师各有分工，共同促进孩子的健康成长。老师们邀请家长走进学生的课堂，给学生讲最前沿的科研成果，讲自己成功的故事；邀请优秀学生家长代表给其他家长谈育子心得；通过家长开放日、短信平台、周末家校互联等途径，给家长传递许多行之有效的家教方法。针对学生成长中最让人困惑、最值得关注的问题双方沟通交流，发表各自的看法，很多家长也因此成了孩子成长中的亲密伙伴和真正的领路人。老师们懂得整合家校资源优势，由此，孩子们得到了最优的发展。

5. 学校特色活动，在体验中增强合作精神

我校定期和不定期地开展各项活动，在活动设计中，有一个基本思想，那就是想方设法让每一个学生都有参与活动的机会，我们的舞台要展现每位学生的风采，让每位学生在各项活动的参与中去发现自己、展现自己，提高自我认同感和自信心。

（1）异样秋游——让学生在“生活”中成长。近些年，很多学校都不敢组织秋（春）游，理由很简单，担心出安全事故。然而我校的秋游不仅“涛声依旧”，而且“别样精彩”。我们在秋游中运用学校有效教育管理理念，指导学生学会自我管理，让学生不仅在活动中能亲近自然，领悟自然，而且还能在“生活”中得到成长。这其中的良方就是“制订方案、组织严谨、团队合作、关注细节”。

制订方案：通常包括活动时间、活动地点、活动主题、活动内容、活动要求、人员分工，有时还有注意事项。

严密组织：出发前，各年级组安排教师实地“踩点”，详细了解活动场地。各学部分别召开全体教师大会，强化责任意识；召开全体学生大会，强化安全意识。

团队合作：分工明确，任务落实。一般是每班分六个团队，每个团队 6—8 人，三个带队老师分别是班主任、副班主任、生活班主任。班主任总负责，其他两位老师协助管理；分组活动时，在小组长的带领下，每位老师参与两个团队的活动，提醒学生注意事项。如五年级的烧烤，事先生活老师就分好场地，备好烧烤工具，科任老师还单独将食品提前运到。整整两个小时的烧烤，每个老师都能与学生一起加工、一起品尝，其乐融融。活动总结必不可少，回到教室，各位班主任及时收集资料，各个团队呈现自己的活动情况。孩子们在活动中是快乐的，快乐是可以传递的，快乐供大家分享。高年级的小摄影师与小记者，逐渐尝试将活动信息上传到班级网页，他们的能力得到培养，特长得到展示。

关注细节：乘坐校车讲话声音尽可能小一点，不妨碍他人。活动前，查询天气预报，及时调整安排。合理消费，加强指导。可事先在医务室领取一点常用药备用。

（2）校运会——让学生“自我发现和自我超越”。一年一度的校运会开幕式，是我校阳光体育盛会，极大地鼓舞了班级的士气，锻炼了团队合作的精神，增强了凝聚力。如 2009 年 9 月 27 日，金风送爽，麓山运动场旌旗招展，色彩斑斓，欢声笑语不绝于耳。我校全体师生在这里

校田径运动会入场式

隆重举行第十三届校园运动会的开幕式，偌大的运动场被振奋的口号和浓烈的色彩包围，每个班都有自己的盛装，每个年级都有自己的特色，小学生的天真活泼，初中生的斗志昂扬，高中生的朴实沉毅，在主席台前一一尽情展示，师生们以这样的方式向祖国六十华诞献礼。当宣布大会开始时，全场腾起一片欢呼，校园顿时变成欢乐的海洋。

一张张定格的笑脸，一句句铿锵的誓言，一个个精彩的表演……凝聚的是集体的智慧、团队的力量，展现的是昂扬的斗志、自信的信念。体育的内涵本身是多层面的，麓山学子在开幕式上彰显的是追求卓越、永不满足的麓山精神。

（3）校园文化艺术节——让学生保有独特的自我。艺术崇尚完美，即使永远无法企及，过程就是一切。不管是音乐还是绘画，都是让学生一边学习，一边度过愉快的时光。“艺术让学生保有独特的自我。”我校连续八届的校园文化艺术节是个五彩缤纷的大舞台，将学生多才多艺的一面尽情展示出来。

每年的校园艺术节，学校都有详细的活动方案，广大师生会积极筹备，精心排练。学生在舞台上尽情表现出较高的艺术水准，舞蹈、器乐、合唱、小品等形式丰富的节目，尽显校园艺术魅力与个人、团队的风采。如2010年的艺术节更像是一场欢乐的盛会，五颜六色的海报将盛会装点得格外热闹。

校民乐团表演

校园文化艺术节不光有表演类节目，美术书法作品也令人目不暇接。在教学楼的大厅和实验楼的长廊，学生绘画、书法、摄影作品展览缤纷出彩，书法长卷扬扬洒洒，国画素描细致传神，卡通形象色彩明艳，摄影图片主题鲜明。精美的作品吸引了过往师生、家长的驻足观看和品评，作品的展示不仅加强了师生间、家校间的交流，也为丰富的校园文化生活锦上添花。

虽然艺术节的时间短暂，但艺术的气氛始终荡漾在麓山校园里，它传承着优秀的民族文化和时代精神，激励着麓山的学子们更加意气风发，为中华之崛起而读书！

（4）班级跑操——让团队彰显进取的力量。跑操是体育锻炼，是精神运动，是文化活动，也是团队展示。紧张的学习生活让中学生，尤其是高中生的体育锻炼时间变得十分有限。紧张的学习，势必会使大脑处于高速运转的工作状态，而跑操就为学生们提供了一条劳逸结合的新途径。跑操有两个时间段：一个是早晨起床后，另一个是课间操时间。不同的锻炼时间对大脑的调节作用是不同的。晨跑起到唤醒和兴奋大脑的作用，使睡眠的大脑马上活跃起来，对提高早自习效率有重要作用。课间跑操则是上午学习的“中场休息”，既能放松紧绷的神经，也能储蓄新的能量。从班级文化建设上来说，跑操体现了一个班级的精神状态。跑操的口号代表了班集体的共同目标和集体意志。在跑操的过程中，学生们受到集体主义教育，树立起以班级为荣的坚定信念，同时班级的团队精神和协作意识也由此得到充分展示。跑操对学生产生的积极作用还延伸到学习、纪律、生活的各个方面，使整个班级受到鼓舞，让每一个学生精神振奋。

三、品德的培养

德育的最终目的是要培养学生良好的品德。品德是一个人的品行与道德，是人的第二生命。

联合国教科文组织“面向二十一世纪研讨会”特别指出：道德、

伦理、价值观的挑战会是21世纪人类面临的首要挑战。未成年人的思想道德建设，是公民道德建设的重要内容，在公民道德建设中，处于基础地位。中小学时期是一个人道德品质形成的关键时期，也是道德教育的关键时期。作为学校，我们认为还必须有可操作的品德培养的方式方法，只有这样，才有可能将德育目标落实在学生的日常学习和生活中，内化到学生的行为里。品德的培养是在优良环境中、合作交往中、积极进取中形成的。对于中小学生来说，有许多道德品质可以从培养行为习惯开始，良好的道德习惯的形成是道德教育的重要目的。

（一）从行为习惯入手，培养良好的道德品质

所谓"习惯"，是一种自动化的行为，不需要特别受思想和意志的控制，也不需要别人的监控。习惯一旦养成，就会成为支配人生的一种力量。万丈高楼平地起，我们从"底"做起，从"本"做起，致力于培养海纳百川，胸怀宽广，善于沟通、思考，乐于解决问题，具有适应终身学习能力的"世界公民"。那么这个"本"是什么？"底"是什么？用英国哲学家培根的一句话来回答："习惯是人生的主宰。"① 也就是说，主宰人一生的不是命运、不是性格、不是知识，而是你在学校养成的习惯。习惯是一种顽强而巨大的力量，它可以左右你成为一个怎样的人。我国著名教育家叶圣陶先生曾说："什么是教育，简单一句话，就是要养成良好的习惯。"② 所以，这个"本"、这个"底"就是在学校养成的良好习惯。只有养成了爱护环境的习惯，关心集体的习惯，懂得对个人的行为负责，自觉遵纪守法，诚实守信，维护公德等，才能给一个人的事业奠定基础，成就美好人生。

我校结合自身十二年一贯制的特点，依据不同年龄阶段学生的心理发展特点，遵循成长规律，尊重个性差异，在长期实践中，积累总结、系统梳理、整体规划、不断完善，努力构建目标明确、结构合理、内容

① 培根·培根论人生［M］. 徐奕春，等，译. 北京：中央编译出版社，2011：178.
② 叶圣陶·叶圣陶教育文集：第2卷［M］. 北京：人民教育出版社，1994：478.

科学、学段衔接、循序递进的中小学行为习惯养成目标。这就是：将价值引领贯穿始终，将行为习惯分层培养。即：小学阶段以“教养指导”为重点，初中阶段以“习惯养成”为重点，高中阶段以“自主实践”为重点。围绕各个学段的重点德育内容，有针对性地开展德育工作。即使是同一个学段的德育内容，学校也会根据各个年龄特征提出不同的要求。

1. 明确行为习惯培养的意义

在《培根论人生》一书中，培根专门论述了习惯与人生的关系。他说：“幼年时开始的习惯是最重要的，我们称之为教育。教育其实是一种早期的习惯。”① “但愿人们能尽可能培养起良好的习惯。”②好的习惯能够给人带来更多成功的机会，坏的习惯往往使人在不知不觉之中走向失败，甚至改变人的命运。

古人云：“一屋不扫，何以扫天下?”当今社会，价值多元，学校对未来人才的培养，不仅要强化文化知识的教育，也应加强其健康的生活理念、生活习惯、文明素养的教育与培养。习惯凸显教养，细节决定成败。

2. 确立行为习惯培养的目标要求

我国著名教育家陈鹤琴认为，一个人要养成良好的习惯，应该从小就加以训练和培养。他说：“我们应当特别注意儿童所养成的种种习惯，以期建筑健全人格之巩固基础。”③ 麓山人践行“让优秀成为习惯，让创新成为常规，将常规做到极致就是卓越”。我们常说：“管好了寝室就管好了教室，管好了晚上就管好了白天。”寝室生活最能反映学生生活的常态，因而最能发现学生道德上的优缺点。记得有一则这样的故事：一次，诺贝尔奖获得者聚会。一位记者去采

---

①② 培根·培根论人生［M］. 徐奕春，等，译. 北京：中央编译出版社，2011：178.

③ 陈卫东·良好习惯是健全人格的巩固基础——著名教育家陈鹤琴论习惯［J］. 少年儿童教育研究，2002（2）.

访，他找了一位最有名的获奖者，问他取得成功的原因是什么？他的回答是得益于小学阶段的老师教给他的几样东西：第一，进食前先洗手；第二，不要说假话；第三，有了错误就改正；第四，答应了的事情要做到。所谈及的均是生活中的细节问题。可见，良好的道德习惯对人的成长有着极其重要的意义。因此，麓山学校利用“寝室”这个独特的园地，因势利导使德育具体化、生活化、细节化，并设计多样化的评价活动和方式。根据不同年龄阶段的学生特征，提出了生活习惯的目标要求。

3. 构建行为习惯培养的具体内容

行为习惯的培养包括学习习惯的养成、生活习惯的养成等，现就小学阶段的学会说话、学会走路、学会保洁三个方面为例，呈现低、中、高各年级段行为习惯教育的具体内容（见表5.3）。

表5.3　小学生行为习惯教育的各年级段内容

内容 年级	学会说话	学会走路	学会保洁
一、二年级	1. 进校前整理好自己的衣服，不吵闹。 2. 见到师长主动问候：“老师好，老师们好！” 3. 会使用文明礼貌用语：“请、您好、谢谢、再见、对不起、没关系”等。 4. 在公共场所学会轻声说话，保持教学楼内安静。 5. 用餐时不说话。 6. 课堂上发言声音洪亮，不打断他人说话。	1. 课间喝水：不追、不跑、不拥挤，不在活动区的地上打滚。 2. 上下楼梯：靠右行走，不爬栏杆，不滑楼梯。 3. 排路队：不抢先，不掉队，整齐有序。 4. 学会轻声慢步，安全礼让，避免磕碰。 5. 不私自到中学活动区。 6. 不追车辆，安全第一。	1. 牛奶盒、饮料盒、废纸丢在垃圾桶中。 2. 在教室吃完课间餐，果皮放在指定的地方。 3. 不把杂物丢在洗手池。 4. 告诉他人不随意乱扔杂物。 5. 用厕后学会冲厕，并将厕纸放入纸篓。 6. 提醒同伴冲厕，不在厕所内嬉戏。

续表

内容 年级	学会说话	学会走路	学会保洁
三、四年级	1. 见到师长面带笑容，主动问好。 2. 能熟练使用文明礼貌用语：“请、您好、谢谢、再见、对不起、没关系”等。 3. 在公共场所轻声说话，保持教学楼内安静。 4. 用餐、集会时保持安静。 5. 课堂上面向全班同学发言声音洪亮，小组讨论时发言不影响他人。 6. 和老师、同学说话时，不打断他人的话，不妨碍交流。	1. 课间不追跑、不打闹、不拥挤。 2. 上下楼梯靠右行走，不爬栏杆，不滑楼梯。 3. 排路队不抢先，不掉队，整齐有序。 4. 学会轻声慢步，安全礼让，避免磕碰。 5. 不在专业教室走道追跑。 6. 不私自到中学活动区，不爬足球场的栏杆。 7. 不追车辆，安全第一。	1. 不嚼口香糖，将牛奶盒、饮料盒、废纸丢在垃圾桶中。 2. 在教室吃完课间餐，果皮放在指定的地方。 3. 不把杂物丢在洗手池；节约用水，及时关水龙头。 4. 告诉他人不随意乱扔杂物，见到果皮、纸屑主动拾起。 5. 用厕后学会冲厕，并将厕纸放入纸篓。 6. 提醒同伴冲厕，不在厕所内嬉戏。
五、六年级	1. 见到师长面带笑容，主动问好。 2. 学会适时适度地与他人交流，不随意打断他人谈话。 3. 与人交谈时谈吐文雅、仪态大方、有礼貌。 4. 在公共场合学会轻声说话，保持教学区内安静。 5. 集会时认真倾听，不随便议论。 6. 用餐、集会时不随意说话。	1. 进出校门精神好，不追、不跑、不拥挤。 2. 出入教室、上下楼梯不拥挤，按秩序走。 3. 出入教学区，轻声慢步靠右行。 4. 礼让客人、老师及低年级学生，男同学学会礼让女同学。 5. 走路时挺胸抬头、自然大方、不松懈散漫。 6. 不爬足球场的栏杆，不私自购买零食。 7. 自主、自觉排路队，整齐有序。	1. 不嚼口香糖，将牛奶盒、饮料盒、废纸丢在垃圾桶中。 2. 在教室吃完课间餐，果皮放在指定的地方。 3. 用厕后养成冲厕习惯。 4. 保持厕所环境卫生，尊重他人劳动成果。 5. 相互督促、检查，主动提醒他人合理、节约用水。 6. 主动宣传用厕文明，给低年级同学树立榜样。 7. 主动宣传“保洁人人有责”，协助低年级同学打扫卫生。

4. 总结行为习惯培养的基本经验

（1）遵循规律。根据学生的年龄特征、认知特点，小学分低、中、高年级制定不同的习惯养成教育的具体内容，教师自编“三学会”童谣，指导学生背诵和落实。扎扎实实地抓学生文明修养方面的细节，使学生在语言文明、行为文明和卫生文明等方面养成良好的习惯。

麓山国际实验学校小学生“三学会”童谣

——“学会说话，学会走路，学会保洁”

新学期，新目标，麓山少年志气高。三个学会记心上，文明使者争先当。一学说话有礼貌，谈吐得体轻声调，眼望对方面带笑，主动行礼问声好。课堂发言声洪亮，小组交流轻商量。课间活动不喧哗，用餐就寝不讲话。二学走路秩序好，避免拥挤不追跑，上下楼梯右边靠，轻声慢步不打闹。教学楼，脚步轻，避免磕碰礼让行。坐如钟，站如松，走路抬头要挺胸。三学保洁讲卫生，手中杂物不乱扔，废纸放入垃圾桶，便后厕所及时冲。课桌椅，摆整齐，不乱涂画要爱惜。见到垃圾主动拾，卫生环境共维持。文明使者你我他，道德规范靠大家。三个学会做得佳，麓山少年人人夸。

纠正学生的不良行为，使其养成良好的习惯，是一个比较漫长的过程，而且它是一个循序渐进的过程。教师要对学生全面了解、个案分析，发现个别学生的不良行为习惯，寻找其形成的原因，循循善诱，帮助其慢慢改掉，千万不能操之过急，要求过高、过快，追求立竿见影。良好的习惯，是在反复的提醒和实践中形成的。我们分年级建立学生成长记录卡，记录学生成长的“节点”，了解学生进步的具体情况，及时总结表扬，帮助学生逐渐成长。当我们坚持认真地做好一件看上去很小的事情时，那份执着是会感动学生的。

（2）寓教于乐。行为习惯的培养单纯靠说教，学生是不容易接受的。低年级学生自我约束能力差，注意力不容易集中，说教很难达到预期的效果，有时甚至还会让学生感到厌烦，对老师的教育内容产生反感。所以，我校经常以年级、班级、寝室为单位开展丰富多彩的活动，使学生在活动中潜移默化地受到教育，在不知不觉中纠正自己的不良行为，养成良好的习惯。如：

一年级文明习惯的养成，通过在绘画、课件展示、表演中进行悄无声息的渗透。

二年级“学会保洁”重在行动中学习：岗位布置——公示岗位负责人工作安排；监督机制——布置各岗位由值日生督促；时间设定——每天检查四次，及时总结；奖励措施——“摘星、争章”，“优秀值日生”，家校平台展示表扬，阶段性评奖。

三、四年级则采用形式新颖的主题班会进行习惯养成教育，如开展《让身边的垃圾无影无踪》、《争当环保小达人》等主题班队活动。设置班级“电子眼”，用相机拍下班级的特殊事件，逐步规范学生行为。

五、六年级举行保洁竞赛活动。要求学生：“三线四无”——“三线”指“口杯一条线、桌子一条线、课本摆一条线”；四无指“地下无纸屑、桌内无垃圾、窗户无灰尘、教室无死角”。同时，每周将卫生保洁竞赛情况在“班级家校网页”上公布。

（3）建立机制。学生规范的行为，来自合理制度的有效引导和约束。建立班级常规管理制度是搞好班级常规管理，培养学生良好习惯的必要举措。我们把“建制”的过程作为最初班集体建设的重点，有了制度，班级从最初个体的简单集合，变为对每一个成员具有一些最基本要求的共同体。长久坚持就产生一种真正强有力的、持久的潜移默化的影响。初一、高一在新接班之初就着手制定“班级公约”，这些公约针对学生在校的每一个时段和空间都作出了引导性或者限制性规范，并相应地建立奖励和处罚制度。同时在执行的过程中，持之以恒并循循善诱。

为了加强德育工作管理，我们还制定了班主任考核办法、优秀班级评比细则、教室“星级卫生”评比方案，编写了一年级入校生活习惯“三字歌”，不断完善了每周“流动红旗”评比细则、中学生操行分评定、寝室一日常规评比办法，进一步探究如何把学生道德品质与行为习惯纳入中小学生综合素质评价等。以下是五年级学生综合素质评价表（见表5.4）。

表5.4 五年级学生综合素质评价表

<table>
<tr><th colspan="3">我眼中的“我”</th><th colspan="3">老师眼中的“我”</th></tr>
<tr><th>项目</th><th>子 项 目</th><th>评价</th><th>项目</th><th>子 项 目</th><th>评价</th></tr>
<tr><td rowspan="3">自我概念</td><td>做事有目标</td><td></td><td rowspan="4">学习能力显现情况</td><td>语文</td><td></td></tr>
<tr><td>有自信，情绪稳定</td><td></td><td>数学</td><td></td></tr>
<tr><td>知道自己的长处</td><td></td><td>英语</td><td></td></tr>
<tr><td rowspan="3">遵规守纪</td><td>接受教导</td><td></td><td>其他</td><td></td></tr>
<tr><td>不迟到、早退，不旷课</td><td></td><td rowspan="7">学习态度养成情况</td><td>自觉预习、复习</td><td></td></tr>
<tr><td>不带零食、不带贵重物品</td><td></td><td>主动参与讨论交流</td><td></td></tr>
<tr><td rowspan="5">自理能力</td><td>保持个人卫生</td><td></td><td>独立完成作业</td><td></td></tr>
<tr><td>寝室衣柜、教室课桌物品摆放有序</td><td></td><td>主动质疑</td><td></td></tr>
<tr><td>妥善保管自己的物品</td><td></td><td>课外阅读</td><td></td></tr>
<tr><td>善于运用自己的时间</td><td></td><td>倾听他人意见</td><td></td></tr>
<tr><td>合理理财，不浪费，不吝啬</td><td></td><td>知难而进、持之以恒</td><td></td></tr>
<tr><th colspan="3">同学眼中的“我”</th><td rowspan="6">思维品质养成情况</td><td>处理问题有计划、有条理</td><td></td></tr>
<tr><td rowspan="5">与人相处</td><td>待人有礼，说话得体</td><td></td><td>思考独立、专注，思维周密</td><td></td></tr>
<tr><td>能欣赏、鼓励别人</td><td></td><td>能抓住重点</td><td></td></tr>
<tr><td>对他人有爱心</td><td></td><td>方法灵活</td><td></td></tr>
<tr><td>有要好的朋友</td><td></td><td>有创新意识</td><td></td></tr>
<tr><td>能处理好矛盾冲突</td><td></td><td>善于反思</td><td></td></tr>
</table>

续表

同学眼中的“我”			老师眼中的“我”		
项目	子项目	评价	项目	子项目	评价
学习态度	学习有目的、有计划		生活习惯养成情况	不挑食、不偏食	
	上课认真倾听，积极参与			按时作息，遵守寝室纪律	
	按要求完成各科作业			有安全意识，善于保护自己	
	坚持参加特长培训、大胆参赛，积极参加活动			主动承担寝室、教室值日工作	
（注：☆ = 优秀；√ = 良好；△ = 有待加强）					

习惯是一种顽强的力量，主宰着人的行为；习惯是一只无形的大手，指挥着人的行为。培养学生良好的习惯是学校德育的根基。一个人道德品质的确立，绝非一朝一夕之功，而在于一点一滴的养成。良好的习惯，是在反复提醒和不断强化的实践中培养出来的。

（二）从班级建设入手，培养良好的道德品质

人是一切社会关系的总和，班级是人成长中进入的第一个小社会，德育工作的主阵地在班级。德育的效果最终体现在学生内化后的言行中，要将德育目标内化为学生的自觉行为，必须从小事做起。在做中感悟，在做中体会，在做中升华。我们探究用自主体验的方式开展德育工作，以“严密组织，全员参与”的“团队合作”形式作为自主体验式德育的实施平台，以“组织 + 交流”作为班级文化的内涵。

1. 建立班级“组织”机制，把规范内化为自觉

教师严密组织。自主体验强调的是学生的自主意识，但它追求的绝不是自由、松散、无序的结果。学生自主体验的有效性取决于组织的严密，而组织的严密离不开教师科学的指导。学校提出“全员德育”口

号，要求所有教职员工都要把德育作为自己的职责，而不把德育当做只是德育专职人员和班主任的职责，树立全员参与、全面育人的德育新观念。

学生全员参与。“教育的一个特定目的就是要培养情感方面的品质，特别是在人和人的关系中的感情品质。系统的训练有助于人们学会彼此如何交往，如何在共同的任务中彼此合作。”① 基于这样的理念，学校大力推行以全员参与为前提的团队合作，人人有机会参与班级管理、学校管理、各项活动等，充分激发学生的积极性和创造力。在参与过程中，融洽了师生、生生之间的关系。老师在活动中认识学生、了解学生；学生学会换位思考，合作共享。从而培养学生在人和人的关系中学会关心的感情品质。我校在中学阶段，主要通过学生全员参与的自主体验来达到自我教育的目的。具体包括小组合作的班级管理以及丰富多彩的集体活动。

（1）合作式的班级管理。每个人都不是孤立存在的个体，每个人都存在于群体当中，是群体和社会的一份子。特别是现代社会，每个人的发展都离不开与他人的合作，没有合作就没有个人的发展，没有合作就没有社会进步。我国基础教育学校以班级为单位开展教育教学活动，班级是学生进入的第一个社会单位，学生在班级活动中逐渐由自然人演变成社会人，班级建设的价值取向将对学生世界观的形成有着深远影响，班级文化是学生世界观形成的基本土壤。在多年的实践探究中，我们认为，在班级建立合作小组（团队），能够有效地促进学生形成“平等、互助、合作”的价值观。在强调人人平等、服从集体利益的前提下，培养学生的合作精神，让学生学会与人共处，学会表达、讨论、交流。特别是随着独生子女的增多，加强学生的集体意识培养显得更加重要。为此，我校结合自身小组合作式学习的丰富经验，引入苏霍姆林斯基“在集体中教育，利用集体教育”的德育原则，创造性地实施团队

① 联合国教科文组织国际教育发展委员会．学会生存——教育世界的今天和明天［M］．华东师范大学比较教育研究所，译．北京：教育科学出版社，1996：194.

合作式的班级建设模式。这种班级建设模式使学生在相互合作中体会集体的力量，感受自我的责任，从而培养合作的意识，形成良好的个性品质。

第一，组建团队。所谓团队，有研究者提出：是指一些才能互补、团结和谐并为统一目标和标准而奉献的一群人。班级团队合作是一种为达到既定目标所显现出来的自愿合作和协同努力的形式。它要达到“三个一”：通过分工合作组建一个团队；共同完成一个任务；共同分享一个成果。真正的团队合作必须以“心甘情愿与你合作”作基础，为完成共同的目标而努力。事实证明，学生的能力和潜力是不可低估的，经过一段时期的团队合作训练，他们都将具备一定的关心情感和自我管理能力。

开学伊始，各班就利用班会课组建团队。方法是：先由学生自主组合，提交名单，然后老师根据实际情况，在尊重学生的前提下稍作调整。每个团队大约 8 人，遵循“组间同质，组内异质，优势互补”的原则。这样分组不仅有利于学生相互促进，而且为各队之间的公平竞争打下了基础。半学期以后，教师再根据情况进行一次调整。这样的动态管理，一方面保证了“竞赛”的可比性，提高学生参与竞争的积极性和进取心；另一方面又不断地向学生提出新的目标，引导他们向更高的层次发展。团队成员相互影响，责任共担，荣誉共享，所有成员都体验到成功的愉悦。所以，组织一个好的团队，乃是激发团队合作精神的关键和起点。

第二，分配任务。确定团队后，自定组长集体商量各自的职责，成员分工，共同确定学期目标。组长必须严于律己，以身作则，有较强的协调和组织能力。组员分工要民主，适时转换角色，以便让更多的人得到更多的锻炼，达到“人人有事做，事事有人做”的目的。

明确分工后，各组在本组组长的带领下，展开讨论。然后给自己的小组起一个响亮的、有意义的名字，还要有一个激励性的口号。学生往往对于这项活动非常感兴趣，每次任务下达以后，各小组都能认真讨论并结合自己小组每位成员的实际情况，制定出适合自己组的组规，而且每个组的组规都定得很细、很全面，哪些该做，哪些不该做，一目了然。

然后班主任利用班会课让各小组宣读自己组的名称、口号、组规，请全班学生一起分享，并就每个组的组规进行分析，指出优点和不足，完善组规内容。学生以组规规范自己，使班级建设有章可循。

第三，强化考核。目标任务制定后，班主任向学生宣布小组合作成绩的考评办法，并向学生强调考核是以小组为单位进行的，小组成绩的高低不仅取决于小组内每个成员的强弱，更决定于组员间的合作水平和小组所发挥的整体效能。然后根据《中（小）学生守则》、《中（小）学生日常行为规范》等规章制度，在学生充分讨论的基础上，把学业成绩（课堂发言、各科作业情况、平时测验和检查、阶段性检测、各种竞赛成绩等）、日常行为表现、社会实践等内容，具体地量化为可以操作的细则。由合作小组组长和班干部负责具体的评分工作。这样，把个人的成绩计入小组的成绩中，使个人与小组荣辱与共。在机制运行上既有小组内的合作，又有小组间的竞争，产生合作竞争大于个人竞争的协同效应。

除常规工作的考核之外，对于以合作小组形式进行的各项活动也及时总结评比。操作的方法多种多样，如在“信息传递改变着我们的生活”系列活动中，各小组制作小报后，组织学生进行了展示、评比；组织辩论赛后，小组内对每位组员的表现进行评价，并写出各组活动小结；在“爱心改变命运”义卖报纸活动之后，要求各组给每位组员一个荣誉称号，像“妙语连珠奖”、“胆量过人奖”、“魅力四射奖”、“最佳礼仪奖”、“积极协作奖”等都是他们根据个人的实际表现设计出来的，并统计义卖金额，写好小组总结；在春游活动后，各小组记录每位组员的零花钱使用情况，然后进行讨论分析——哪些是合理支出，哪些是浪费资源，以培养良好的理财习惯，并对各位组员在春游活动中的合作情况进行评价。

第四，及时反馈。班级建设中运用竞赛合作的方法时，及时进行反馈是一个关键性的环节。一是面向学生、班集体的反馈。这种类型的反馈分为三个层次：每星期进行一次，把一个星期以来的竞赛得分情况向全班学生公布，并在各组荣誉榜上贴上小贴花；每月一次，对优胜小组和进步明显的学生个人进行奖励、表彰；半学期一次，对整体情况进行总评。二是面向家长的反馈。每周的评比情况公示在家校平台上，每月的评比、每学期的评比结果出来以后，给进步明显的学生家长发喜报，通过喜报形式与家长沟通。及时的反馈旨在形成一个有利的强化环境，促进建设的有效性。

第五，具体办法。班级建设是一种有目的、有计划、有步骤的社会活动，这一活动的根本目的是实现学校培养目标，使学生“学会生存，学会关心，做豪迈的中国人”。我校从培养自主、合作的意识与能力出发，提出在班级建立合作团队，从学习到生活到评价均以团队为单位，实现“自主管理，自我教育”的构想，各年级各班在实践与探索中，总结形成了数十种班级建设的具体方法。如：

建立值日班长制。按学号轮流来当值日班长，班级中的日常事务由值日班长全权负责，常务班长协助工作。值日班长负责检查当天的卫生、纪律，督促每一位同学做好自己的分内事，记载班务日志，检查班干部的工作情况。

民主改选班干部。班干部从同学中间选举产生。由学生自我推荐作竞选演讲，再由学生无记名投票，民主选举，组建班委会。班干部的职责是协助值日班长管理班级，负责文娱、体育、劳动、学习等各方面的工作，并记录工作情况。

事事落实到个人。明确每位学生在班级中的地位和责任，使学生体会到自身的价值和尊严。为调动每一位学生的积极性，就要使每一位学生都可以在班级中找到一个合适的工作岗位，担负一项具体的工作，让人人都为集体做贡献，人人都意识到自己是班集体中不可缺少的一员。基于此，在班级建设中建立起了一套“事事有人干，人人有事干”的制度。它包括班干部管理制度、值日生管理制度和任务承包责任制度。在这种广泛的参与过程中，让学生在集体中找到自己的“位置”，觉察到自己的权利所在，从而形成责任意识和负责任的行事习惯。

建立班级竞争机制。人人都有一个竞争对手，组组都有一个追求目标。每个学生自找一名水平相当的对手，老师依据学生的可比性，稍作调整。让每个学生在自己的文具盒里贴上竞争对手的名字，与竞争对手比学习、比品德、比健体、比进步。进步也是优秀。除了个人竞赛，班上还实行团队竞赛，评选“最佳表现小组”、“富有挑战小组”、“最佳合作小组”等，形成一种互相帮助、你追我赶的氛围，让每个学生真正成为班级建设的主体，在班级建设中实现自我教育，自主发展。

民主确定管理岗位。在确定班级管理岗位设置前，对学生进行问卷调查，让每个学生填写班级应该设置什么管理岗位，通过统计和排序，对排在前列的岗位确定为班级管理岗位，而排在末位的岗位也可以不设置。然后，将管理岗位归类，对学生公布。如：

“管物”前十名	“管人”前十名
1. 财务主管	1. 老师拖堂监督员
2. 公共区主管	2. 课堂纪律主管
3. 卫生角主管	3. 早晚自习主管
4. 电灯、电扇、空调主管	4. 各学科课代表
5. 课桌椅主管	5. 同学关系协调师
6. 黑板报主管	6. 心理咨询师
7. 电视机主管	7. 走读生主管
8. 电脑工程师	8. 各学科小组长
9. 废品销售员	9. 寝室长
10. 教室规划师	10. 眼保健操主管
排名较低的：	排名较低的：
讲台、窗户、电灯主管	服饰主管
报纸、窗帘主管	考勤主管

经过排序，最终确定了如下班级管理岗位设置参考表（见表5.5）。

表5.5　班级管理岗位设置参考表

序号	类别	职　务		
1	团队	组长		
2	团支部	书记	组织委员	宣传委员
3	班委会	班长	副班长	学习委员
		体育委员	文艺委员	卫生委员
4	自管会	主任	副主任	财务主管
		卫生角主管	电灯、电扇、空调主管	桌椅主管
		公共区主管	电视机主管	教室规划师
		电脑工程师	废品销售员	天花板主管
		语言机主管	课间餐主管	晚点主管
		课堂纪律主管	同学关系协调师	电视机柜后主管
		窗户窗台主管	报纸、窗帘主管	讲台主管
		老师拖堂监督员	文明用语主管	仪表考勤主管
		课间卫生主管	课间操主管	眼保健操主管
		心理咨询师	团徽检查员	走读生主管
		男生寝室长	女生寝室长	……

自我教育是学生自主发展中一个非常重要的环节。近年来，我校大力推行班级自治，实现团队管理，奏响了学生“自主管理，自我教育”新乐章。小组合作的班级管理模式把管理权交给了学生自己，学生可以自主地、建设性地开展自我管理和自我教育。虽然在实践中难免出现一些失误和波折，但学生可以在这种挫折中学会自我调控、自我勉励、自主思考、自力更生地解决问题，为学生终身发展打下基础。同时在小组协作中，每位同学都能尽情地发挥才干，真实地表现自我，形成一种“天生我材必有用”的氛围，从而有利于对学生自信心的培养。2010年6月14日，《德育报》以“长沙麓山国际实验学校让学生‘享受’德育的阳光（上）——小组合作的班级管理模式”为题，在“全国中小学德育细节”栏目中将我校“合作式的班级管理”的经验向全国推广。

（2）玩转班级管理的“魔方”。

推行班级自治，人人参与班级管理

——G0807 班营造班级自主管理文化

G0807 班从 2008 年 11 月开始推行班级自治管理，通过团队形式组建班委会，人人有当干部的机会，人人有当班长的机会。具体操作如下：以寝室为单位组成团队，每个团队有自己的口号、自己的工作目标、自己的管理措施，每个团队人员有具体的分工。周五班会课，进行干部的轮换，各团队现任干部将向全班同学汇报一周内的工作，各线干部汇报自己本周的具体工作，然后由班级设定的常务理事 4 人进行星级指数的测评，如果同学投票有百分之九十以上为优，那么团队的星级指数为五星，百分之八十五以上为四星，四星、五星团队人员均可加分。同时在这个会上，下一任干部开始上岗，团队人员向全班同学介绍自己团队的分工，在上次担任过班长的这一次不可再担任班长，还要向全班同学交代他们的工作目标与要求，即时走马上任，不形成管理的真空。

推行三年，班级团队意识增强，凝聚力也越来越大，同学们的创新意识得到了很好的培养。如晚自习外出的同学就在门上的请假单上主动登记；星级指数测定班上同学满意度等。很多老师觉得棘手的问题，在他们手里会迎刃而解，科任老师对班级同学的表现总是赞不绝口。在毕业前夕的家长会上，各团队均有上乘的表现，制作了 MTV，受到了家长高度的赞扬，学生的综合素质得以充分展示。

全体学生在德、智、体各方面都得到了长足的发展，班级多次被评为校、市优秀班级、红旗团支部。全班 62 名同学参加 2011 年高考，其中 60 人上二本分数线，42 人上一本分数线，22 人总分超过 600 分，1 人考取清华大学，1 人上香港大学录取线。

（作者：廖国清）

2. 建立班级“交流”平台，家校互动形成教育合力

家庭作为学校德育的微观外部环境，对学校德育的成效具有重要的影响。首先，在时间上，家庭自觉和不自觉的德育成为学校德育的基础。学生在入学以前就在家庭环境中获得了一定的道德观念和行为模式，这就成为学生在学校系统接受德育的基础和最初的认知结构。其次，学生与自己的家长接触频度高，具有情感上的亲密性，家长的道德榜样作用对学生具有深刻的影响。最后，家庭的德育内容与学校德育内容具有互补或互消的作用。

但是全封闭式的管理也弱化了家庭在学生教育中的重要作用，加重了学校的教育负担。我校充分认识到这一点，积极营造良好的家校互动德育环境，建设班级网页，打造“成长乐园”。全校 130 多个班级，班班有网页。

家长是教育的资源，孩子是社会的未来，孩子的培养是家校共同的责任。“家校互联”成为连接学校、家庭、社会的桥梁。“家校同营，家校共赢”是麓山的德育“名片”。2007 年以来，各年级根据孩子的年龄特点，坚持一周一个主题，和家长共同探究解决教育的问题。定期向家长推介正确的教育方法和经验，宣传现代教育观念，充分发挥家庭教育的力量，帮助家庭教育走出盲点和误区，提高家长的教育能力，让学校和老师的工作得到家长的大力支持，让学校教育与家庭教育得到有机结合。

为了让“家校互联”不断规范，2009 年 9 月，学校制定了五项评价指标：各年级名称统一；班主任对学生或家长有针对性的指导和引领；组建合作小组，全体学生获得评价，小组获得评价；年级共性与班级个性相结合，具有班级特色；版面美观，呈现清晰。各学部每周寻找家校互联的亮点，供大家分享。规范“家校互联”的呈现方式后，我们希望形成“教师价值引领、学生自我反思”的育人模式，教师通过“班主任的话”给予学生鼓励与指导，学生通过“现实表现”栏中的小组互评和“群雄逐鹿”栏中的团队自评使学生学会自我教育。我们的家校互联网不只是公布信息的地方，更是实施德育的主阵地。

良好家校互动关系的建立依赖于一个根本性的前提——学校、家长角色的正确定位。

家长：尊重信任，平等合作。我校在办学初期，由于自身办学经费需要自筹的原因，就把家长定位为“顾客”，学校就是为这些“顾客”提供高质量教育服务的“企业”。如此的定位，造成学校各项工作完全受制于家长，学生“凌驾”于老师之上。“困则思变”，在困境面前，我校认识到必须转变这种错误的家长角色定位，恢复学校、教师在教育教学中应有的地位。因此，一方面学校不断拓展办学经费的筹集渠道，提高学校的教育教学质量，使学校招生困难的问题发生根本转变。学校逐渐实现了由“家长、学生选学校”到生源猛增的转变，使家长与学校逐渐处于一种平等的地位。另一方面，学校加强对教师的师德教育和业务培训，确立了教师学生相互尊重、人人平等的观念。

教师：且行且思，享受教育。以开放的态度，培养学生拥有一生获取知识的能力。过去常常说要把教育工作不仅看成职业，还要看成事业。今天我们提出了“用心做教育，惠及孩子一生”、“累并快乐着”的教育新理念，这预示着不能仅仅把教育看成事业了，而要把它看成生活的一部分。只有把它当成自己生活的一部分，这时候教师才会时时念着它、想着它、琢磨它、研究它、感悟它、享受它，享受教育给人生带来的乐趣。

全面的师资培训提升德育工作水平。“学高为师，身正为范”，青少年具有很强的模仿性，教师的仪表、风度、言谈举止，无不对学生产生重要的影响。教师本身就是一种强有力的德育因素，为人师表、以身作则，才能真正达到“教书育人”的目的。我校一直致力于打造一支思想纯正、品德高尚、素质优良、业务精湛、数量足够、结构合理的师资队伍。

我校要求教师注意树立良好的自身形象，举止文明、仪表端正、谦虚谨慎，时时处处做学生的榜样；爱岗敬业、钻研业务、治学严谨；积极参加继续教育，树立终身教育观；严于律己，不利用工作之便谋取私利。一方面，学校经常开展师德教育，进行专门的考核，将师德考核的成绩作为教师工作评价的重要部分。另一方面，学校独具特色地采用团队训练的方式，每学年召开相关主题的德育研讨会，让教师在相互探讨中更新德育理念，解决德育问题，从而提高德育的实践能力。如2008年11月21日，中学、小学部德育研讨会分别在郴州市和慈利县召开。中学部德育研讨会延续上一年的中学生心理教育主题，从各班级中精选典型案例，并抽签决定各年级组的德育研讨展示内容。随后，从初一到高三，六个年级的班主任团队用多样的呈现方式、丰富的教育智慧，精彩分析和探讨了各种案例中的学生心理问题，尤其突出了换位思考和家校互联对培养学生健康心理的实际作用。整个研讨展示过程精彩纷呈，尽显教师德育工作的新收获和新理念。小学部德育研讨会以“心理健康教育”为主题，采用“平台互动”的形式，分为低、中、高年级三个团队，分别进行了“正增强——引导性格孤僻孩子的有效心理方法”、“如何指导家长开展有效家庭教育”、“缺乏自控和沟通能力孩子的心理问题分析”三个典型性案例的研讨和展示汇报。

（三）从生活服务入手，培养良好的道德品质

我校自建校以来，就让员工懂得“服务学生身心健康成长”是学校办学育人的宗旨，从而为学生提供全方位的优质服务，服务渗透德育，使服务育人成为我校的突出特色。

强大的队伍凝聚德育工作合力。由校长室牵头，组成以校长室、学生处、教导处、年级组、生活部、共青团、少先队为主要力量的德育领导小组，团结全体教职员工，共同参与，齐抓共管。各班班主任积极组织学生进行自我管理、自我教育，开展丰富多彩的德育活动；各科教师注重课堂教学的德育渗透，以自己的言传身教对学生进行引导；生活指导老师作为学生最贴心的人，在加强服务的同时，引导学生生活自理，形成良好的行为习惯。

学生食堂科学营养配餐，膳食结构合理，并由学生轮流值日，参与就餐管理，让学生从中懂得珍惜粮食的道理。校车队、保卫科把学生的安全放在首位。校车定时出入，走读寄宿接送平安。保安日夜守

护，校园内外秩序井然。同时我们注意培养学生的安全意识和自我保护能力，让学生参与校园公共卫生的维护和校园环境的美化工作，培养学生自主管理和动手实践的能力。特别是医疗保健所，实行24小时医疗保健制度，保证让学生及时就医和随时得到良好的身体照顾。医务室对在校学生进行全面预防保健，并有针对性地对不同年龄段学生进行健康教育，比如组织小学一年级新生进行眼保健操学习，对小六、初一年级学生开展青春期保健知识讲座等，让学生从小确立重视身体健康的生活价值观。为学生身心健康服务，学校里的每个人、每个时段、每件事都必须做到位，真正有效地促进每一位学生的健康成长、和谐发展。

“教育即生长，生长就是目的，在生长之外别无目的。”这是杜威说过的一句教育箴言。懂得了“教育即生长”的道理，我们就清楚了德育要做什么事——德育应该鼓励学生有崇高的精神追求，而不是用条条框框限制学生。2009年秋季开学初学生处作了一项调查，调查的内容是学生对自己在各方面发展的希望以及希望学校在他们成长过程中提供哪些帮助。经过收集整理资料，由班主任组织学生讨论学习，将原来的《日常规范要求》修订为《健康成长指南》，把外在的规范要求逐渐转变成学生成长的内需。

一个人良好道德品质的形成最终必然落实到优良的外在行为上，衡量德育效果的真正标准，不是看其偶然出现的行为，更不是听其口若悬河的演讲，而是看其是否养成了良好的道德习惯。良好的道德行为习惯，能使品德从内而发，映射出一个人的精神境界。常规在于习惯，习惯在于养成。习惯累积起来了，就变成了文化。

作为麓山人，我们无悔于这一路披荆斩棘、坎坷峥嵘的18年，虽然这条探索之路千回百折，但是麓山人从来没有放弃自己以德育为首的教育信念，坚持让学生实践“学会生存，学会关心”的校训。如今，当我们再次带领学生走出国门时，他们超强的自理能力、交往能力，他们流露出的自信、爱心和良好的行为习惯、国际理解素养等同样也让我们感到欣慰和自豪。由此，让我们进一步增强了进行“自主体验型”

德育工作的信心，坚定了今后走自己特色德育之路的决心。但成就只是前进的基石，它不是炫耀的资本。我校会以现有的成就为出发点，继承和发扬湖湘德育的优良传统，进一步探索和完善学校教育创新体系中的德育策略和模式。

第六章 人本管理

取东西方教育之长，集公办民办体制之优。学校作为一所高起点、超规模的新型实验学校，既要继承和发扬本土文化的优良教育传统，又要让学校"向世界开放"，"把学校办成更能吸引学生的场所，并向他们提供真正理解信息社会的钥匙"①。因此，18 年来，我们始终秉承"追求卓越，永不满足"的精神，努力探索一套全新的制度与管理体系。在学校制度建设和实施管理过程中，我们突出"人本性、开放性和生态性"的理念，致力于打造一支优秀的教师队伍和一支高效运行的管理团队，创建和谐校园。我们认为教师成长需要管理，教师的管理分为"管"和"理"，"管"即规范，"理"即引领。学校通过民主参与确立制度，自上而下执行制度，推动教师发展，促进教师完善；通过团队合作开展教学研究，自下而上进行反思体验，引领教师发展，实现自我完善，逐步建立了具有"麓山"特色的管理体系，使学校制度与管理体系具有创新的活力。

一、建立共同的学校愿景

为满足师生的多元需求、充分反映个体差异性和促进人的发展，在互相尊重、互相包容中实现个人的尊严与价值，我们积极探索文化管理。文化管理就是从文化的高度来管理学校，以文化为基础，强调人的能动作用，强调团队精神和情感管理，管理的重点在于人的思想和观念。文化管理是时代进步和教育发展对学校管理的必然要求。科学管理靠的是制度，制度是有形的管理，完善的制度可以使一个学校合理、高效、规范地运转。但制度不是万能的，制度再周全也不可能凡事都规范到。例如，制度可以规定教师按时到校，却无法规定他们是否按时进入工作状态。文化触及的，是制度不能触及的人们的思想和价值取向。优秀的学校文化能形成良好的校园舆论导向和正确的价值判断，时时处处

① 国际 21 世纪教育委员会．教育：财富蕴藏其中［M］．联合国教科文组织总部中文科，译．北京：教育科学出版社，1996：135.

对人们的行为起到引领、规范和约束的作用。良好的文化可以加速管理目标的实现。事实表明，是学校文化而不是外在制度，在真正地决定着一所学校的行为选择和发展结果。学校竞争力和制胜的秘密，往往不在于其外在的环境、器物和技术，而在于其文化的基因和价值观的导向。美国学者有一个著名的论断，即“文化为制度之母”。哈佛大学戴维·兰德斯写过一本著作，书中有一个重要观点就是文化至关重要。他说，如果我们从现代经济发展当中弄懂了什么的话，那就是一切差异的根源都在于文化，文化是制度诞生之源。

建立共同学校愿景和建设学习型学校是实现文化管理的有效手段。学习型学校是指通过培育弥漫于整个学校的学习气氛，充分发挥教职员工的创造性而建立起来的一种有机的、柔性的、和谐的、平等的、符合人性的、能持续发展的组织。在学习型学校中，管理者是设计师，管理者的设计工作是一个对学校要素进行整合的过程，他不只是设计学校的组织结构和学校的政策、策略，更重要的是依据先进的教育理念，设计学校发展的基本思路。构建学习型学校，关键是要组织团队学习。团队学习可由组织成员自己发现工作中的问题，自己选择伙伴组成团队，自己选定改革进取的目标，自己进行现状调查，自己分析问题原因，自己制定解决对策，自己组织实施，自己检查效果，自己评定总结。团队成员在“自主管理”的过程中，能形成共同愿景，能以开放求实的心态互相切磋，不断学习新知识，不断进行创新，从而增强学校教育创新和把握未来的能力。管理者应为教职员工全员学习、全程学习、相互学习、终身学习搭建平台，为团队学习制订计划并推动实施，把学校组织结构“打扁”、“加宽”，从一个垂直的组织变成一个水平的组织，在组织中每一个人都是平等的，管理者要撇开所拥有的权威与地位，职位让位于能力，只要有利于学校发展的建议都应重视和采纳。在学习团队中，管理者的领导力通过共同学习、平等探究、深度会谈来实现。管理者和规章制度建设的最佳关系，就是管理者的办学思想都外化在所建设的规章制度和学校文化中。管理者最重要的工作是让自己变得“可有可无”。当管理者的办学理念、办学思想与教职员工的精神思想相吻合，当管理者的办学目标、规章制度与教职员工的行为相一致而表现出行为特质时，学校才真正走向"无为而治"的文化管理境界。因此，要实施文化管理，就需要构建学习型学校，而学习型学校必须是以教职员工民主参与的制度建设为基础的。

学校的文化也正日益走向多元化，每一所学校都力图展现自我的独特风格，以其鲜明的办学特色谋求学校的发展。在这样的大背景下，学校要长足发展，必须要有一种无形的力量凝聚广大教职员工的心智，使之群策群力，这种力量便是愿景。学校的共同愿景，就是学校的一种精神追求。有了这种精神追求，学校才有一种凝聚力。在学校管理和制度建设的实践中，我们体会到学校领导者最主要的工作不是去研究管理技巧，而应该去研究创造与控制这些管理技巧的东西，这就是学校领导的精神体系——愿景，以及对愿景的管理。学校以建立共同愿景为主导，让学校愿景成为全体教师共同的追求，并体现在学校的办学理念、管理模式、课程、制度之中，落实在教师的课堂教学、育人活动之中。学校共同愿景的构建经历了学校的SWOT分析等充分酝酿，全体教职工积极参与讨论确立共同愿景，以及将共同愿景付诸实践的历程，这个历程实际就是学校价值观念和道德规范的挖掘、改造、实现和共有的过程。

在构建学校愿景前，我们应该对学校的历史与现状有清醒的认识。于是，我们进行学校的SWOT分析［SWOT系Strengths（优势）、Weakness（劣势）、Opportunities（机会）、Threats（威胁）的简称］，即对学校发展的优势和劣势、机遇和威胁等进行综合的分析。学校体制新，办学起点高，管理模式活，教师归属感强形成了学校发展的优势。同时，学校也面临着两个问题。

第一是校史短，发展快。学校从1993年创办之初的7个教学班级、252名学生、63名教职员工发展到2011年的136个教学班级、7872名学生、715名教职员工。以平均每年增加教学班级8个、学生450余名、教职工40余人的速度扩大规模。生源的增加导致教师人数的迅速扩充，致使教师结构存在特殊性和复杂性。首先，引进的教师以应届毕业生为主，骨干教师和有教学经验的教师所占比例逐年减少。其次，教师来自五湖四海，教师素养和工作风格趋于多元化，需要一个统一思想和理念认同的过程。最后，由于建校时间短，我校教师队伍中缺少学科带头人，以年轻人为主的教师队伍在教学理念和方式上跟学校高规格办学的目标要求尚有一定距离，需要进行体现教育价值观的教学理念和方式的引领。

第二是事务多、压力大。麓山国际实验学校是集小学、初中、高中于一体的十二年一贯制学校，学生年龄跨度大，在校生处在6—18岁之间，生源分布广，有43%的学生来自长沙市以外的各个地区，甚至不同省份和国家，他们对学校管理提出了不同的要求。教职员工身份复杂，有“自收自支”编制的教师、无编制的聘用教师及代课教师，还有与我校签订了劳动合同的职员和工人，他们主要从事食堂、生活辅导、保安、驾驶、水电、医务、洗衣等学校后勤辅助工作。学校实行寄宿和走读双轨运行，加之规模庞大，除教育教学教研工作外，还包括学生衣、食、住、行等服务方面的工作，人多、事多、工作时间长成为我校的工作特点。这一切，给我校管理带来了巨大压力，对管理提出了很高的要求。

学校共同愿景开始可能是一个想法、一种理念，当它被激发，被全体师生接受后，作为共同持有的意象，就会成为一种真实的存在。这种真实存在的愿景将激起全体师生的深度关切和内心追求，一旦有了这种关切和追求，全体师生就会聚合成一个关系紧密的团体，形成实现愿景的使命感和责任感，从而产生巨大的凝聚力量。因此，创立愿景是比建立制度更为重要的战略领导。学校领导要有学校发展的愿景，教师要有个人成长的愿景，而且要把大家心灵深处共同的愿景挖掘出来，要善于把老师们的奉献精神凝练成学校文化，进一步构建共同的学校和教师愿景。我们在进行学校SWOT分析后，将治校理念和全体师生的共同追求结合起来，深入思考提出了愿景蓝图。学校愿景来源于学校成员的个人愿景，又高于个人愿景。

为了使学校愿景更切合“麓山”的实际，符合社会发展和教育发展的大趋势，符合现代教育思想和先进的教育价值观，我们采取调查和深度会谈的方式，了解麓山人的职业理想与人生追求，获得较为真实的信息，从而使个人成长愿景和学校发展愿景相统一；我们采取分组讨论的方式，老师们充分表现出了主人翁的态度，用智慧描绘着一幅幅“愿景图”。

经过认真的讨论，我们挖掘出了学校在教育教学和管理工作中存在的问题和学校的文化传统与发展优势。最终，我们将学校发展愿景确定为：“让师生个性和潜能得到有效发挥，让学校成为师生共享的精神家园”，教师成长愿景确定为：“使每一位教师成为有包容情怀和反思意识，有责任担当和合作精神，有职业幸福感和专业知识及技能的研究型教师”。我们认为，学校共同愿景必须建基于学生的终身发展和教师的内心追求，体现为学校的培养目标“学会生存，学会关心，做豪迈的中国人”，体现为全体教师一致认同的“追求卓越，永不满足”的“麓山”奋斗精神。

建立合理的学校管理机制是实现学校愿景的保障。学校愿景是每个教师发自内心的意愿，是教师的共同信仰和共同追求，凝聚着人心。而学校管理应促成学校发展和教师成长愿景的实现。学校正是为实现学校共同愿景而实施学校管理，管理的核心一是突出“人本性”理念，建立并丰富“教育是以人的发展为根本”的思想体系，将人的需求作为学校管理工作的精髓，实现教师、学生、家长同步发展；二是突出“开放性”理念，让教师、学生、家长参与到学校管理中来，使政府、社区、学校、家庭形成教育合力，建立民主参与管理的策略与方法，同时，学校内部各种组织建立相互交流与沟通的合作管理思想体系；三是突出“生态性”理念，尊重学校的组织特征及组织成员的价值观和思维方式等文化特征，强化学校管理的合理性和相关性，在形成动态平衡、相互制约、协调发展的管理过程中建立并丰富学校个体科学发展的管理思想体系。

二、引领成长的管理机制

学校是由学生和教师组成的。学校作为一个社会组织，应该对组织内所有成员负责，学校不仅“应该对学生的成长负完全和完整的责任”，还“应该对教师团体在学校中的生活负责，应该对教师的专业发展负责，更应该对教师的可持续发展负责”。这才是学校的完整责任和全部责任。因此，把学校的发展需要与教师的发展需要结合起来，才是学校建设的应有之义，也是学校管理的应有之义①。在这个认识的基础上，我们所理解的教师发展是关涉教师作为一个整体的生命、作为一个完整的人的发展。而学校管理的根本目的就是激励人、培育人、发展人，以此实现组织目标，并在组织目标实现过程中进一步实现人的发展。

“成为有包容情怀和反思意识，有责任担当和合作精神，有职业幸福感和专业知识及技能的研究型教师”，怀揣着这样一个美好的期盼，我们搭建了一系列的人本、开放、生态的管理平台，逐步实现教师自我完善、自我发展。美国心理学家马斯洛提出的需要层次理论认为：人的动机是由多种不同层次与性质的需求所组成的，各种需求间有高低层次与顺序之分，每个层次的需求与满足的程度，将决定个体的人格发展境界。他将人的需求划分为五个层次，由低到高分别是生理需要、安全需要、感情需要、尊重需要、自我实现需要，并提出激励措施。根据这一理论，我校在引领教师成长的管理过程中，主要通过建立多个向度的关怀与激励制度，多个维度的考核与评价制度，从物质和精神两个方面满足教师安全与尊重的需要；通过建立自主内化的学习制度，以师为本的研训制度，为教师营造提升个人素养、创新教育教学的空间，满足其自我实现的需要。从而使我校的各项制度不仅是规约人、管理人，更是解放人、发展人，在充分满足教师物质和精神需要的基础上，给他们提供

---

① 杨骞．教师发展的学校责任与实践模式［J］．教育研究，2008（4）．

了实现自我价值的发展空间，让教师真正成为学校教育创新的主体。

（一）满足教师需要的激励制度

“国有民办”体制的学校，承担着无财政拨款的风险。要让教师进得来，留得住，教得好，发展好，在人事管理制度建设上，我们运用马斯洛需要层次理论，先后建立多项激励制度。激励制度的内隐结构如图 6.1 所示。

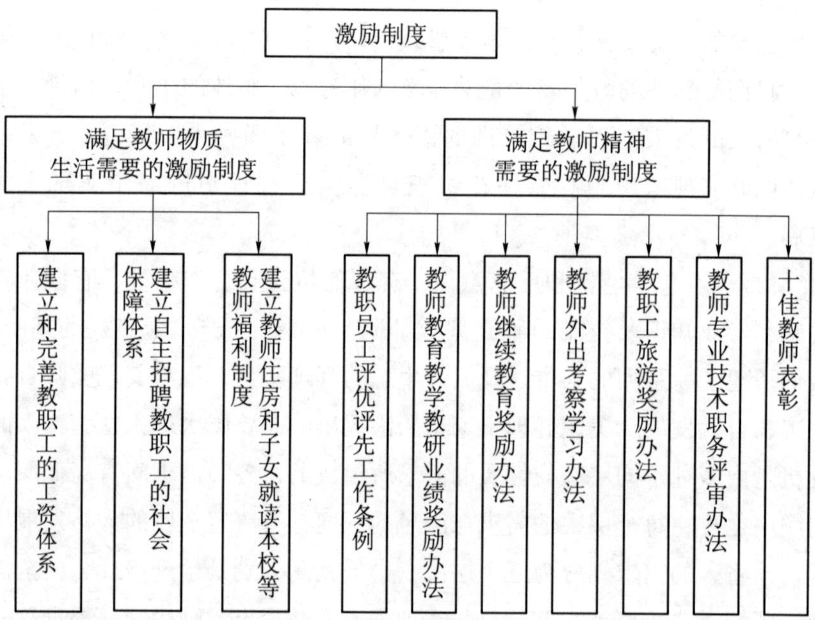

图 6.1　激励制度的内隐结构

1. 满足教师物质生活需要的激励制度

物质生活需要包括生理与安全的需要，这是维持教师生存的基本要求，也是让教师保持职业安全感的需要。

一是建立和完善教职工的工资体系，使学校教职员工的工资待遇一直优于长沙市公办学校的教职工，并真正实行绩效工资制度。我校的工资体系与国家政策相配套，按照“公平优先，兼顾效率；多劳多得，优劳优得”的分配原则，将工资体系分为基本工资和绩效工资两个部分。基本工资由国家政策中的“薪级工资 + 岗位工资”组成，以满足教职工的基本物质需求，体现“公平优先，兼顾效率”；绩效工资由“工作量绩效工资 + 考评绩效工资 + 奖励绩效工资”组成，是教职工工作任务和工作质量的体现，体现“多劳多得，优劳优得”的分配原则，绩效工资与绩效考核、定岗定责定编、教师职称评聘（岗位定级）等人事制度紧密相连。绩效考核是对教职工进行有效评价的方式，绩效工资是对教职工物质激励的一种形式，也是对他们优质工作的直接经济回报。为了使绩效考核客观、公正地执行，更好地发挥绩效工资的杠杆作用，将绩效工资向一线教师倾斜、向班主任倾斜，体现“重能力、重实绩、重贡献”和“多劳多得、奖优罚劣、奖勤罚懒”的激励分配原则，我们把绩效考核和绩效工资用制度的形式确定下来，使绩效工资作为对教职工物质生活需要的关怀与激励的一种保障。

二是建立教职工的社会保障体系，使我校教职工的职业安全有了切实的保障。学校在严格执行国家政策的前提下，针对学校体制的特殊性，加强了教职工社会保障体系的建立。除按国家社会保障体系的要求购买“五险一金”外，还为教职员工购买了补充医疗保险等商业保险，使教职工在患病时没有后顾之忧，将经济损失降到最低限度，甚至还能得到经济补偿。又如，学校在经济条件好转的情况下，每年拨付一定的金额作为退休教师的养老储备金，为教职工弥补社会养老金的不足等。

三是建立教师住房和子女就读等教师福利制度，使教师安居乐业。学校在房产政策允许的情况下，将曾经租借给教师的住房转卖给教师，使教师拥有住房产权；对新入校的教师，学校与开发商协商，定向开发商品房，让教师享受到购房的优惠政策；对要求就读本校的教师子女给予招生和经济优惠等。

2. 满足教师精神需要的激励制度

精神需要包括同事之间友情的需要与学校群体的归属感，还包括自尊与受到别人尊重、信赖的需要等。我校在不断创造和改善物质条件，为教职员工提供安全的生活和工作环境的同时，非常注重满足教职员工的精神需求，重视用激励制度来提高教职员工的工作热情。为此，学校制定了《教职员工评优评先工作条例》、《教师教育教学教研业绩奖励办法》、《教职工旅游奖励办法》、《教师外出考察学习办法》、《教师继续教育奖励办法》、《教师专业技术职务评审办法》等。

能被评为“十佳”教师是我校教师最高荣誉。学校每年将“十佳”教师候选人的事迹制作成录像，在教职工大会上播放，宣传教师的优秀事迹。这批教师爱岗敬业，无私奉献；他们在教育教学教研方面成绩突出，在学科教学领域有一定的影响，真正起到示范的作用；他们创造性地完成本职工作，业绩非常突出。受表彰的教师自我价值得到了充分肯定，同时也营造了一种相互学习、追求卓越、永不满足的文化氛围。

每年教师节，学校都举行隆重的表彰大会，会上大力表彰优秀个人和集体，除“十佳”教师外，学校还从行政、党务和工会等系列中评优评先，对教师所付出的劳动和取得的成绩给予肯定。一位荣获“十佳”称号的青年教师的父亲在给我的来信中这样写道：“我要非常地感谢您，是您让我的女儿坚定了教师职业，让她享受着当教师的快乐，让她有了人生的归宿。”我想，这与我校对教师的激励制度分不开，与我校对教师的物质鼓励和精神鼓励分不开。

教师专业技术职务的评审和认定，既是对教师专业水平的评定，也是对教师工作的一种肯定和激励。在制定和实施《教师专业技术职务评审办法》的过程中，我们反复听取意见，使评审办法尽可能的公平公正，促进教师之间良性竞争，以此激励教师、发展教师。

（二）多维度的教师考核评价制度

没有评价就没有管理，评价是管理系统中的重要组成部分，渗透在管理的全过程和各个方面。评价具有导向性功能，人的行为会受评价及所衡量东西的深度影响，会按照指引向指标所指的方向去努力。我校坚持以人为本、公平公正，引领教职工发展为原则，经过近三年的探究和磨合，构建了以岗位职责为基础，劳动合同为要求，绩效考核为手段，绩效工资为体现，奖优罚劣为激励的教职工聘任制和考评机制。建立了《干部绩效考核试行办法》、《教师绩效考核试行办法》、《员工绩效考评试行办法》，以考评促发展。

我校《教师绩效考核试行办法》建立了“三维评价指标”科学体系，每学期末学校组织教师绩效考核，从“现实表现”、“教育教学教研能力”、“常规教学”三个方面，向学生及家长、同事和部门负责人做三级问卷调查，以“等级（A、B、C 三级）＋评语（温馨提示）”的形式呈现给每位教师，给予教师客观、全面的综合评价，引领教师发展。“现实表现”、“教育教学教研能力”、“常规教学”三类评价结果分别用量化的形式表现出来后，对量化结果的呈现和认定是需要慎重考虑的，为此，我们对结果采取了以下三种呈现方式。

1. 分类评定

我们没有采取将三类分值直接相加后排名得评价结果的方式，而是将三类分值分别排名。这样，教师能够很明显地看到自己的优势所在，也能准确地找到自己的不足，不至于某类优势被某类劣势所弱化。同时，也有利于充分发挥绩效考评的诊断性和鉴定性作用。

2. 等级呈现

为打消教师对排名的顾虑，保护绝大多数教师的积极性，对各个类别的结果均以等级的方式呈现，每个类别分为 A、B、C 三个等级。对 A 等的认定，采取分值与比例相结合的方式，如第一、二类确定 A 等的方式是：总分 95 分以上（含 95 分），且不低于年级组（二类为教研组）排名前 30%，不高于排名前 50%，以确保 A 等的人数。而对 C 等的认定，不给比例，根据得分情况与年级组总分排名情况，由学校校务会集体讨论决定，拟在对 C 等教师认定采取郑重的态度。处于 A、C 之间的为 B 等。而对于第三类的等级评定，除 C 等直接由分值决定外，对 A、B 等级的认定，与第一、二类相似，也采取了分值与比例相结合的方式。

3. 综合评价

为使绩效考评发挥有效作用，对于教师绩效考评结果，除分类评定和等级呈现外，部门负责人还会结合教师平时工作给出综合评价，用评语（温馨提示）的方式在第一时间给被考评教师以反馈，以达到及时促进被考评者反思和调控自身行为的目的。

以下是初中部负责人给两位教师的温馨提示。

例一： 你是一个踏实做事、老实做人的好人，但遗憾的是教学质量与你花的心血不成正比。是自身的教学方法过于单一，还是未真正关注学生的学习需要和状态？或许原因是多方面的，但花了这么多心血而达不到预期的教学效果，我们就有必要好好反思了。我们要以学论教，加强教学的针对性与灵活性，增加课堂教学的吸引力，在教育学生时不要有过多的说教，要让学生喜欢你，他们喜欢你才会喜欢你的课。如果改变不了学生，试着改变一下自己，这样我们就能不断进步。

例二： 你对学生的常规管理无懈可击，但控制欲强烈，可能有的学生敢怒不敢言，有些做法太追求完美，忽视了学生的感受。学生内心不服，强制是没用的。完全的个人意志形成了学生表面的服从和内心的对抗。建议争取“民意”的支持，避免管理的失败，要知道良好的师生关系是提高教育质量的前提。

显然，得出评价等级并不是我们的最终目的，我们希望学校考核评价制度能激励教师、改进教师、完善教师，指引教师发展的方向。

（三）促进教师成长的研训制度

建立以师为本的研训制度，就是引领教师在研究状态的工作中将内在的个人素养外化为解决现实教育教学问题的知识与智慧，从另一方面满足其自我实现的需要，而且真正体验到自身的需要得到满足、潜能得到发挥时所获得的持续快乐。当教师感觉到自己的生存状态不是牺牲，而是享受，不是重复，而是创造，不是谋生手段，而是生活本身时，那他就获得了幸福的人生。这正是学校人事制度创新的根本目的所在。苏霍姆林斯基早就告诉我们："如果你想使教育工作给教师带来欢乐，使每天的上课不致变成单调乏味的苦差，那就请你把每个教师引上进行研究的幸福之路吧。"① 在建立教师人人参与的研训制度之初，我们更多的不是从"为了学校的发展"、"为了学生的发展"等公共意义出发进行号召，让"教师"被边缘化，而是从教师个人愿景的角度出发，让教师明白参与教育科研能促进自身的专业发展，提高自身的专业品位，同时也可以提升自身的生活品质；让教师理解学校是"工作"的场所，也是教师"生活"的场所。教育教学是教师生命活动中的重要组成部分，幸福的人生不仅意味着舒适的生活，而且应当包括适宜的工作环境和持续提升的教育教学质量。当教师真正进入教育科研的工作状态之时，也就是教师不断获得更多参与感、更多的工作满意度和更少的精神压力之日。然后，再力求让教师的认识从个人愿景上升到学校愿景。在"人本性"理念指导下，我们尽可能寻找教师教育教学中的优点，立足于教师本身，引导教师学会发现问题、分析问题、解决问题，建立从问题入手的研训机制，将研究与培训有机结合。在研训过程中，我们注重从实际出发，以转变教师观念、指导教师方法、提升教师素养为研修主要目的，同时，让教师拥有自主探究和创造的空间，尊重教师的独特个性，引领教师在已有的基础上进行提升，不断完善自我。同时，学校在进行教学改革时，深入调研，广开言路，尊重教师提出的问题与意见。因为教学的问题教师自己最清楚，所以，我校注重让教师提出问题，然后设计平台，让问题在教师团队中集体研究，最后使问题得到解决。教师在解决问题中提升了自己的教学水平，从而提高了教学质量。

---

① 苏霍姆林斯基．和青年校长的谈话［M］．赵玮，等，译．北京：教育科学出版社，2009：89.

1. 课题研究，让教师在研究中成长

为了促进教师不断反思、自我总结和提升教育教学经验，促进教师由“经验型”逐渐向“科研型”转变，推进教学改革向纵深发展，从而促进学校教育教学创新发展，近年来我校坚持以“生态性”为理念的科研机制。首先，我校积极承担国家、省市级课题，以课题研究为平台，开展教师研训。如中国教育学会“十一五”规划课题“‘EEPO有效教育’应用推广及研究”在我校实施四年后，教师从观念到行为都发生了质的变化，对创新教师教育教学理念、提高教师教育教学教研水平、改进教师教育教学方法以及建设学习型学校起到了积极的推动作用。全校性的课题往往过于宏观，多是由校长主持和统领，只有少部分教师成为主要研究人员，而且都是研究教师面临的共性问题。为调动每位教师的研究热情，并且保持研究的可持续性，挖掘优秀教师的成功经验，消除教师的职业倦怠，引领教师专业发展，培养能把握学科精髓的研究型教师，我们要求老师从实践出发，积极开展微型课题研究，提出了“问题即课题”的微型课题研究选题原则，对于教师在教育教学中遇到的具体而微小的重点和难点问题，鼓励教师自己选题，自主进行研究，自己解决问题，改进教育教学。同时大力建设自我反思、同伴互助、专业引领的教研文化，让教师通过微型课题研究，自我总结，自我提高。

在微型课题研究过程中，我们以“切入点小、周期短、实效性强”作为微型课题研究的基本要求，以“少就是多、小就是大”的哲学原理为指导，以教师全员参与为要求，以理论与实践同步为过程，以教科室、教研组两级机构为管理单元，以一个学期或一年为研究周期，以鲜活的教育叙事、教育案例、教育教学论文、微型课题研究报告为成果，建立教师微型课题研究制度，引导教师提升自己的专业素养和科研能力。在实施中，做到了上至校长书记，下至一线教师，人人有课题，个个做研究。仅2009年，学校就开发376个校级微型课题，其中教师350个，校级领导及中层干部26个，微型课题研究有效地促进了教师的自我更新和自身的专业成长。

我校教师开展微型课题研究的具体步骤是：课题研究理论培训→教师根据教学实际问题选题→教研组开题论证→教师在教育教学中研究→课题中期检查评估→教研组内汇报结题→全校分组汇报，呈现研究成果。学校还将教师所取得的微型课题研究成果汇编成册，发放给教师相互学习和交流。

2. 专题研修，让教师在体验中成长

变专家讲教师听的外控的理论型教师培训为将教师作为研究者平等参与其中的校本专题研修，是我校教师研修制度创新的成果之一。这种专题研修“通过创设情境，引导参与者在活动、表现和体验中反思自己的经验与观念，在交流和分享中学习他人的长处，产生新的思想，达到新的认识，从而实现自我提高，并能够采取行动改善现状”①。之所以采用专题研修这种培训教师的模式，是因为“人本性”的管理理念使“我们相信每一个人都具有自给自足的能力，能够解决自己的问题。每个人都应享有平等学习和表达的权利，同时也应有机会与别人对话。真正的‘参与’不应该是被动的、被给予的、被要求的或受条件驱使的，而应该是参与者自己主动发起的、自愿的、平等互动的行为。参与者应该能够自主、自愿地参加到对问题的提出、分析和解决的过程中，为集体决策贡献自己的智慧和技能”②。近年来，针对青年教师多、引进教师快、学校发展迅速等特点，我校把教师专题研修作为一项制度安排。每学期在开学工作或期末工作中，教师专题研修都是一项重要内容。每次研修必确定一个专题，并明确研修的目标和要求。如2010年暑假教师研修的专题是“实现校训价值目标的行动方略”；研修目标是结合学校实际，重新审视和挖掘校训“学会生存，学会关心”价值目标的内涵及其行动方略；研修的要求是：围绕校训内涵，集思广

① 陈向明. 在参与中学习与行动：参与式方法培训指南［M］. 北京：教育科学出版社，2003：3.

② 陈向明. 在参与中学习与行动：参与式方法培训指南［M］. 北京：教育科学出版社，2003：2.

益，探讨实现校训价值目标的有效行动方略，并采用表格等形式简要表述出来。

在研修方式上，学校创新性地采用“团队合作＋自主体验”的自下而上的方式。这种研修方式是通过组建学习团队，设计交互平台，全员参与，实现自主体验。在实施过程中，首先是“教师”和“学生”之间角色互换，从不同的角度进行体验和感知；其次是教师通过在模拟环境中的具体活动，获得亲身体验和感受，并通过与团队成员之间的交流、反思、总结，提升为共享成果，最后将成果应用到实践当中。这样的研修对提高教师的教育教学水平很有针对性和实效性，目的就是让教师自己去感悟、去认识、去提高，研修过程也是教师观念的转变过程，并使其在体验中自觉地改变行为方式，进入一种“互动—主动—能动”的研究性状态，即一种共同参与、自主探究、创造性发展的体验状态。

有哲人曾说过：我听，我忘记；我看，我记得；我做，我学到；我教，我掌握。我校所采取的“自主体验”式教师研修是有效地把“听—看—做”和思维与学习者的行动结合在一起，并在这一过程中促使教师的角色发生转换，成为学习的主体，从而应用到各自的教育教学之中。“自主体验”式研修是一种效果持久的培训方式，因为培训的成果都来自团队成员的亲身体验、感受和交流，完成了一个“从实践到理论再到实践”的过程，实实在在地促进了教师的专业成长。

实践表明，要消除教师培训与教学实践之间的文化隔离，必须根据成人学习的特点，以问题为中心，使用贴近现实的方法，使培训情境与他们的工作情况相似，使教师的专业学习是“从自己的实践性知识入手”，“与自己的切身利益、要求、愿望、经验相关的学习”，让教师实质性地参与到解决现实教学问题的研究和交流的过程中，在“教学田野”中逐步实现自己的专业成长。

3. 主题研讨，让教师在合作中成长

主题研讨已成为我校教师研修的重要方式。学校分层级和职能，每年固定开展年级组长和班主任德育研讨会、教育组长课程开发或有效教

学研讨会、行政干部管理创新研究研讨会等主题研讨活动。活动中，我们进行严密组织，要求全员参与，采取团队合作的形式，以“自下而上”的民主方式开展研讨，让教师在学习型团队中快乐成长。

以“组建班级合作小组（团队），提升班级管理水平”主题研讨为例，2009 年 12 月，我校以年级组为团队，召开第九届德育研讨会。德育研讨会的具体步骤：前两周向每个年级全体班主任收集问题→学生处整理和归类问题→年级组抽签选择问题→班主任独立思考，提出解决问题的办法→年级组集体讨论和交流（第一次合作）→年级组以团队合作的方式呈现讨论结果（第二次合作）。

第九届德育研讨会活动方案

为进一步提高我校德育工作的针对性、实效性，加强德育创新，学校决定召开第九届德育研讨会。本次研讨会的主题是“组建班级合作小组（团队），提升班级管理水平”，以“平台互动”的形式来开展活动。具体安排如下：

一、团队合作训练与实践

1. 时间：2009 年 12 月 11—12 日

2. 地点：（略）

3. 参加人员：学校领导、中层干部、年级组长、班主任

二、活动领导小组（略）

三、活动安排

（一）小组准备阶段（实施步骤）

序号	步骤	工作任务
1	收集问题	班主任完成“组建班级合作小组（团队）中的问题与困惑”问卷调查，年级组收集交各学部学生处
2	整理问题	11 月 25—27 日，各学部学生处收集班主任问卷，归纳整理出班主任的主要问题和困惑

续表

序号	步骤	工作任务
3	选择问题	11月27日下午，年级组长抽签选择待解决问题和困惑（小学每个年级组1个，初中每组2个，高中每组1个）
4	思考问题	每位班主任思考撰写本年级组选择的问题的解决方法和策略
5	集体讨论	11月30日，班主任沙龙交流本年级选择的问题的解决方法和策略
6	团队呈现	12月11日，分组呈现研讨结果

（二）实践呈现阶段

1. 年级组长负责，全员参与。

2. 各年级组按抽签顺序呈现研讨结果，每组限时10—12分钟（小学）或18—20分钟（中学）。

3. 中层干部组成评委团队，分别对各组呈现的内容与形式予以现场点评。

4. 评委组对各组“个人问卷参与情况”及“团队呈现表现”进行评价、量化，评出等级，进行奖励。

5. 学校领导总结。

附1：评价细则

个人参与情况评比				团队呈现情况评比		
提出“问题与困惑”问卷调查参与情况评比		解决“问题与困惑”问卷调查参与情况评比		主题明确	到会人数	解决方法的有效性和可操作性
数量10分	质量20分	数量10分	质量20分	10分	10分	20分

说明：要求以“组建班级合作小组（团队）”为主题，以“平台互动”的形式团队呈现。请评委现场点评。

附 2：评委对小组呈现点评要素

1. “问题与困惑”剖析客观、透彻（有理有据），具有理论提升。

2. 能提出具有可行性、有效性的调整策略。

3. 汇报中心突出，条理清晰，方式多样、有效。

4. 小组组织、教师参与状态好。

小学部德育研讨会活动的过程（摘要）

一、问题提炼——问题产生的流程

1. 发放班主任问卷，原始资料汇集（部分）

班 级	班主任	组建班级合作小组后，你遇到的问题和困惑
一（1）	邹玲静	在低年级自身认识水平、自我约束与管理水平尚处于起始的阶段，如何组建合作小组，如何实现管理的自主化，如何实现班级管理的优化？
二（5）	王春光	组建班级小组后，课堂评比、作业的收发都比以往有了改善和提高，但是也遇到了一些问题和困惑。问题：1. 有个别学生分到哪个组，哪个组就落后，组长和其他组员常有意见。2. 评比的项目越细，收到的效果越好，但老师在星期五统计分数时很耗费时间。3. 个别学生对评比无动于衷，无法激发他的积极性。
三（3）	查海燕	如何激发小组中后进生的主观能动性？每个小组中都会有一个后进生，在全组成员的帮助下能使其有进步，问题是大部分后进生对这种帮助产生了依赖性，学习、生活等各方面都无意地等待同学的督促、帮助，久而久之，后进生的主观能动性会逐渐丧失，因此，如何激发小组后进生的主观能动性成为一个亟待解决的问题。
四（1）	向荣华	合作小组较广，如何细化？我班现有学习小组、卫生小组，但是呈现评价时，只反映学习小组的表现，卫生小组如果呈现评价会不会体系太多，有负面影响？
五（4）	黄琴芳	组建班级合作小组后，在操作中我遇到的问题和困惑是：1. 如何尽可能大地发挥合作小组在学生学习、生活中的作用，而不仅仅停留在表象架构组建的完成？2. 急需一套实用而简单的考核方法，能对小组合作的成效进行及时而公平的考评，从而有效提高学生参与合作的积极性。

续表

班 级	班主任	组建班级合作小组后，你遇到的问题和困惑
六（5）	刘 爽	组建班级合作小组后，实施了量化管理，学生凭借自己的努力，可以获得相应的积分，换取心仪的奖品，从而热情高涨。分厘必争，不论是生活还是学习，班级各方面的管理进行得都比往日更顺利。但欣喜之余不免担忧，这种物质的刺激所产生的效应能维持多久？依赖加分或减分来约束学生的行为，能让他们从内心深处产生积极进取的动力吗？如果不能，那么我们在开展小组评比时，该如何把这种物质奖励变成精神之粮，从而为孩子们终身发展打下良好的基础？

2. 学生处归纳、整理班主任的问题和困惑

序号	归 类	困 惑
1	小组构建（小组合作如何组建）	小学生自我管理能力较弱，尤其是一、二年级孩子自身的认识水平、自我约束与管理水平尚处于起始阶段，组建班级合作小组后，对学生的团队合作意识、自主意识、自控能力等有了较高的要求。如何实现团队合作，落实管理自主化，发挥合作小组的功效，即小组合作如何组建成为摆在我们面前需要探讨的问题。
2	关注边缘人物（学困生各组都不要，分到哪个组都落后，遇到不会做的作业，不想动脑筋，总想：“没关系，等小组来解决”）	组建合作小组后，班级管理及作业的收发这些事基本都能由每小组的组内负责人自主完成，确实减轻了教师的工作量。与此同时，也遇到了一些问题。我班有两名较特殊的孩子，他们在学习和表现上都不尽如人意，原本把他俩与本班前两名十分优秀的孩子分在一起，希望能够达到互相影响，帮助他们、促进他俩的效果，可是，他们却周周落在了最后，进行了小组微调后，发现他俩完全有可能影响整组的最后成绩。我不能将他们不分在组内，也不能分在其他组，现暂时在他们组多加两人，以他们组六人来与其他组的四人进行竞争，但收效甚微。如何才能激发他们的学习热情，让他们积极参与，以小组合作的方式来促进他们的习惯养成和学习提高成为一个难题。

续表

序号	归　类	困　惑
3	合作要求（小组合作有哪些具体目标和明确任务）	个别学生遇到不会做的作业，遇到稍有难度的问题，不想主动去解决，心想："没关系，等到小组讨论再说。"养成了依赖合作小组的习惯。小组成员中比较落后的学生在合作过程中坐享其成，没有真正参与思考、创造的过程，个人能力没有得到提高。个别学生对评比无动于衷，无法激发他们的积极性。合作学习难道成了这些学生的避风港？ 班级合作小组组建后，从组织形式上已经完备，但是绝大部分学生缺乏合作意识，不知道如何合作。因此，如何培养学生的合作意识，使之学会合作的方法是值得研究的重要课题。
4	如何操作（记录员如何记录，小组长作为"评价者"怎么评价等）	1. 要真正公平、公正地用评价表记录小组成员的表现，就得详细记录，可登记员的负担将会很重。 2. 学生自主管理，班干部检查时加分、扣分随意性较强，有包庇或吹毛求疵的现象，使"操行"分的信誉度下降。 3. 班级评分细则都是"硬指标"，小组长作为"评价者"毕竟还是小学生，不懂得"激励式""软着陆"，如何既执行班级合作，又照顾学生的后续发展，怎样避免小组之间的"恶性竞争"？
5	成果展示（既有全体学生获得评价，又有小组获得评价）	组建班级合作小组后，学生的各项学习活动都以小组合作或小组比赛的方式进行，学生的积极性空前高涨。但在呈现全部比赛结果时遇到困惑：学生小组合作涉及学习、纪律、卫生、生活等各个方面，比赛项目多，每一项都有一个结果，如第一周的比赛呈现结果包括家庭作业、语文课堂、语文作业、数学课堂、数学作业、英语课堂、英语作业、课外阅读、纪律、卫生、就餐、就寝12项。光将这些结果呈现出来就花了3个多小时，如果每周如此，感到压力很大。到底采用什么样的汇报方式呈现给家长，既使家长能清晰地看到我们的合作结果，又能让班主任的呈现简单明了易于操作呢？

续表

序号	归　类	困　惑
6	资源利用 (如何培训小组长)	班级合作小组组建后，小组长成为小组活动的策划者、组织者、管理者，甚至是评价者，起着重要的作用。但组长个体存在差异，这是客观事实。如何对小组长进行培养与指导，让小组长提高管理能力，从而促进自身的发展？应该从哪些方面系统地对小组长进行培训？也就是说，如何培养和提高小组长处理问题的能力？
7	评价方式 (如何制定评价项目)	今后将要继续研讨
8	班级文化 (由积分奖励变精神食粮)	今后将要继续研讨

二、智慧共享——交流问题解决策略

以下呈现六年级组的问题解决策略：

六年级组抽签选择待解决的问题与困惑：小组合作如何操作		
六（1）	杨艳辉	任何事情都不可能做到绝对公平、公正，小组合作学习也是一样。要想解决好以上问题，在于老师的正确引导，在于不断总结，不断调整方案，在于引导学生享受努力拼搏的过程，坦然面对竞争结果。另外在以下几个方面可以进行更加细致的操作。 1. 制订详尽的规则。如班级评分细则，从洗澡、卫生、寝室、学习、志愿任务几个方面来确定，让每位学生心中有目标。 2. 理顺操作流程。增加加减分透明度，小组长定时公布加减分情况，小组成员互相监督、互相提醒。 3. 定时召开班会，宣传自我管理、自我反思，培养学生自主向上的精神，提高班级整体素质。 4. 通过名言激励、写反思日记的方法，使小组合作加分行为内化为学生自主的动力。
六（2）	王彩萍	略
六（3）	邹学文	略

续表

六（4）	叶 蓓	略
六（5）	刘 爽	1. 让每一位学生明确评价内容。 2. 让每一位学生了解评分细则。 3. 让每一分都透明化。 4. 让每一人都成为监督员。 5. 让每一人都当分数核查员。 6. 最后班主任审查、批准。 要解决问题，关键在于教师的引导，引导学生享受努力拼搏的过程，坦然面对竞争的结果，在快乐中竞争，在快乐中成长。
六（6）	施 源	一、制订详尽的规则 班级评分细则，从三操、卫生、寝室、学习、志愿任务几个方面制定好加分细则，在班级公布，让每个学生心中有目标、有规范、有章可循。 二、理顺操作流程 1. 增加加减分的透明度，小组长定时公布加减分情况，小组成员互相监督、互相提醒，避免恶性竞争。 2. 定时召开小组会议，组织小组活动，处理小组矛盾，增进成员感情。通过上述活动强化小组共同目标，组织大家共同努力，共同进步。 三、通过班级活动弱化竞争性，培养自理自省能力 1. 定时召开班会，进行宣传，强调自我管理、自我反思，培养学生自主向上的精神，提高班级整体素质。 2. 通过名言激励、写反思日记的方法，使小组合作加分行为内化为学生自主的动力。 3. 与家长及时沟通，让家长参与监督。

三、精彩呈现——团队合作呈现汇报方案

以下是研讨会上五年级的团队合作呈现汇报方案：

呈现步骤	呈现形式	呈现内容	参与人员
谈“评价结果呈现的困惑”	情景剧	略	全组班主任
评价结果呈现的探讨	PPT，解说		
颂“评价结果呈现的成果”	快板		

每年的德育研讨会是教师的一次提升，既包括了教师自我发现问题、分析问题和解决问题的过程，也包括了教师独立思考和合作研讨的不同阶段，同时活动组织严谨、环节紧扣，活动要求全员参与、自主探究、合作研讨。所有的问题来自教师工作中的困惑，通过集思广益，解决了教育过程中的实际问题，对教师成长、提高德育工作实效性起到了重要的作用。

（四）引领教师自我完善的学习制度

学习心理学认为，人们从事学习就是为了满足自我实现的需要，即通过学习使自己的价值、潜能、个性得到充分而完备的发展和实现。因此，可以说自我实现是一种重要的学习动机。学校组织的各种学习也好，制定的相关规章制度也罢，其根本目的在于为教师发展引领方向、指导方法、创造条件、营造氛围以及提供保障，最终必须转化为教师的个人信念、个人观念、个人需要、个人志向以及个人行为。没有教师的自主发展意识和需要，没有教师的自我教育活动和能力，教师的学习和教育将成为空中楼阁①。我校虽是封闭式管理的学校，但以开放的姿态办学。我们十分注重教师的自身学习，努力创建学习型学校，培养研究型教师。在倡导学生自主学习的同时，积极建立教师"开放性"的学习制度，要求教师从繁忙的事务性工作中挤出时间自主学习。学校搭建各种平台，立足于教师自主内化与专业成长，建立了全员参与、分项实施的学习制度。

1. 创造机会，让教师在学习中成长

没有开阔视野的教师，就不可能培养出有开阔视野的学生。学校每年组织中层以上干部、年级组长、教研组长外出参观和学习，全体教师也是分批次按项目外出参观学习。学校要求教师不能墨守成规、闭门造车，将学习纳入教师工作的重要内容。

---

① 杨骞．教师发展的学校责任与实践模式［J］．教育研究，2008（4）．

（1）他山之石，学以致用。我校组织的各项学习活动，均要求有计划、有实施、有总结。从2004年至今，组织教师外出参观学习考察已经成为我校每年的制度化安排。在实施和总结的过程中，将所学的经验和内容内化为自己的认识，结合学校实际，注重生态性，付诸实践，而不是简单的照搬照抄，以“扬弃”的思想学以致用。

如2004年，全体行政干部外出学习考察回校后，对学生管理工作进行了改进，在实施以班级为单位的轮流值周后，将“最难”做的事情交给学生做，建立了学生自我管理的制度；2005年，部分行政干部和教育组长赴云南参加云南师大孟照彬教授的“EEPO有效教育”学习研讨，回校后，在课堂教学中积极推进有效教育的思想和方法，并将有效教育的核心理念“组织和参与”运用到学校教育教学教研及各项管理工作中；2006年，全体中层干部、年级组长和教研组长外出学习考察后，学校着手实施“重心下移”的管理模式，完善了班主任（备课组）、年级组（教研组）、中层干部、校级领导的层级管理职责，从学生跑操及作业层级化入手，为学生提供自主发展平台；2009年，学校中层干部赴北京参加由中国教育学会高中教育专业委员会和中国教育学会中国教育发展研究中心主办的高中国际课程研讨会后，学校从完善校本课程开发入手，梳理和完善了体现学校办学特色和育人目标的新课程体系。学校每年分批分次组织行政干部、年级组长、教研组长、备课组长、班主任和骨干教师外出学习考察已常态化。学习考察回校后，认真开展研讨活动，分析、借鉴外来成功经验，为我所用，已成为学校及教师自我完善的重要学习方式和途径。

（2）行千里路，开阔视野。我校每年利用寒暑假分批组织教师参加夏令营活动，组织教师到国内各地旅游考察。每年组织近十名教师到美国、英国、日本等地参观学习。每年选送优秀英语教师到美国或英国短期留学。我们相信，走出校门、走出国门就能开阔教师的眼界，就能培养具有国际眼光，包容、自信、合作、有责任感的教师。

2010年中国迎来上海世博会，我校将全体教师分成11个团队，将每个团队按四人一组分成多个小组，以“走进世博会，放眼看未来”

为活动主题，组织参观学习。为使活动达到预期效果，学校还组织开展了“世博摄影”、“世博征文”评比活动，教师们写下了《上海世博，我们看什么》、《“以旅游的心态去学习、用学习的要求去旅游”——世博观后感》、《世博，见证文明的平台》、《世博排队有感》、《世博，玩的就是心态》、《变与不变之间》、《城市，为什么能让生活更美好》、《盛世中国》、《观世博，看世界，思教学》、《深情相拥2010——为世博会而歌》、《海纳百川，有容乃大》、《生活未来与道德反思》等近百篇观后感。

上海世博，我们看什么

最近，两大盛事吸引了全球的目光，一是南非世界杯，二是上海世博会。面对世界杯，中国人绝大多数时间只能充当虔诚的看客，心情随球赛跌宕起伏，可世博会不同，世博会我们是主场，别人是看客。曾有人说，世博已经成为世界中心转移的先兆，随着中国政治、经济、文化在世界上的影响日渐深远，我们有理由相信，当中国足球队有朝一日成为世界强队的时刻，我们同样可以举办世界杯。看世界杯，我们感受激情、运动、力量和智慧。而世博会，我们看什么？与看世界杯的狂热相比，看世博或许我们该冷静点。

1851年英国伦敦万国工业博览会被称为世博会的鼻祖，然而，真正让中国人熟悉和了解世博会还是从2002年12月3日这一天才真正开始。在历经近3年的举办权竞争后，中国终于以54票对韩国34票取得胜利，获得2010年世博会的举办权，上海成为2010年世博会的举办城市。从2010年5月1日到10月31日，上海将连续举办184天的世博会，本届世博会以“城市，让生活更美好”为主题，目的是让我们“体验人类文明、探索未来难题”。在上海世博园疲劳奔波两天，我们一直在思考这样一个问题：世博会，我们看什么？

1. 通过世博平台，看中国5000年悠久的历史文化和改革开放30多年来所取得的成绩

上海世博会历史上第一次在举办国国家馆里建造省市区联合馆，国

家馆从宏观上展示了中华民族的文化精髓，而省市区联合馆则展示了各地区的经济、文化以及独特的自然生态特色。通过这个展台，我们看到了中华民族悠久的历史和改革开放以来所取得的丰硕成果；通过这个展台，我们看到了人类文明特别是中国人的文明；通过这个展台，世界了解了中国，中国走向了世界。

2. 通过世博平台，看中国人的品性修养

人类未来的发展趋势是成为世界公民。北京奥运会，中国观众学会了自觉为其他国家运动员鼓掌，能为落后者、失败者喝彩。相比北京奥运会，就展示的时长和内容来说，上海世博会在某种程度上更能体现中国国民的素养，是否按序排队、是否乱丢垃圾、是否尊重其他国家的文化并对该文化保持一种应有的敬畏，这无一不是对中国人的考验。文明，不仅是政府和精英的事，还应该是全体国人的事。如果在国际交往中，我们整个民族都能持续地表现出优秀的品格，我们必能感动世界。世界杯中，朝鲜队虽然不是胜者，但是他们在赛场上表现出来的坚韧不拔和真诚友好无一不让人刮目相看。世博，我在看中华民族 5000 年的历史和文化，在看改革开放以来祖国取得的成就，同时也在看我们国人的表现。我衷心期待全体国人能够通过世博平台向世人展示我们这个民族优秀的品质。

当今的中国正在崛起，正在成为一个具有广泛影响力的大国。我们是让人敬，还是让人畏？是让人尊重，还是让人侧目？是让人感动，还是让人悲悯？这是一个不能不想的问题。如何展示中国国家和人民的风貌，如何化解世界对中国的一些误解，如何让中华文明成为世界文明的代表，需要我们每一个国民身体力行来做好诠释，而品性修养就是最好的名片。

3. 通过世博平台，看全人类的文明成果，看地球如何成为村落，看人类如何成为世界公民

世博会上，所有国家的展馆都展现了该国独有的文化和地域特色。从展馆外观来看，英国馆外部伸展出大量的带光源的触须，可随风晃动，变换多种色彩和图案；西班牙馆则用藤条编制外墙，看起来像动感

的弗拉明戈舞裙……200 多个国家的展馆形态各异，各显风华，小小的世博园俨然成了一个地球村。从展示内容上看，法国馆展出了由梵高、米勒、塞尚、罗丹等大师创作的艺术珍品；丹麦馆内，首次出国的丹麦国宝“小美人鱼”雕像与观众亲密接触；意大利馆内，展出了该国的交响乐团、名品服饰及经典法拉利轿车，短短的 20 分钟，我们经历的是一场真切的意大利文化之旅。除此之外，世博期间各场馆将分别上演 200 多个国家的 1000 多台节目，既有英国国家芭蕾舞团、美国费城交响乐团等世界知名艺术团体的专场演出，也有巴西桑巴舞等展现世界各地风土人情的特色表演；既有展现中华传统艺术魅力和民族、民间、民俗特色的原生态表演，也有综合武术、绝技、魔术、歌舞等多个艺术门类的创新杂技剧，以及原创少林、武当功夫剧等；既有吸引青少年参与的儿童剧、杖木头木偶剧、皮影戏、多媒体剧等，也有世界多支优秀团队专门创作、每天表演的欢乐盛装大巡游。通过欣赏各国国家馆的外观、展出内容以及各具特色的表演，我感觉世界离我是如此之近，对世界各国文化的体验是如此之真切。是的，地球就是一个小村庄，我们每个人都是村落里的公民，所以，保护我们共同的家园——地球，这原本看上去大而泛的话语在这里显得如此的实在，情真意切。

4. 通过世博平台，看人类伟大的想象力，看人类如何联手解决所面临的难题

世博会不是产品展、工艺展、成就展、旅游风光展、招商引资展。世博会自诞生起，就不是通俗意义上的展览。“非文明不展品”，这是世博会自诞生之日起就具有的高贵基因。

历届世博会集中展现了参展各国带来的新技术、新理念、新文化，世博会成为展示全人类文明进步的大舞台，展现了人类在多个领域的奋斗进程，并启发人们共同思考未来。例如，在 1851 年第一届英国伦敦世博会上，展示了代表当时人类工业文明的蒸汽机和电报；1873 年维也纳世博会，留下了由著名作曲家施特劳斯亲自指挥的名曲《蓝色多瑙河》；1876 年美国费城世博会，展示了贝尔发明的电话；1904 年美国圣路易斯世博会，初次展出了莱特兄弟发明的飞机；1915 年美国旧金山

世博会，第一次放映了电影；等等。上海世博会中国企业自建的“企业馆”，比如远大馆，内容和形式就比较好地契合了关注环境等涉及人类自身命运的主题。所以在世博会上，我们不仅可以看到有形的先进技术，还可以看到无形的先进思想。

5. 通过世博平台，看世博会日渐丰富的表现形式

在展览形式上，世博会更像一个鲜明的主题公园，综合了电影院、科技馆、游乐园等多种功能，对参观者来说是一场盛大的嘉年华。也就是说，世博展览的理念已经发生了根本性的变革，文化性、教育性、娱乐性、趣味性、参与性成为今天世博会的主旋律。世博会颠覆了传统的专业展和行业展的概念，让参展的人学知识、长见识并且思考一些问题。参观者无异于在赴一场活色生香的盛宴，既有视觉上的享受，又有思想上的洗礼。

6. 通过世博平台，看人类的美好理想与愿望

2010 年上海世博会，中文主题是“城市，让生活更美好”，英文翻译为“Better City，Better Life”。应该说，英文翻译比中文更好，意思表达更准确，美好的城市意味着美好的生活。本届世博会的主题告诉我们，人们已经从拜金主义的泥淖中觉醒过来，经济已不再是人类生存的唯一命脉，美好的城市、美好的生活已经成为人们心目中最大的追求。这说明随着人类的进步，人类的品位越来越高，已经由追求物质享受转为追求心灵的感受了。看着展馆里通过数字技术展现出来的人们对未来世界的美好设想，我的心中展开了一幅关于未来生活的美好画卷。

参观世博会，我们应该带着思考与责任去观赏每一处风景，在收获知识的同时，知悉、理解并反思人类的文明和进步，以主人翁的身份主动积极思考人类所面临的问题，而不是漫无目的、走马观花，不加思考地评头论足。

（本文提供：H 团第 6 组　彭华平　陈明　胡惠玲　李梅芳）

从这样的文字中，我们可以深切地感受到教师在游历世博会的过程中，认识的提高，视野的开阔，民族自信心和作为世界公民责任感的增

强，其国际理解素养在潜移默化中得到了提升。

（3）读万卷书，自主提高。学校是在一定理念指导下，将人类所积累的各种知识代代相传的稳定型组织和保守型组织。教师在这种组织中很容易产生“唯我独尊”的思想，容易将自己当作知识权威的代表而出现在学生面前。然而，科学技术的急速发展在带来极大物质繁荣与生活便利的同时，人们的生活方式也正发生着根本性的变化，学生的信息来源和学习渠道越来越多元化，教师不再是知识和信息的唯一传播者。这种社会转型对教师提出了巨大的挑战，教师若不具备终身学习的能力，将会被社会和学生淘汰。为此，我们努力为教师提供学习平台，引领教师自主提高，让教师的知识更新顺应社会发展的需要。

学校每年为每位教师提供定额的专业书籍征订费，要求教师必须订阅学科专业杂志，自主学习；为教师发放教育理论书籍，利用寒暑假组织教师学习，写出学习心得，纳入绩效考核；为每位教师配备手提电脑，免费开通学科专业网站，为教师搭建学习平台；在校园网站建立以教研组为单位的学科专业网页和“教研视窗”，为教师相互学习提供交流平台；等等。这些工作，都是为了将教师“读书”的方式拓展和延伸，使教师获取信息的方式和学习的方式发生改变，顺应时代的发展。

是教师发展了“麓山”，也是“麓山”发展了教师。自主提高的“读书”平台，促进了教师成长，使一部分教师迅速成长为省市的教学骨干，有的甚至成为全国的优秀教师。

2. 设计主题，让教师在榜样的影响中提高

教育是一种以人格塑造人格、以灵魂震撼灵魂的高尚活动。优秀的学校离不开优秀的教师，优秀的教师必须具备高尚的师德，只有道德品质高尚的教师才能培养出品德高尚的学生。

近年来，为促进师德师风建设，学校以活动为载体，通过一年一度的教师节表彰、师德师风演讲比赛、创建“优秀党员示范岗”等系列师德师风教育活动，表彰先进，树立榜样，激励全体教职员工爱岗敬业，努力工作。如，在深入开展学习实践科学发展观活动中，学校积极开展“践行科学发展观，师德规范我带头”主题思想教育“四个一”活动：组织党员观看一部美国教育影片《热血教师》，召开一次主题组织生活会，签好一份师德规范承诺书，写好一篇观后感。号召全体教师以《热血教师》主人翁克拉克为榜样，用心教育学生，用爱感化学生。

一颗心、一个人、一种境界

——《热血教师》观后感

看完电影《热血教师》，热血澎湃，我想说声：谢谢！这部电影让我真正感受到了有效教育理念下素质教育的激情。

感谢这部热情与温情完美融合的电影。学校中的题材永远挖不完，我们知道中国的教育精髓，我们看过鬼冢的日式狂放教育，但是我们没有见过美国学校中如此热血的 Clark，年轻的学生有着各式各样的烦恼和天赋，尖锐叛逆，在美国这个倡导自由的国家里，Clark 和学生究竟碰撞出怎样的火花？影片结束后我和我的同事们依依不舍、举肘沉思的沉默中包含了太多的情感与启发。

感谢 Ron Clark 热情的执着。不仅仅是因为曾经主演过 *Friend* 和 *The West Wing* 的著名影星 Matthew Perry 的倾情演出；不仅仅是因为他的努力，这个曾经令人伤心的班级最后取得了令人骄傲的成绩；也不仅仅是因为他就是美国历史上唯一一个被总统亲切接见三次的教育明星。他的身上书写着一名普通教育工作者的职责、宽容、热情与梦想，他的背后是美国素质教育的根本理念，让我们更加坚信有效教育理念与素质教育的前景光明。

看完《热血教师》这部优秀的文艺作品，我的头脑里映射出诗仙李白在《下终南山过斛斯山人宿置酒》中描述的“却顾所来径，苍苍横翠微”的情境。教育就是需要这份沉甸甸的责任铺开路径、打开局面；教育就是需要这种“既见树木又见森林”的眼界来看到苍苍世界、芸芸学子，心中有事、眼中有人；教育就是需要这份朴实、宽容、厚重的胸襟，有路漫漫其修远兮的探索，也有不以物喜、不以己悲、先忧后乐、柳暗花明的释怀。这部温情、庄重、人物个性饱满的教育传奇留给我们无限的遐想与思考，让我们感受到了梦想、热情与执着的力量。教育绝对不是表演，但教育就是需要这种境界：“我醉君复乐，陶然共忘机。”

我们感受到了一颗热情、善良但坚定的心。

因为热情，Clark 从北卡罗来纳前往纽约大都市一所中学开始了他新的教师生涯。一个带着金丝边眼镜，领带衬衫，褐色头发的男人，眼睛里充满了热力四射的光芒，Clark 有的是热情和思想，还有成熟男人特有的温柔。因为热情，他运用独特的教学规则和革新（式）的教学方法教育每个调皮的小捣蛋，为家境困难想要念书的女孩打通通往课堂的道路，让有着艺术天赋的男孩得以发挥特长。因为热情，刚从肺炎中解脱出来，Clark 就马上投入他的调皮学生当中。

因为善良，他让一群在别人否定眼光与自卑的环境中成长的孩子敢于做梦，去追求自己人生中最渴望的东西。因为善良，Clark 常说一句话：“我为你们而感到骄傲。”教学中，无论学生怎么对待他，他都依旧爱他们，平等地对待他们。

因为坚定，虽然自己遇到的学生实际情况比预想的还差，但由于自己对教师这个职业的真正热爱以及对学生的热爱，他在困难重重的教书路上一步步向前走，寻找适合自己学生的教学方法。因为坚定，他结合孩子们的性格和情况，因材施教，让学习充满欢乐、幽默与创造性。最终他取得了胜利，爱情、事业双丰收。

我们更看到了一位有着责任感、耐心、细心、梦想与热情的立体的教师形象。首先 Clark 是一个真正的人，普通的人，他有理想，有情感，有欲望，有痛苦。他不是神，不是英雄教师，为了教书，可以失去一切。在 Clark 想要放弃自己的理想时，他得到了女朋友甚至是学生们的鼓励。不断地努力后，Clark 的执着与热情终于感动了孩子们。这一情节让我看到了一个立体的 Clark，同时也看到了爱情的伟大力量。西方一直很看重爱情，认为爱情有无穷的力量；而中国则更看重事业、功名。但是在我们最痛苦、最无知时，能给我们力量的往往不是我们自己，而是他人，亲人、友人、爱人，亲情、友情、爱情。我们最爱的人一直在支持着我们，是他们让我们有了新的力量与动力。所以，我们教育事业的成功与我们教师的生活情感有着直接的关系，关心教育首先要关心教师，关心教师首先要关心生活。正如李素洁校长在教学阶段工作小结会上所说的，“身教胜于言教”，教师教育学生热爱生活，德育工作者利用生活世界指导学生，首先要求教师自身热爱生活。

一颗心、一个人、一种境界，传诵了一段感人至深的教育佳话。

电影感人，情节却很普通。因为这种教育故事我们都很熟悉，好像碰到过、经历过、感受过。感动后睁开眼睛，发现主角竟然就在我们身边。我们周围扎扎实实做事、踏踏实实育人的班主任，认认真真治学、坦坦荡荡立德的党员示范岗等，不就是中国版的“热血教师”吗？但仔细一想，也有些不同。

首先，在我们教书育人过程中，对“为学”与“为人”的关系处理中，我们还没有一个明确的定位。我们经常争论教育主体地位，可是到21世纪的今天还没有弄明白彼此的关系。我们经常是为了学生“为学”而告诉学生“为学”或怎样“为人”，而不是为了“为人”而与学生谈论“为学”的问题。Clark先生却用有效的教育行动告诉了我们“为学”与“为人”的辩证关系。或许，为了探寻真正的有效教育，是我们该反思的时候了。

其次，我们经常陷入“责任”、“知识”与“方法”重要性讨论的泥潭中而矛盾、困惑、停滞不前。其实，教育中的“道”、“学”、“术”本身就是三位一体、相辅相成的。“道”帮助教师不断深化学识、丰富技艺；“学”促使教师不断升华理想、精进技巧；“术”让教师的“道”与“学”不断得到提升拓展。得“道”之教师没有学识与技艺，其理想只能是空中楼阁；有“学”之教师没有理想和技艺，只能庸庸碌碌、无所成就；掌握了“术”却没有理想和学识的教师华而不实，教育田里一片荒芜。Clark先生明白有所为、有所不为的道理，紧紧抓住了学生生活、思考、学习与教育的客观规律，将教育的“道”、“学”、“术”完美融合，让我们看到了一个忙而有序、细而有效的教育链条，感受到了有效教育的针对性和实效性。

最后，我们的教育也越来越回归生活，但与《热血教师》中主张的生活世界有着质的不同。我们关注更多的是一种学生的“群体式生活”，想问题、谈问题都是依据普遍的学生生活问题展开，往往忽略了学生的个性和不同的生活、情感与境遇。而Clark先生却坚定地根据学生们具体的实际状况，有的放矢地加以引导、鼓励和强化，逐渐被学生认可、信任直至与他们的思想完全融合，被至爱他的学生们诡秘、亲切而富有深情地评为“全镇最差的教师”。事实上，他已经成了他们最好的朋友，成了他们心中永不泯灭的火焰、一座永恒的丰碑。

一部电影，一个文艺作品，一次有意义的活动，反映了新时代有效的素质教育的基本要求和价值导向。

（本文作者：高中部政治教师　张博文）

3. 心理调适，让教师在认识自我中完善

由于寄宿制学校教师工作时间长，任务重，要求高，教师的心理健康状况一直是我们关注的问题。健康不仅体现在身体上，更体现在心理上。只有身心健康的教师，才能培养出身心健康的学生。教师只有具备了健康的心理状态，才有可能主动地认识自我、完善自我。为调适教师心理，学校开展了一系列活动，活动的目的：一是发现教师的心理疑惑和心理问题，引导教师重视自身的心理变化，促使教师关心自己的心理品质；二是帮助教师解决心理问题，为教师提供有效的调适办法；三是促使学校在管理中更加注重人文关怀，达到心理教育的最高境界“助人自助”的目的。

活动以“人本性”管理理念为基础，采取全员参与的合作方式，不仅在交流互动中分析问题产生的原因，提出有效的调适策略，而且在小组合作中加深教师之间的了解，促进彼此之间的信任，使得活动本身就是一次心理调适过程。活动的开展对于培养教师健康的心理、良好的职业操守，具有一定的现实意义。

“教师心理分析及调整策略”活动方案

一、活动的主题

教师心理分析及调整策略

二、活动的意义

1. 该主题是从心理学角度来分析教师的心理状态，使教师学会自我调适不良心理。

2. 它对于培养教师健康的心理、良好的职业操守，具有一定的开拓性和现实意义。

三、活动的形式

平台互动式：

1. 以“案例”为多向度平台，透析教师心理问题。

2. 在交流互动中，分析问题产生的原因，提出有效的调整策略。

3. 各组呈现汇报，心理专家现场点评。

四、预期的成效

1. 通过平台互动，每个参与的教师能够相对地认识自我，客观地认识某种现象，从内心引发反省。

2. 通过本次研讨活动，能提炼出几个处理常规问题的操作模式（个人、学校），或调整教师心态的策略。

五、活动的要求

1. 要有新的视角和较高的视位，排除个人狭隘的心理，只针对某现象从广义上分析问题、研究问题、解决问题，要有“大家”的风范。

2. 要善于学习，善于进行理性的思考，通过实践案例的分析，通过专家的引领要形成研究的领域。

如：如何培养教师良好的心态？

在特殊情况下如何保持良好的心态？

教师良好的心态与教学效果的关系是什么？

3. 交流讨论时议题集中，允许存在不同观点，总结汇报时对问题要有所归纳、提升。

4. 结果呈现与汇报可创自己的特色，讲究形式的活泼，但不得将该主题活动庸俗化。

六、具体安排

1. 案例收集

由中层干部撰写案例，教科室将案例改编成“问题情境”。

2. 活动流程

<table>
<tr><th colspan="2">时间：1月11日</th><th>内　容</th><th>地　点</th></tr>
<tr><td rowspan="2">上午</td><td>9:00</td><td>抽签决定问题情境及汇报顺序</td><td>剧场</td></tr>
<tr><td>9:30—12:00</td><td>小组合作，交流讨论</td><td>各学部安排</td></tr>
<tr><td rowspan="2">下午</td><td>2:30—4:30</td><td>小组集体呈现讨论结果与汇报
（汇报时间不超过15分钟，形式不限）</td><td rowspan="2">剧场</td></tr>
<tr><td>4:30</td><td>专家点评、校长总结、颁奖</td></tr>
</table>

3. 分组安排（略）

4. 评分要点

序号	评分要点	分　值
1	案例剖析公正、客观、透彻	25
2	提出的调整策略有一定的可行性、有效性	25
3	结果呈现与汇报主题清晰，形式活泼	25
4	小组组织状态、教师参与状态好（考勤）	25

附：

“教师心理分析及调整策略”案例

问题情境

下课铃响了，A老师情绪低落，愁眉不展地走进办公室，坐在办公桌前一言不发。

旁边的B老师随口问道：“嗨，今天怎么这么有空，不看作业?”

“就看，我这人做事凭良心，打B等（学校考核等级）也会对得起家长，对得起学生。”

B老师赶忙闭口不语。

这边，A老师还在喋喋不休。

“唉，我就是不会与上司、同事拉关系。不然也不会……再说了，学校也太不公平了，你不告诉我什么时候、什么方面不合格，怎么能判B呢？我不是和打A的人做同样的事吗？是谁在陷害我呢？”

这时，C老师走进办公室：“A老师，你能帮我顶个晚自习吗？我今天很不舒服。”

“哦，”A老师笑着说，“没问题，你们有事我都可以帮忙。只是以后，你们别给我打最低分哟！”

办公室内众老师面面相觑，皆默然。

“教师心理分析及调整策略”调研表

填表人：李四梅　　所在学部 高中　　年级：高三

项　　目	我的思考
情境中存在的问题	情绪低落，愁眉不展
简析问题产生的原因	教师互评引发的教师心理问题
怎样改变这种状况	第一，同事之间互助互励，对A老师应予以更多关注，主动与其攀谈交往。这一点我们“麓山”的教师做得非常好。 第二，学校管理层方面可以考虑对相关教师进行积极的心理疏导。我手头共收到高三年级组老师32份对教师互评案例的反馈表，无一例外都反映这样一个共同的问题：教师互评直接导致教师之间互相猜疑，人际关系紧张，压力过大。我们有的老师甚至用“人人自危”来形容它。 可见教师互评是一把双刃剑，既是一种简单易操作的管理方式，同时也是导致教师心理问题的一个重要因素。现在学校将本次校本教研的主题定位为教师心理（师德师风建设）研讨会，可见学校对教师心理问题的关注。许多老师认为教师评价体系需要进一步完善。评价方式应当以鼓励为主，评价目的是提高教师的积极性，而不是扰乱教师的心绪。

续表

项　　目	我的思考
怎样改变这种状况	初二抽的是“学生评价对老师心理影响”的案例，我们高三组抽的是“教师互评对老师心理影响”的案例。在两组排情景剧时，都选择了老师找学校领导寻求心理帮助的情节，真可谓英雄所见略同。其实我觉得学校领导就是最好的心理咨询师，你们一句宽慰的话语就可以化解老师心中的重重坚冰，你们一个善意的眼神就可以传递信任的力量。所以我建议学校成立专门的教师心理咨询室，由学校领导设置专人负责接访，我相信这会是一个学校与教师沟通的很好平台。 第三，从教师个人层面的探讨，可具体情况具体分析，下面我分两种情况谈谈。 第一种：如果A老师确实属于对自己要求不严格型，我认为要善于内归因。要善于自我分析，自我反省，控制好个人情绪，在个人需求与学校要求之间找到一个平衡点，就会出现“柳暗花明又一村”的情景。 第二种：如果A老师是属于那种兢兢业业型，由于A等人数有限而降为B等，心中的挫败感更甚，长期积累负面情绪相对于第一种更容易出心理问题。我建议要求严格型教师在提升自我的同时，不妨做一些外归因。可以从以下几个方面平衡心态，应对挫折。 （一）改变不合理的信念。心理咨询里有一种认知领悟疗法，即通过使求治者改变认识，得到领悟而使症状减轻或消失，从而达到治病目的的一种心理治疗方法。“B等”不等于“不行”，它可能只意味着我们离最优秀的教师还有一段距离，我们还需要完善自我，教无止境，学无止境。同事评你为B等，并不意味着你差，也许是A等人数有限下的无奈选择，并不是要陷害你。改变了这种走极端的想法，有助于平衡心态。 （二）悦纳自我，多作积极的心理暗示。面对不良心境，要告诉自己，每个人都不可能十全十美，不完满才是人生。不要过分苛求自我。哪有一帆风顺的人生？挫折是人生的一种常态，有时可变为提升自我的动力。每天都别忘了告诉自己——我很重要，我很能干，我很快乐，我很美好。悦纳自我，才会每天拥有一份好心情。

续表

项　　目	我的思考
怎样改变这种状况	（三）学会倾诉，合理宣泄。恋爱婚姻关系、与家庭成员的关系、与朋友的关系，心理学家安托露丝将这三重关系称为“人生护航舰”。所以当心境不佳难以释怀时，不妨找一位乐观的善解人意的同事、朋友、亲人倾诉自己的苦恼。他们的倾听和理解就是最好的心理咨询。还有别忘了向领导反映自己的实际工作情况，以求得领导的支持。

三、民主参与的制度建设

美国著名管理学家德鲁克指出：“管理的任务就在于使个人的价值观和志向转化为组织的力量和成就。”而使个人的价值观和志向转化为组织的力量和成就的策略，就是实施民主参与的管理。我校民主管理涉及的内容不仅仅是教职工代表大会，它包括了民主决策、民主评选、民主监督、民主评价、民主渠道、民主程序、民主形式等多方面的内容，以及干部的民主作风和态度、学校的民主氛围等多方面的要求。《国家中长期教育改革和发展规划纲要（2010—2020 年）》提出：“健全校务公开制度，接受师生员工和社会的监督。探索建立符合学校特点的管理制度和配套政策，逐步取消实际存在的行政级别和行政化管理模式。”在学校管理中，我们积极探究基于现代学校制度的学校管理创新研究与实践，围绕“人本性、开放性和生态性”的管理理念，致力于探索民主参与的制度建设和组织管理，营造民主和谐的制度文化。

（一）民主参与的制度建立

我校以岗位职责为基础，绩效考核为核心，劳动合同为保障，绩效工资为体现，奖优罚劣为激励，建立健全了一套完整的制度体系。有科学的管理制度，方能促进学校的和谐发展。这些年来，我们通过民主参与的形式不断制定、修改和完善制度，实施校务公开，推行民主管理。通过制度的不断完善，将“人与人”的关系转换为“人与制度”的关系，实现依法治校。

1. 自下而上，完善制度设计

我校采取“自下而上”民主参与的形式进行制度设计，先后制定各类制度260余项，如《教职工绩效考核办法》、《教职工绩效工资制度》、《教师专业技术职务评聘办法》、《学生分班流程》、《教职工招聘流程》及《招生流程》等。学校行政管理人员形成了一个习惯，就是不断查找工作中的“问题”，然后用制度的形式来解决问题，使其工作不断改进和完善。学校的管理正像电脑的软件系统，学校的规章制度正如一个一个的系统软件，学校管理者在不断地查找系统中的“漏洞”，然后打“补丁”或“新安装操作软件”，使这台“电脑”能根据学校需要快速地运行并推进学校的发展。

绩效考评是学校制度与管理系统的重要组成部分，是学校管理的核心内容。经过近四年的探索，我们设计并完善了《中层干部绩效考评办法》、《教师绩效考评办法》和《员工绩效考评办法》，该项绩效考评体系，渗透在管理的全过程和各个方面，是提升学校执行力的重要保证和有力工具，它引导教师按考评指标所指的方面去努力，因此，教师们往往高度关注。充分体现学校人本性和生态性的制度建立过程，是努力实现学校和教师共同愿景的发展过程。对教师实行绩效考核，首先要明确的是考核教师的哪些方面才能对教师发展有促进，为此，我们用自下而上的民主参与形式，来确立教师考核目标，设计绩效考核办法。具体做法是：

第一步：采用“头脑风暴法”面向全体教师、部分学生和家长作问卷调查，征集“优秀教师应具备什么样的素质”这一问题的答案。要求每人写出最重要的三条。这是一个民主参与的过程，教师、学生及家长可以畅所欲言，讲述自己的观点。

第二步：将学生、家长、教师所列出的指标进行归纳，分类统计。

第三步：从问卷中提炼出优秀教师素质特征后，召开教师大会，全体教师按重要性进行二次排序，从中归纳出优秀教师应具备的21项指标，包括：尊重学生、廉洁从教、恪尽职守、注重修养、团结互助、精心备课、服从安排、反馈及时、遵规守纪、讲究方法、教书育人、注重实践、乐于学习、勤于钻研、善于总结，以及组织能力、参与意识、研究能力、指导能力强，专业素养高，教学效果好等。这一过程仍然是民主参与，教师完全可以按照自己的观点进行排序。

第四步：归纳出21项指标后，根据老师、学生、家长所列出的优秀教师的具体表现，对21项指标的内涵进行具体诠释，使每项指标的内容更加丰富和具体。如对“指导能力强”的诠释是：在集体备课、评课和其他教研活动中有独到见解，能给人启迪；教学、教研具有一定的示范性；指导学生学习或老师教学竞赛成绩突出。

第五步：整理归类。学校对21项指标进行归纳，整理出教师评价的三个类别——现实表现（态度）、教育教学教研能力（能力）和常规教学（成绩）。学校将21项指标分解到每个类别中，如“尊重学生、廉洁从教、恪尽职守、注重修养、团结互助、精心备课、服从安排、反馈及时、遵规守纪”等放到第一类“现实表现”中进行考核；“讲究方法、教书育人，组织能力、参与意识、研究能力、指导能力强，专业素养高，注重实践、乐于学习、勤于钻研、善于总结”等放到第二类“教育教学教研能力”中进行考核；“教学效果好”放到第三类“常规教学”中进行考核。同时，将21项指标归纳成三大类别后，进一步对每项指标的内涵给予具体解释。

第六步：学校制定教师绩效考核试行办法的初稿。

第七步：征求意见。学校分别将教师绩效考核试行办法的初稿提交行政会、年级组长和教研组长会、教职工代表大会进行讨论，征求意见。在这样一个广泛征求意见的民主参与的过程中，与会人员只要能提出合乎情理的意见或建议，又具有可操作性，学校就予以采纳。这一阶段学校先后三次征求意见，三次进行修改。如教师绩效考核等级评定原为一个维度，后调整为三个维度；等级评价原为全校一个办法，后根据学部不同的特点调整为高中部、初中部和小学部三个不同的等级评价办法等。

第八步：试行。学校将调整后的《教师绩效考核试行办法》在教师中试行，一是检验绩效考核试行办法是否具有可操作性；二是看绩效考核试行办法是否存在“漏洞”；三是再次听取教师意见。

第九步：试行两个学期后，学校召开教职工代表大会正式表决通过《教师绩效考核办法》并实施，逐步与教师绩效工资、职称评定等挂钩。

我校通过由学生、家长、教师参与的“自下而上”的组织形式，而不是由学校领导强制的“自上而下”的组织形式来建立绩效考核指标，让教师本人及其服务对象学生和家长均参与到指标的认定中来，这既有利于教师对绩效考核指标形成认同感，也使这项制度的设计更具有人本性、开放性和生态性。

2. 沟通协商，实行动态调整

好的沟通是制度管理成功的一半。沟通和协商能促使教职工群策群力，集思广益，达成共识。我校根据时代的发展变化和校情的变化实施动态的管理，也就是说制度制定后并不是一成不变的，而是不断地进行修正和完善。学校制度在实施的过程中始终坚持民主程序，尊重民意，反复听取意见，发现问题后进行调整、修改和完善，提高制度的公信力和执行力。如《教师专业技术职务评审办法》的设计过程，就经历了与教师多次协商与沟通，体现了民主参与下的动态制度建设。

（1）制度形成之前。在《教师专业技术职务评审办法》出台前，学校职称的评定几乎是由评审领导小组决定，包含了感情因素，教师意见较大。具体操作是：需评定职称的教师进行申报，学校审核参评资格后由个人述职，评委打分（无具体评分标准），产生参评人员。

（2）制度制定之后。学校《教师专业技术职务评审办法》分“参评资格”和“量化评分”两部分，分别由相关部门进行审核和量化评分，具有可操作性，得到了教师的认同。

（3）修改完善制度。在《教师专业技术职务评审办法》执行过程中发现问题或学校情况发生改变时，学校会在前一年职称评定结束后进行修改并公示。

如，教师们认为，学校基本上按“打通关”的形式进行人事安排，如无特殊情况，教师都是三年任教一届毕业年级，应该取消“岗位奖励”中任教毕业年级教师量化加分项目，为此，我校将方案中的该项积分取消。又如，在听取教师们的合理建议后，将“荣誉奖励”分值调低，“业绩奖励”由定性评分改为定量评分等。

（二）民主参与的制度执行

学校管理贵在制度，赢在执行。也就是说，仅有完善的制度是远远不够的，重要的是要提高制度的执行力。学校制度的执行力直接体现了学校的竞争力，必须要处理好管理系统中各个要素之间的相互关系，使系统各个要素形成合力，减少内耗，更要依靠全体教职工的民主参与使各项制度得到真正执行。

1. 形成合力的制度体系

系统是由相互联系、相互依赖、相互制约和相互作用的若干事物或过程所组成的一个具有整体功能或综合行为的统一体。执行力就是一种把想法变成行动，把行动变成结果，从而保质保量完成任务的能力。就个人而言，执行力就是把想做的事做成功的能力。学校制度体系是学校制度之间相互联系、相互依赖、相互制约和相互作用所组成的一个具有整体功能的制度体系，只有处理好制度的目的性、满意性、操作性、相关性和整体性五个方面的关系，才能有效地保障制度的高效运行。下面从我校制度的目的性、认可度、操作性、相关性和整体性五个方面来分析学校制度的系统性对提高学校制度执行力的作用。

第一，制度的目的性是提高执行力的基础。我校制度建设的目的是要为实现学校和教师共同愿景服务。为此，学校从制度层面上建立了维护学校发展和充分保障教职工个人权利的管理机制，在制度执行上努力做到“责、权、利”的高度统一，使学校制度得到全体师生的认可和接受。

第二，制度的认可度是提高执行力的保障。我校采取自下而上民主参与的方式制定制度，通过反复沟通，教职工群策群力、集思广益，达成共识，不断建设适合于学校发展的制度。学校制度在民主参与下不断健全、修订和完善的过程，就是沟通和交流后不断接纳和内化的过程，使教职工“主观能接受，客观能做到”，提高了满意度也就提高了执行力。

第三，制度的操作性是提高执行力的前提。我校制度体系充分体现了“职责明确化，办事流程化，绩效考核化，反馈人文化”的特点，这些特点主要体现在操作过程中，操作性强是提高制度执行力的前提。

第四，制度的相关性是提高执行力的条件。学校各项制度不是孤立的，它们之间存在着相互制约或相互依存的关系，即相关性。我校制度是牵一发而动全身，由于相关性的存在而推进制度整体的执行，从而为提高制度的执行力创造了先决条件。

如学校人力资源制度就是以绩效考核为核心建立的一个具有相关性的制度体系（见图6.2），制度之间相互联系、相互制约。

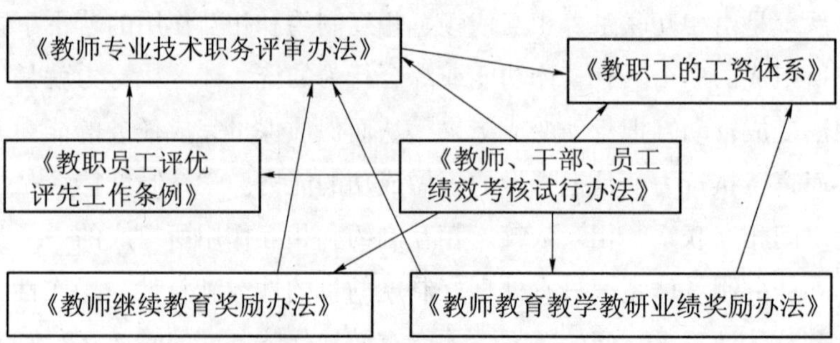

图6.2 相互关联的学校人力资源制度

第五，制度的整体性是提高执行力的要求。任何一项制度都不可能脱离整体而孤立存在，它必定是某个整体的一部分。如我校由《市教育系统领导班子及成员绩效考核与管理办法》、《学校中层干部绩效考核与管理办法》、《学校教师绩效考核试行办法》和《学校职工绩效考核试行办法》等制度构成了学校绩效考核体系，被考核者、考核者、考核内容和组织形式、考核结果及反馈形式等均予以公开化和制度化，使学校绩效考核制度具有整体性。

2. 职责明晰的组织结构

我校用组织机构图来明确学校管理工作的层级和职责（见图6.3）。首先是采取层级管理制，第一级为校长室，第二级为职能部门，第三级为年级组和教研组，第四级为备课组和行政后勤班组。学校将工作重心下移至职能部门、年级组和教研组，由职能部门指导和管理，以年级组和教研组为单位组织开展各类教育教学教研活动，体现了决策在高层（校长室）、决胜在中层（职能部门）、决战在基层（班组）的分级负责管理模式。其次是学校采取学部管理制。学校以教育教学工作为中心，分为高中部、初中部、小学部进行管理，各学部之间相对独立。学部设有教务处和学生处，分别处理教师和学生事务。再次是学校采取分线管理制。以主管德育的校领导牵头，对三个学部的学生处进行领导；以主管教学的校领导牵头，对三个学部教务处进行领导。同时加强学部之间的联系，保证学校上下“一盘棋”。学校立体的、条块相结合的管理模式有序地保障了8500余名师生正常学习、工作和生活的开展。

在明确学校管理模式后，学校又用《部门工作职责》、《年级组工作职责》、《教研组工作职责》和《教职工定岗定编定责试行办法》来明确校级领导、部门负责人、年级组长、教研组长和全体不同岗位教职工的责、权、利。学校努力做到分工合作，各司其职，形成了“‘麓山’无小事，事事尽职责”的局面。

3. 相互监督的执行流程

学校以规章制度激励和约束教职工的工作，将教育教学教研活动和行政事务纳入制度管辖范围之内。多年来，我校在制度建设上努力向现代学校制度的要求靠拢，建立以责、权、利相统一，决策权、执行权、监督权分离的执行流程。在制度执行过程中，杜绝管理者既是“裁判

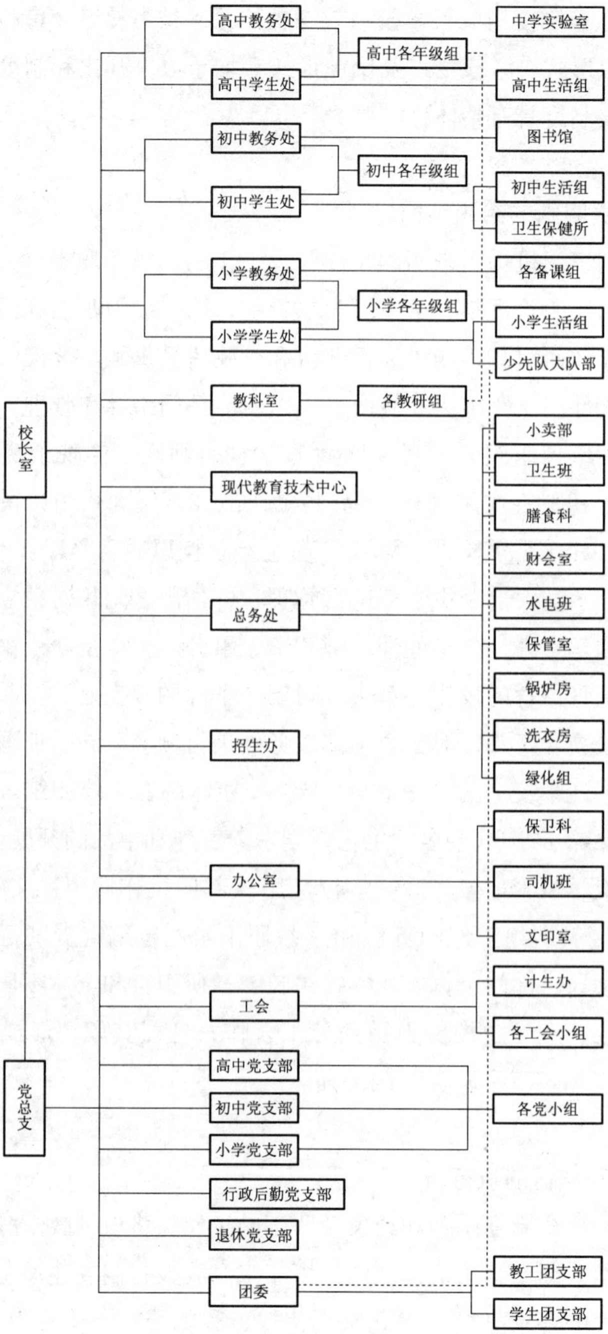

校长室
高中教务处
高中学生处
高中各年级组
中学实验室
高中生活组
初中教务处
初中学生处
初中各年级组
图书馆
初中生活组
卫生保健所
小学教务处
小学学生处
小学各年级组
各备课组
小学生活组
少先队大队部
教科室
各教研组
现代教育技术中心
总务处
小卖部
卫生班
膳食科
财会室
水电班
保管室
锅炉房
洗衣房
绿化组
招生办
办公室
保卫科
司机班
文印室
工会
计生办
各工会小组
党总支
高中党支部
初中党支部
小学党支部
各党小组
行政后勤党支部
退休党支部
团委
教工团支部
学生团支部

图 6.3　学校组织机构

员”，又是“运动员”的现象，形成了“职责明确、流程清晰、权力制约、评价多元、执行高效”的现代学校制度下的管理雏形，推进阳光治校。我校制度的一个显著特点是明确了制度的执行流程，使制度在执行过程中既能体现部门之间的合作又能体现部门之间的相互制衡，确保制度执行的客观、公正。

以新生分班流程为例。为实现教育公平，规范办学行为，学校特制定了分班流程。首先由招生办按学部、年级、性别整理新生名册，办公室按学部、年级、性别整理教职工子女名册，教研组按学部、年级、性别整理艺体特长生名册，均报校长室审批后交学生处；然后由教务处分年级组织测试（制卷、组考、阅卷、统分、输机、排名），接着由学生处按录取班别和成绩排名、分男女、走“Z”字形的方法均衡分班。全校各年级统一开办平行班，不同特质的学生搭配到各个班。流程管理模式分工明确、职责到人，逐渐形成了学校工作的良性循环。

又如教职工招聘。我校采取“教务处岗位申报→办公室网上公示招聘内容→教科室初审材料、组织笔试→教科室联合教务处及教研组面试、初试、试教→主管校长拟录用→办公室组织体检、审核资格→最后校长签署意见正式录用”的流程（见表6.1），环环相扣，步步清晰，相关部门各司其责，相互支持，相互制衡，校长监督招聘过程，将自己纳入制度管理之中，真正体现了“公开、公平、公正”的招聘原则。

表6.1　教师招聘流程

<table>
<tr><th colspan="2">工作步骤</th><th>工作内容</th><th>责任部门
（配合部门）</th></tr>
<tr><td rowspan="3">1</td><td rowspan="3">确定计划</td><td>1. 根据各学部班级数及教师异动情况核定教师缺岗数</td><td>教务处（学生处）</td></tr>
<tr><td>2. 各学部报主管校长审核</td><td rowspan="2">校长室</td></tr>
<tr><td>3. 校长审批</td></tr>
<tr><td rowspan="2">2</td><td rowspan="2">发布信息</td><td>1. 撰写教师招聘公告</td><td rowspan="2">办公室</td></tr>
<tr><td>2. 在校园网及高等院校发布招聘信息</td></tr>
</table>

续表

工作步骤		工作内容	责任部门（配合部门）
3	接受报名	1. 应聘教师网上填写基本情况登记表	教科室
		2. 在高等院校毕业生见面会上或与高等院校预约时间后接受报名和面试	
4	初审材料	1. 毕业生：在符合基本条件的基础上，成绩优异者、获奖者、学生干部及党员优先	教科室
		2. 骨干教师：在符合基本条件的基础上，教育教学实绩突出者优先	
		3. 按不超过各学科招聘名额10倍的标准，确定初审名单并公示	
5	笔试检测	1. 聘请校内外教师按学科命题，骨干教师笔试内容为“高考内容+竞赛内容”，毕业生笔试内容为“基础内容+高考内容”	教科室（教务处）
		2. 以身份证为准考证，组织应聘教师集中笔试	
		3. 试卷装订密封，组织专业教师阅卷，由阅卷组长统分签名	
6	面试检测	1. 成立面试评委组，成员由校领导、相关中层干部、教研组长、骨干教师组成	教科室（办公室）
		2. 应聘教师现场抽签，确定面试顺序	
		3. 现场依次公布教学内容，集中备课；进行8—10分钟的片段教学	
		4. 评委现场评分后排序，将所有评委排序后的序号相加，对应聘教师排名	
7	确定试教	1. 经过面测者，以笔试排名和面试排名均进入相应学科招聘人数的3倍名次为标准，主管校长确定试教教师名单	校长室

续表

<table>
<tr><th colspan="2">工作步骤</th><th>工作内容</th><th>责任部门
（配合部门）</th></tr>
<tr><td rowspan="2">7</td><td rowspan="2">确定试教</td><td>2. 未经过面测者，笔试排名前50%者进入面试环节，再以面试排名，取学科招聘人数的2倍，主管校长确定试教名单</td><td rowspan="2">校长室</td></tr>
<tr><td>3. 试教名单和试教时间公示</td></tr>
<tr><td rowspan="5">8</td><td rowspan="5">试教选拔</td><td>1. 组建试教评委组，成员由校领导、相关中层干部、教研组长、骨干教师组成</td><td rowspan="5">教科室（教务处）</td></tr>
<tr><td>2. 安排试教年级和班级</td></tr>
<tr><td>3. 应聘教师现场抽签，确定试教顺序</td></tr>
<tr><td>4. 现场公布试教内容，集中备课；进行40分钟的课堂教学</td></tr>
<tr><td>5. 评委现场评分后排序，将所有评委排序后的序号相加，对应聘教师排名</td></tr>
<tr><td rowspan="3">9</td><td rowspan="3">拟聘教师</td><td>1. 教研组教师发表个人意见</td><td rowspan="3">校长室</td></tr>
<tr><td>2. 根据试教排名，结合教研组教师意见，校长确定初录教师名单</td></tr>
<tr><td>3. 拟聘教师名单公示</td></tr>
<tr><td>10</td><td>组织体检</td><td>组织拟聘教师按国家相关要求和学校特殊要求，到指定医院凭身份证体检</td><td>办公室</td></tr>
<tr><td>11</td><td>资格审查</td><td>审核身份证、毕业证、教师资格证、计算机证、普通话证等相关资质证件</td><td>办公室</td></tr>
<tr><td rowspan="5">12</td><td rowspan="5">聘任备案</td><td>1. 填报《教师招聘流程表》并备案</td><td rowspan="5">办公室</td></tr>
<tr><td>2. 毕业生签订就业协议书</td></tr>
<tr><td>3. 办理入校手续并按学年签订聘用合同</td></tr>
<tr><td>4. 指导和协助办理人事关系代理手续</td></tr>
<tr><td>5. 办理其他手续</td></tr>
<tr><td rowspan="2">13</td><td rowspan="2">岗前培训</td><td>1. 了解学校共同愿景，学习学校管理制度</td><td rowspan="2">办公室（教科室）</td></tr>
<tr><td>2. 教育教学业务培训</td></tr>
</table>

4. 奖罚分明的执行办法

制度重在执行，若执行不到位，就会失去制度的约束力，成为一纸空文。为提高学校的执行力，保障学校各项制度有序实施，我们又在制度之上建立“制度”——《常规管理制度执行办法》。学校《常规管理制度执行办法》是学校制度的重要组成部分，也是学校执行力的重要体现。《常规管理制度执行办法》由《常规管理制度执行奖励办法》、《问责实施办法》、《常规检查内容》及各部门《周报表》等制度组成。从作用来看，《常规管理制度执行办法》的出台在学校制度体系中扮演了“监督”的角色，本制度中各部门工作报表和检查通报既是《常规管理制度执行奖励办法》和《问责实施办法》的有效执行和督促，又是学校部门职责的进一步明确和常规管理制度的补充；从内容来看，《常规管理制度执行办法》既充分体现了学校制度“有标准、有检查、有评价、有反馈”的操作过程特色，其文本又多以表格的形式出现，增强了制度本身的可操作性，以便落实到位。我校对常规管理制度的执行主要通过“奖励”与“问责”并行的方式加以落实。

（三）民主参与的制度反馈

有管理就要有制度，有制度就要有检查，有检查就要有评价，有评价就要有反馈，这已成为我校的管理思维模式。我校既注重对制度下评价结果的反馈，又关注对制度本身完善与否的反馈。制度反馈是学校与教职工之间、管理者与被管理者之间信息沟通的重要渠道，也是制度建设坚持人本性观点和尊重民意的体现。从反馈中找到问题，从问题出发改进工作，进而不断促进个人工作能力和学校管理水平的提高。

1. 绩效考核制度的反馈

绩效考核是学校发展和教职员工工作推进的监视器，也是实现学校发展和教师成长愿景的加速器，它能促进学校管理稳步升级。通过绩效考核结果能够及时诊断教职工在工作中存在的问题，促进其工作方式和工作策略的调整。我校教职工绩效考核结果是在考评结束后第一时间反馈给被考评人员。绩效反馈既是考核评价机制有效实施必不可少的一部分，也是教职员工反思和调控自身行为的参照。

学校在用绩效考核结果评价教职工时，除了要尊重绩效考核结果的效果性、效率性、效益性外，还要懂得绩效考核的多因性、多维性、动态性。我们在进行绩效考核时要能以全面、客观、权变的眼光考察教职工的工作绩效，防止片面、主观、僵化地看问题，从而充分发挥绩效考核的诊断性、鉴定性和评价性，使学校管理走向科学化、法治化。

学校还通过绩效考核结果，对优秀的教职工采取激励措施。每位教职工都希望自己付出的努力得到学校的肯定、同事的认同，他们的工作积极性直接影响到学校的工作效率。我校非常重视从多方面来激励、调动教职工的积极性，通过绩效考核结果挖掘他们的教育智慧和潜能，提升他们的职业道德水平和工作能力，使管理增效，学校提质。

我校在绩效考核结果的反馈上具有多维度、多形式和双渠道的特点，力求做到客观、公正。

（1）多维度反馈。我校教师绩效考核结果的反馈并非只是一个总结果，而是从“现实表现”、“教育教学教研能力”和“常规教学”三个维度进行反馈。每项反馈用“A”、“B”、“C”呈现，三维评价反馈能够充分全面地反映教师的工作情况，有利于教师找准工作中存在的问题，有针对性地改进工作。并将各项等级与绩效工资挂钩、与评优评先挂钩、与职称评聘挂钩。

（2）多形式反馈。我校教师评价结果的反馈采取定量和定性相结合的方式，除用“A”、“B”、“C”定量反馈外，还要求部门负责人结合教师平时工作情况给予定性评价，通过“评语”的形式进行温馨提示。

（3）双渠道反馈。我校教师绩效考核评价结果的反馈主要通过网络查询和个别交流的渠道进行。网络查询通过账户和密码进行一对一的反馈，将评价的结果告知教师本人。个别交流是根据考核结果，对一些存在突出问题的教师分别由校级领导或部门负责人与之进行真诚的面谈和交流。每个学期绩效考核后，都会安排绩效考核反馈谈话，目的是帮助教师发现自身问题，共同分析问题和提出解决问题的方法和建议。我们相信，教师通过自我反思，一定能够改变自己，提高工作能力和认识水平。正如获得学校2010年"十佳优秀教师"称号的李梅芳老师在教师节表彰大会发言时所说：

十年前，刚刚大学毕业的我怀着激情与梦想走进了如画的"麓山"，还记得初上讲台面对学生的那份胆怯与心虚，还记得面对淘气学生的那份慌乱与无助。一晃十年，在这十年里，我为人师、为人妻、为人母，褪去了当年的青涩与浮躁，积淀了现在的成熟与稳重。这当中，哪怕是丁点儿进步，都离不开领导的关怀和同事的鼓励。还记得2002年刚接手高中班主任的时候，我新官上任，一心想要烧出几把旺火，工作上可以说是全力以赴，可是一个学期下来，李校长把我叫到办公室，给我看问卷调查表上学生的反馈意见，看完反馈意见，我忍不住泪流满面，没想到自己的全心付出换来的却是学生的不解甚至怨恨。李校长没有多说什么，只是默默地为我递过来一方纸巾，这一小小的举动，让我明白了校长的期待与关怀。

擦干眼泪，走出校长办公室，我没有过多地沉浸在调查问卷所带来的不愉快中，而是绕着大操场缓缓地走了一圈，苦苦地探寻着问题的症结和根源。中学时代对我影响至深的班主任老师的一句箴言忽然出现在我脑海中，让我找到了为人师者最为精髓的东西，那就是：把学生当人看，当好人看，当能人看。简简单单的三个"看"，蕴含了教育的艺术与真谛，那就是尊重学生、信任学生、激励学生，永远也不小看学生。回到办公室，我给学生写了一封长信，认真剖析了过去一个学期中自己工作上存在的不足与疏漏，并向学生郑重承诺，老师一定知错就改。从那以后，我开始真正学会了时常站在学生的立场上来要求自己、考量自己。第二学期，我赢回了自己在学生心目中的地位和威信，到高二、高三的时候，我已经完全地赢得了我的学生们的爱戴。那一届学生毕业的时候，一个班上最调皮的男生跟我说了这样一句话：李老师，高一的时候我恨你，高二的时候我开始喜欢你，高三的时候我爱上了你。

2. 常规管理制度的反馈

我们从学校实际需要出发，注重管理的生态化，实施“重心下移，分部管理”的策略，构建了小学、初中、高中三个学部的教育教学工作中心，以校级、中层、年级组和教研组、备课组和班组为四个层级的管理机构，明确了各个管理岗位的工作职责，做到事事有人管，责任分工明。我校根据政策法规和教育管理的基本规律，完善、修订和创新了学校常规管理制度近百项，编印了麓山国际实验学校《制度汇编》、《教职工手册》和《教师规范行为七条》等。学校各项常规管理制度成为教职工的行为指南。如果说绩效考核制度的反馈功能主要是帮助教职员工诊断问题、分析问题、解决问题，那么，常规管理制度的反馈功能就是要规范教职员工行为，提高工作质量和工作效率。

学校常规管理制度的反馈主要是通过学校校园网站中“校务公开”板块进行呈现。“校务公开”包括工作安排、检查通报、通知公告、文件制度、办公指南等栏目。特别是检查通报，我们要求学校 8 个职能部门和校长室每周以报表的形式将“工作报表”和“检查通报”公示在校园网站上，既是约束和推进部门工作，又是提高制度的执行力，更是制度反馈的民主性、开放性体现。学校以此将所有“人和事”都纳入制度管理之中。

当我们在制度设计、制度执行、制度反馈过程中充分实施民主参与的管理策略，进行学校制度建设时，民主、和谐的制度文化就逐步形成。民主参与的文化管理赋予教职员工独立的人格、独立的精神，促进教职员工不断反思、不断超越、不断开拓与奋进。近年来，在学校民主参与的制度文化熏陶下，校园正悄然地发生着变化：教职工幸福感提升了，更加有尊严；工作自主性增强了，人人都是学校的主人；会议减少了，工作效率明显提高；职责明晰了，制度执行更加到位；自律性增强了，违规违纪行为不断减少；工作严谨了，各项活动的组织更加有序；教师素质提高了，在学校这个学习型组织里得到了锻炼成长。今天的“麓山”教师，均具有不断提高自身素养和能力的内在需求。

随着学校制度建设与制度管理的深入开展，我校从繁杂的管理系统中找准管理的突破口，将“人本、开放和生态”的指导思想融入学校管理机制、制度建设，植入管理层价值观念之中，不断将引领教师成长的管理机制和规范教职工行为的管理制度内化为师生的自觉行为，从而形成制度文化。

我校形成的制度文化不仅体现在对教师的引领和规范上，还通过一些创新性活动得以彰显、阐释和回应。文化管理思想引领着管理者工作的方方面面，也潜移默化地影响着学生。我校有幸成为湖南省 9 所“北京大学 2011 年中学校长实名推荐”中学之一，为此，设计了一套选拔方案上网公示，随后严格按照选拔流程通过初选确定资格，自愿提出申请上报，接着进行面试答辩，最后将由领导小组根据综合成绩和面试成绩确定人选，在校园网公示推荐学生名单。实名推荐的具体做法从一个侧面反映了学校管理的“人本、开放和生态”理念，体现了学校管理者和全体师生对民主与公平的价值追求。

2011 年北京大学“校长实名推荐”面试答辩会

18 日晚 7 点，面试答辩会准时在中学会议厅举行，6 名入围学生面对由校领导、中层干部、教师代表、家长代表和学生代表组成的评审团队精彩答辩，展示自身综合素质，200 余名学生和多家媒体参与了观摩。

答辩试题

包括自我介绍、命题答辩和自由答辩等环节，其中面试题包括：

1. 选择北京大学，你认为对自己的未来发展将有什么影响？

2. 在你的成长过程中，谁对你的影响最大？主要体现在哪些方面？

3. 同学之间或同学与你有矛盾时，你一般怎么处理？请举例。

4. 如果需要组建一个 6 人团队完成某项任务，作为团长，你会按什么标准选择你的合作伙伴？为什么？

5. 据《南京晨报》报道，南京某名校老师在家长会上颁布了“周末不准看湖南卫视”的规定，这一条款在网络上引起争议，你怎么看待这个问题？

6. 长沙“十二五”规划中提出，“未来5年只谈民生不提GDP”。请你谈谈自己的看法。

媒体报道

辩论PK上北大，不再校长说了算（节选）

不像一次紧张严肃的推荐会，更像一场全校师生的联欢。校长李素洁说她要的就是这个效果。答辩会后，她心里有了钟爱的学生，但是她还是要看所有评委的综合打分。“这不是我一个人决定的事，他（她）代表的是麓山国际实验学校，要听所有人的声音。”

这次答辩会，12位评审每人面前有一张打分的表格，上面写着：深度和广度（40分）、自信与自主（30分）、责任与合作（30分），李校长说这是她最在乎的，也是她最希望学生具备的品质，这些都能代表“麓山”精神。

使用民主答辩的形式，并邀请这么多学生和家长旁观，在湖南无疑是第一次。李校长说北大精神包含“民主”，也要求校长推荐公开透明，再说这样的活动也给学生上了一节“民主”课，让他们从中学起就培养民主意识。口才佳的学生自然在答辩中占了优势，但是里面很多时政的问题也给口才稍逊、涉猎面广的学生开了一扇窗。“我们会综合各个角度，立体地看一名学生，自身素质最高的学生一定会得到最高分。”李校长悄悄透露，这场答辩会里，她给两个女生打了最高分。

给选手们出题的还有两位家长评审，她们说想这个问题花了好几天时间，最终两人达成一致选了这个题。其中一位家长说，能亲自参与选拔，还真的很意外，虽然自己孩子不在其中，但是感受学校的教育理念也非常有意义。高三年级的王吴漫说，这场辩论太酷了！全程见证这场辩论的她为自己班上的同学卖力地鼓掌，她说同学们都对校长推荐制感兴趣。“只要不是只通过高考来选人，我们就觉得好。”对于用辩论的形式，她说6个学生都是最强的，用哪种方式选都不公平，这个方法不错，所有的问题都是现场才知道，大家准备的时间都只有短短3分钟，最公平。

《潇湘晨报》记者沈题 长沙报道

精彩问题

精彩问题一：对“只谈民生不提GDP”的看法。

第一个问题相对比较深，“长沙‘十二五’规划中提出，‘未来5年只谈民生不提GDP’。请你谈谈自己的看法。”原本以为学生会无话可说，但几名女生都抢着作答。曾妙妙说经济上应该加快经济建设和“三农”建设，政治上要建设服务型政府，思想上要加强素质教育。陈圆圆麻利地回答，政府就不该拿GDP说事，鸦片战争爆发前，中国的GDP是世界第一，甲午战争时期中国GDP超过日本，仍然免不了落后挨打。以GDP论英雄有着明显的欺骗性，我国高速增长的GDP是靠高的房价推动的，发展“十二五”的目标应该在民生上，在那些具体的吃穿住行上，应该是让人民生活更有劲。

精彩问题二：如果你是校长，最想改变什么？

校长李素洁问：“如果你们作为麓山国际实验学校的校长，最想改变的是什么?”问题一出，现场掌声雷动。第一个抢着作答的唐烈峥说希望改变食堂排长队的现象，旁听的同学哄堂大笑，连李校长也忍不住笑了起来。成雅茜则说要让同学都爱上学校的图书馆。

精彩问题三：怎么看待“3Q之战”?

师弟师妹组成了一个学生评委组，他们提到的是最热的“3Q之战”，6名候选者对此问题完全不陌生，蒋星的开场白是：“世界上最远的距离是你选择360，我选择QQ。”全场会意地哄笑起来。他不仅把整个战争的经过和时间表详细叙述出来，还指出两者都有不对，最大的不对是将获利建立在牺牲别人利益的基础上，最终造成一个丧失4000万用户，一个股票大跌的恶果。企业竞争并不是简单的谁能获利谁就取得最终的胜利，企业的发展应该把重心放在提高创新精神上，而不是用各种手段去打压对手。

第七章 读懂自己

“真正的领导力不只是与我们所做的事情有关，更与我们是谁紧密相连。”这是欧洲工商管理学院组织行为学教授埃米尼亚·伊瓦拉在评价《你凭什么领导别人》这本著作时提到的观点。我是谁？我有什么特质？我凭什么领导着这所高起点高规模的学校？我是如何与众多“水手”一起让这艘已经起航的“船”避开暗礁，乘风破浪，朝着既定目标驶向高效运转的航道的呢？是如他人所说“麓山”成就了我。水的幸福在于永不停息地流淌，如水的日子淌过，蓦然回首，历历在目。

一、从长郡到麓山：经验积累与组织管理

记得拿到高考成绩的那一刻，兴奋中带着迷茫。填报什么志愿将决定未来的职业道路。作为外科医生的女儿，周围的人都认为我一定会学医学，当年主管湘雅医学院招生工作的父亲的朋友还主动上门询问我报考什么专业。父亲是一个严谨而又务实的人，他认为女孩子当医生太辛苦，责任重，风险大，而做教师，有寒暑假，轻松；粉笔不会砸死人，安全；数学是学校的主科，稳定。当然，是当教师还是当医生或是选择其他专业，这需要我自己做出抉择。揣着父亲的建议，我特意拜见了高中数学老师，提出了自己担心的问题：“教师职业是不是很枯燥，每天做着同样的题目是不是很无聊？”老师的回答是：“那不会，教书是一门艺术，你面对的每一个学生都不一样，怎么会枯燥和无聊呢？”与老师的一席谈话，排除了我心中的担忧，使我对教师职业充满了期待，我甚至跟同学说：“我相信自己能胜任教师职业。”现在还记得同学们那诧异的目光。他们可能在想，教师又不是什么好职业，你那么兴奋干什么？或者在想，你还没入门，就夸下这样的海口，太自信了。冥冥之中，自己好像就是为当教师而生。我作出了人生的第一次选择，报考湖南师范大学数学专业。

四年大学生活，给我带来的思考很多。尽管大学培养我加入了中国共产党，尽管担任班长和学生干部的经历让我获得了组织和管理经验，尽管数学专业给我带来了严谨的思维品质和务实的行为方式，但我已非

常清楚地意识到，我热爱的不是数学，而是教育。我认为教师的意义就在于能够通过自己的言行影响到他人的成长，特别是基础教育阶段的学生处于身心发展期，知识结构和价值观均未形成，教师对他们的影响将会更加深远而有意义。因此，在毕业分配之际，我作出了人生的第二次选择，选择到中学从事基础教育工作。

若以参加工作为人生原点，从原点出发，横坐标表示时间，纵坐标表示空间，我的人生坐标图只是基础教育区间内的简单直线。从时间上来看，伴随两所学校的发展一路前行，努力做一名“思考的实践者”；从空间上来看，与环境适应、与师生相处、与多方沟通等又息息相关，追求做一名“实践的思考者”。

1986 年夏，怀揣满腔的教育热情和教育梦想，我来到了长郡中学。

长郡中学（以下简称“长郡”）是一所有着深厚文化底蕴的学校。1904 年由长沙知府颜钟骥创建，始称“长沙府中学堂”，是当时唯一的府立中学堂，主要接纳优秀的贫寒子弟。1912 年，府制废除后，在长沙府中学堂的基础上建立湖南长郡公立学校。此后，学校先后更名为湖南第一联合县立中学、长郡公学、湖南长郡联立中学、长沙市第一中学、长沙市第二中学等。1984 年，恢复长郡中学校名。百余年来，长郡中学以“朴实沉毅”为校训陶铸群英，不仅造就了徐特立、李维汉、陈子展、周世钊等一代名师，培养了任弼时、李立三、李富春、肖劲光、陈赓、曾三等老一辈无产阶级革命家，还从这里走出了张孝骞、沈其震等 13 位院士和美学家蔡仪、音乐家吕骥及青年歌唱家张也、陈小朵等一大批学术名家和文艺名人。

20 世纪 80 年代末，正处于“文化大革命”冲击后的低谷徘徊期的长郡中学迎来了一位敢于改革创新的新校长。在校长召开的青年教师座谈会上，我谈到了对当时长郡的认识：“现在的长郡只是靠老教师们的敬业惯性维持着学校运转，如果没有正向的外力推动其发展，学校就会被内部的摩擦力所阻滞。”校长在听取多方意见和建议后，怀着对教育的执着追求，大刀阔斧地进行教育教学改革。经过近十年的努力，长郡在 90 年代后期异军突起，学生学业成绩优异，教学质量十余年来一直保持较高水平。如今，长郡中学已发展成为湖南省乃至全国的知名品牌学校。

常说幸福人生要有“三好”：出生时有好父母，给你良好的教育；生活中有好伴侣，给你温暖的家庭；工作中有好领导，给你成功的事业。用这样的标准来衡量，我应该是一个幸福的人。我的成长历程，伴随着长郡的蓬勃发展，有幸见证和参与了长郡中学由“低谷”走向“强盛”的过程。在这个过程中，我连续任教15年，完成6次毕业班的教学任务，先后担任班主任、年级组长、初中数学教研组组长、教科室主任、教务处主任、支部书记等，几乎经历了学校所有基层和中层岗位。

一份工作，就是一份责任；一份职务，就是一份信任。在长郡工作期间，我乐于学习、善于思考、勇于实践、勤于笔耕，不断优化知识体系，更新教学理念，创新教育教学方法，力求站在教育教学的“制高点”上。我三次赛课荣获国家级课题组赛课一等奖，并先后在长沙市组织的“优质课观摩展示”活动中展示；在省级以上刊物发表论文5篇，主编《数理化解题思路与方法》数学分册和《中学数学心育》，还参与了多部著作的编写；主持和参与了全国、省、市教改课题研究5项，获三次省级、两次市级奖励；两项课题实验报告分别获国家级课题组课题实验报告评比一等奖；五次获长沙市友谊教育科研奖；两次获长沙市教育系统“优秀共产党员”光荣称号；并获长沙市“商银”教育奖和长沙市优秀教育工作者称号，荣记三等功。1997年，被破格评为中学高级教师。在长郡工作的日子里，我有了从教学到管理的多种经验积累，这些经验成为我宝贵的人生财富。

2001年11月，长郡中学与麓山国际实验学校组建为长郡教育集团，我作为长郡教育集团董事会成员被派往麓山国际实验学校担任主管教学的副校长，在积极推行长郡教学管理经验的过程中，立足麓山自身特色，强化质量意识，努力推行课堂教学改革。经过近三年的努力，2004年秋，麓山在长沙市小学毕业摸底考试、长沙市初中毕业会考中，生均分、合格率、优秀率均获得大幅度提高，各项成绩在长沙市名列前茅；高中毕业生参加高考，成绩喜人，学生高考成绩的一本和二本上线率超过湖南省重点中学的平均水平。也许是对我执着于教学管理工作所取得成绩的肯定，也许是对我全身心融入麓山被老师们广泛接纳的原因，麓山选择了我。在没有过多思想准备的情况下，2004 年 10 月，我走上了麓山校长岗位。在就职演说时，我说道："我的不足之处众所周知，但我们有个共同心愿，那就是把学校办好。我们现在都坐在同一条船上，只要同心协力，就能驶向美好的明天。"这是我的真心话，作为校长，我确实有很多不足之处，除了在教学教研方面有一些经验外，宏观把握能力和对外交往能力都非常欠缺，能否当好校长心里没有底。多年以后，一位教师也跟我说："当时为你捏把汗，三年换了三任校长，面对复杂的多重矛盾，真不知你能当多久？"可见，教师也在观望。

作为校长，需要给自己准确定位。校长应该是"脚踏大地，仰望天空"的教育实践者和教育理想者，是学校精神的阐述者、体现者、追求者和实现者；校长要有追求卓越的精神，要有战略决策的能力，要有管理与经营学校的"定力"，这种定力，体现为坚守的精神，思想的感召，人心的凝聚，坚定的执行，文化的引领；校长应该把认知视野拓展到哲学、教育学、心理学、社会学等更广阔的领域，在理解学校核心目标、把握学校根本价值方向方面发挥主导、示范和凝聚作用。我信奉鲁迅先生所提倡的"泥土"精神，无论转换什么角色都要将目光向下，校长应该既能以教育者的身份向教学一线"沉底"，保持作为普通教师的平常心，又能从专业的角度对教师进行有效指导，成为教育思想的引领者和教师专业的指导者。老师不认为校长是一个"官"或是一个"老板"，而认为是他们的"支持者"与"合作者"，这才是我当教师时所希望的校长形象。

作为校长，需要给学校诊断定位。麓山与长郡合并组建长郡教育集团后，借长郡之势教学质量得到了明显提升，那么，我们是不是应该办一所与长郡同质的学校呢？根据我对长郡与麓山的了解，答案是不可能也没必要。那么，麓山的优势在哪里？麓山的特色在哪里？我们应该保留什么？我们应该改良什么？我想，全方位为学生和家长提供的"服务”就是优势，就是特色，这是社会对教育提出的多元需求。但需要改良的是，将原有的“保姆式服务”转化为“育人式服务”，给服务以育人的内涵。抱着在“传承中改良、在借鉴中创新”的思想，我们提出了“质量+服务”的办学策略，充分利用好麓山的办学机制，让一流公办学校的教学质量与一流民办学校的教育服务在麓山同时凸显，创出麓山的特色和品牌。

作为校长，需要找准学校发展的抓手。麓山与长郡由政府包办联姻后，经过近三年的磨合，初步进入了良性发展轨道。要让麓山保持高质量的发展水平，关键在于教师队伍。学校在快速发展的过程中，平均每年以新聘50位左右教师的速度大量引进教师，来自不同学校的骨干教师缺乏共同的教育教学经历和文化理念背景，而青年教师普遍缺乏经验。打造一支具有竞争力的教师队伍，是麓山“借势”发展后，保持持续竞争力的基础。面对具有不同专业素养和自我意识极强的教师群体，校长如何才能起到引领和指导作用呢？我认为带领教师开展课题研究是打造教师队伍的最好抓手。这种认识得益于长郡中学两位教师给我带来的启示。

在长郡中学，我组织开展了“中学教师心理健康教育能力的培养”课题研究，创设了长郡中学“心理咨询室”；创办了学生心理教育刊物《心花》；参编教育著作《中学生心理健康教育指南》（教师用书）；撰写教育论文《心育改变了一个班级》等。对心理学的兴趣，得益于大学期间一位心理学专业的学长，她在与我谈到学习心理学的感受时说道：“心理学的最大好处，就是学会包容和接纳别人。”为此，我自学了大量教育心理学知识。都说教师的最大情怀是爱心，包容与接纳是爱的基础，只有从心理学的角度去客观、科学、理智地理解学生，才会真正学会包容和接纳学生，施教才能被学生接受，教育才能达到效果，因此，我认为不了解心理学知识和不运用心理学知识的教师存在职业缺陷。基于长郡当时有一批“文革”期间高中毕业后直接留校任教的“掺沙子”教师，他们有工作经验和工作热情，但缺乏教育理论的武装，因此，作为教科室主任，我认为有责任提高他们对教育心理学的认识和运用水平。在研究过程中，他们中的一位教师感慨地说道：“如果我早懂得心理学知识，我以前对某某的早恋问题就不会那么处理了。”她说的某某，现在是中国家喻户晓的歌唱演员。这位教师让我敬重，能够反思自己的教育行为，改变对早恋问题的看法，不再用上纲上线的简单批评，而是懂得给予学生更多的帮助和心理指导，我想，这就是她的提高和进步。

在长郡中学，我开展了卢仲衡教授的“数学自学辅导”课题研究，后来又邀请一位语文教师开展“语文自学辅导”课题研究。在实施过程中，这位语文教师带着满眼的疑虑跟我说：“自学辅导教学模式很好，学生对语文学习的热情高涨了起来。但差生跟不上，我很担心班上的语文成绩。”其实，我也遇到过同样的问题，我也想放弃过，但学生和家长不同意，由于学生的学习能力明显提高，学习自主性明显增强，学生最终取得了优异成绩。尽管少数学生有困难，我认为这不应该成为放弃的理由，而是应该给予他们更多的帮助。我说：“以前的教学方式就没有差生吗？他们不是也没有跟上来？现在激活了学生的学习潜能，你还怕语文成绩不好吗？”就这样，在我的劝说下，她坚持了下来，并经常与我交流，一起克服了实施过程中的许多困难。后来，她成为长郡的语文骨干教师。我离开长郡后，她偶尔遇到我都会表达对我的谢意：没有你带领我做课题，我不会提高这么快，也不会去思考那么多的问题，改变那么多的观念，你让我变得非常享受教学工作。

她们的改变和进步，让我相信，从教师的工作实际出发，开展课题研究，让教师在研究中自我反思、自我提高，是促进教师专业成长的最佳途径，是打造教师队伍的最好抓手。为此，我亲自主持开展中国教育学会“‘EEPO 有效教育’应用推广及研究——学习方式、课型方式、评价方式”课题研究，主动参与裴娣娜教授主持的教育部哲学社会科学研究重大课题攻关项目“我国学校教育创新研究”，并提出“问题即课题，工作即研究，改良即创新，经验即成果”的课题研究思路，组织全体教师和中层干部开展校本课题研究，促使教师在工作中发现问题、研究问题、解决问题，将问题课题化，把教育研究作为学校工作的常态。

在引领教师开展课题研究的过程中，麓山各项改革措施也在同步推进，如建立教师绩效考核机制，建立教师职称评聘机制，建立教师激励机制，建立分层管理机制，建立常规管理和问责机制等，将学校努力推上"法治管理"的轨道。

2008年12月，麓山迎来了建校15周年，在筹建校史馆和回顾麓山走过的历程时，我再一次思考麓山的未来发展：

（1）麓山加入长郡教育集团后，在狠抓教学质量的过程中，注重了教育教学技术和方法层面上的创新，但在培养什么人的问题上似乎缺乏群体心理趋向，办学缺乏核心价值观。学校的品质应该体现在学校的育人目标上，学校的质量应该体现在学生的整体素质上。从麓山走出去的学生，应该具有怎样的特质？他们与别的学校培养出的学生会有怎样的不同？麓山创办之初确立的培养目标"学会生存，学会关心"来自联合国教科文组织提出的全球性教育目标，如何让它"落地生根"，解读和内化成麓山的育人目标呢？如何赋予学校日复一日的常规工作以文化内涵，使工作更具有方向感呢？这一切，都还需要我们在价值层面上进行创新。

（2）校长经历让我对学校的经营管理有了新认识。作为校长，仅以教育者的身份向教学一线"沉底"还不够，还必须有"上浮"的宏观把握能力。不仅要以领导者的身份对学校的过去、现在、未来进行分析，确定学校的愿景和目标、制定学校的发展战略、规划学校的未来，还要以管理者的身份运用必要的管理方法和技术对学校的教育教学工作、人员、财务、时间、信息、公共关系等进行全面管理。

我将学校管理分为三个层次。第一层次是以校长人格为特征的"人治管理"，这种管理受校长性格、品德、能力、学识的制约，虽然在一定情境、一定阶段会产生一定的效果，但往往因人的变化而变化，难以形成学校的群体心理趋同和共同价值目标，因此难以保证学校持续发展。第二层次是以制度为特征的"法治管理"，这种管理将学校各项工作变成"人"与"制度"的关系，用制度促进公平、促进规范、促进发展、促进学校文化的形成。第三层次是以文化为特征的"无为而治的管理”，这是管理的最高境界。当学校的育人目标和价值目标注入于制度之中，制度的执行过程就是目标的强化过程：当学校的育人目标和价值目标通过制度内化到师生的行为习惯和思维习惯里，内化到不需要提醒的素养里，就实现了无为而治的文化管理。

参与裴娣娜教授主持的教育部哲学社会科学研究重大课题攻关项目“我国学校教育创新研究”，使我们站在价值创新的高度，将麓山创办之初的培养目标“学会生存，学会关心”落地生根，根据学校发展历程中所积淀下来的精神财富，将“学会生存”诠释为自信、自理、自主，将“学会关心”诠释为爱心、责任、合作。当这些价值目标实施于学校的各项工作中，渗透到学校的各项制度中，内化于师生的行为中时，教师的群体心理趋同就会形成，学生的素质特质就会凸显，学校的培养目标就能落实。

二、从教师到校长：脚踏实地与开拓创新

国际上在制定校长专业标准时，都是以校长角色所要求的工作行为为出发点的。按照重要性排序，美国把校长的工作行为分为六个领域：① 创建学习愿景；② 指导学习与教学；③ 学校组织管理；④ 与家长和社区合作；⑤ 行为合乎道德要求；⑥ 应对并影响社会环境。这六个领域是专业化校长无法回避的，然而，每个人都是独一无二的，在指向具体行为时，会因校长本人的因素呈现出不同的风格。当我尽力去评判自己的行为并对此作出褒贬评价时，好像把自己分成了两个人：作为检查者和审判官的“我”，以及接受审查和评判的“我”。“我”对“我”的个人特质作了以下五个方面的反思。

（一）“人”与“事”

校长的人格特征，体现在“人”与“事”之间。校长的工作，离不开与“人”和“事”打交道，如何做人、如何做事，如果要我评判自己，我想用“以出世的态度做人，以入世的态度做事”来概括比较

合适，这也是我对做人与做事的要求。

在做人方面，我看重的是简单化。不把自己纠缠于复杂的人际关系中，也不制造复杂的人际关系，不把现实生活中的恩怨、得失、利害、成败、对错等作为待人的准则。尊重他人，以平等的心态对待他人，用超然的态度看待人与人之间的利益和权势纷争。脱离人际关系的困扰，追求自身的解脱。在顺境中心存感恩，在逆境中心存喜乐。也许是做人的超然态度，使他人在工作时减少了人际关系的压力，也使我的工作得到了广大教职员工的大力支持。长郡的一位特级教师曾说：“你的事业是否成功不好评论，但你做人是很成功的。”看来，用简单对复杂是化解人际矛盾的有效办法。因此，我多次在教职工大会上说：我不希望建立起人与人的关系，更不希望建立与我个人的关系，我希望建立起人与制度的关系，我们都在制度下完成自己的工作，自觉接受制度的监督。校长的办学思想、教育理念、行为准则等应该渗透在制度的点点滴滴中，通过制度去体现学校意志。

在工作中力求去家长化、去个人意向化。制度是无情的，但制度的公平性体现的是最大的人情。在全体教师参与建立的《教师绩效考核评价办法》经职代会通过并执行后，我与教师的关系不再是领导者和被领导者的关系，而是互助合作关系。当评价诊断出教师工作中的问题时，我会找他们谈话，帮他们想办法、出主意解决问题，让教师有倾诉和交流的机会，也给教师改进工作的机会，我相信优秀教师是在反思中成长起来的。正如一位被我多次约见谈话的教师，在三八妇女节给我的短信里写的：感谢您给了我很多锻炼的机会，更感谢您对我的宽容和培养，让我学到了更多的知识，让我有机会去改变自己、完善自己。

作为从一线教师成长起来的校长，我深知教师的需求，理解教师的心理，在情感上与他们非常亲近，在内心能与他们共鸣。教师是自恋情结非常严重的职业，也是精神压力非常大的职业，他们更需要得到尊重和理解，把尊重看得比金钱还重。我给自己定了三条原则：一是不在学生面前批评教师；二是不在家长面前批评教师；三是不许教师之间相互诋毁。当有中层干部向我建议用定期考试评比的方式以尽快提高教师的专业水平时，我否定了。我认为，其一，教师工作是动态过程，是教学相长过程，他们会在学生的需求中不断提高自己；其二，爱心、责任、观念、方法等都不是用分数可以衡量的，而这些恰恰是教师非常重要的素质，若用考试成绩对教师作评价，往往会误导教师的发展方向，改变教师的工作重心；其三，学校有责任和义务提高教师的专业水平，但最好是搭平台、作引领，多用激励肯定的方式，少用惩罚否定的方式，这样更有利于为教师接受。随后，我建议调整为教师自愿申报考试，对成绩优异者给予适当奖励，把提升专业水平变为教师的自觉行为，而不是学校的强制行为。

我的做事与为人的原则是：丢掉那些微不足道的小事，集中精力于真正有价值的大事；疏远个体，心中始终装着大集体。为使教师有归属感，学校积极帮助教师解决旧房产权问题和新房筹建问题，为教师争取政府的购房补贴和解决住房顶层漏雨问题；为使教师有安全感，学校除了为教职工办理了社会保险外，还通过参加补充医疗险、筹措养老基金等方式，减少教职工的后顾之忧。在疏与亲、无情与有情之间把握做人的准则。

在做事方面，我看重的是实效。从问题出发，是做事的要求；从细节入手，是做事的风格。正如我丈夫所说："你不是因为当了校长才辛苦，当家庭主妇也一样，因为你对事物要求太完美，劳累是必然的。"当我匆匆走过大半个人生时，发现自己是在用入世的态度做事，做到没有遗憾为止。

把人与事分开对待，是我的处世特征。某件事没有达到要求，我可能会严厉批评，当被批评者还在担心校长对自己的看法时，我可能早已忘记。一次校长接待日，来了一位教师，她说近来很不安，因为我在大会上未点名批评过的一件事，她感到是在批评自己，因此，特意来汇报工作改进情况。我说："你不说起这件事，我早已忘了，改了就好，还记在心里干什么？"于是，她高高兴兴地走了。由于平时与他人保持着距离，对工作要求又苛刻，给人难以接近的感觉，不了解的人很难接受，而了解的人会感到我的直率和简单，以及对人的诚意。

（二）“说“与“做”

校长的引领能力，体现在“说”与“做”之间。校长的理念和思想要被教师接纳和理解，并转化为行动，并非一件易事，其难度主要体现在“说”与“做”。如果只是说，说自己的规划，说自己的理念，教师们会觉得很虚、很空；如果只是做，不能提升，不能说服，教师们会觉得没有思想、没有理念、对他们没有帮助。怎样处理好“说”与“做”的关系，让校长的理念和思想在“说”与“做”中得到落实，在教研活动时发生的一些事给我带来了许多思考。

1. 先做后说

那是一堂数学研究课，教研组的全体教师一起参与了听课、评课。从评课发言中，我知道这是数学教研组花了大量时间，融集体智慧准备的一节课，也期待着我对活动的肯定。然而，评课发言中始终没有对学生在课堂上的学习状态和学生在课堂上的收获与效率的评价，而是围绕老师的教学设计、教学环节、教学行为和知识传授等方面肯定了这节课。针对这种情况，我最后总结道：“今天是在给学生上课，不是在给老师上课，更不是在给校长上课。学生是学习的主体，教学环节设计也好，上课组织形式也好，知识传授过程也好，我们都应该以学生学习效果为评价点，我和教师们说好那不能算好，学生学到了东西才算好。今天非常遗憾，我们没有一位教师在关注学生的学习状态和学习效果，这样的评课没有意义，因为，老师们眼中没有学生。”他们精心准备的教研活动被我全盘否定了，我从他们眼里看到了迷茫。

尽管我“说”得多，但教师们不能接受，不知不觉中，有老师看到我就烦，看到我就怕，看到我就躲，以至于非常怕我去听课，我变成了一个浑身长刺的“刺猬”。其实，我比教师们更焦虑，看到严峻的课堂教学问题，时常有种“心痛”感。我心痛教师，他们在课堂上唇干舌燥地讲完后，效果在哪里？我心痛学生，他们在教室里规规矩矩坐了40分钟后，收获在哪里？我想，自己“说”，教师们难以理解，那就请专家“说”。当我们请专家来为教师评课时，教师也难以接受专家的否定，受到的打击更大。看来，专家“说”也没有好效果。

“过，则勿惮改。”我开始反思：用“说”的方式不但不可能改变教师，反而会与教师对立。产生对立的原因是，教育理念与教育现实相去甚远，理念与现实没有共同的对话平台。难怪有教师私下跟我说：“李校长，你太理想化了。”确实，我一直把自己定位成“教育理想”和“教育现实”的搭桥人。不能改变别人，就先从改变自己入手！“说”的方式难以搭起理念与现实的桥梁，那就先“做”吧。于是，将“EEPO有效教育”课题引入我校，除亲自开始实践研究外，给教师们提出的要求是：欢迎运用“EEPO有效教育”的原理和方法改进课堂教学方式，参与课题研究，允许教师们失败，也允许教师们观望，但不允许没有尝试就简单否定。

在“做”的过程中，帮助教师在常规课堂教学中捕捉和提炼各种课型特质，从现实课堂教学中寻找新理念和新方法的对接点，让教师感到新理念、新方法就在自己的课堂里，不再觉得陌生和高不可攀。在“做”的过程中，让新理念、新方法走出课堂，实施于工作的方方面面，让教师觉得亲切而自然。用“要素组合”课型方式开展教师考务培训，使教师感受到在调动人的所有学习要素后，效率明显提高；用“平台互动”课型方式组织新教师学习“EEPO有效教育”的理论和方法，使教师切实体会到事半功倍的教学效果；用“体验式”课型方式组织德育研讨会、开展“学习方式”的研究，通过“教师”与“学生”两值互换，从学生角度去体会教学中的问题，提高解决问题的效率，让教师感到，有效的教学方式是可以激发学生潜能、开发学生思维的，不是学生笨，是因为我们没有放手；用“团队合作”方式开展教育教学研究，建立起平等互助、交流合作、共同提高的教研文化等。在课题研究过程中，我将“组织和参与”这一核心理念渗透到学校工作的方方面面，将学校工作与课题研究紧密联系，让教师在参与过程中相互交流和学习，达到了共同提高的目的。

在课题研究过程中，我们建立了交流平台，拥有了对话渠道；在实践过程中，大家不断接纳新观点、新理念、新方法；在自我实践、自我反思、自我提高的过程中体验到成功的快乐。同时，在“做”的过程中，我们不断进行理念提升。我提出"以学评教"、"'教'与'学'分评"的课堂教学评价准则，提出教师要从"演员"角色转变为"导演"角色等。我在"做"中提炼思想、落实理念、实践方法，使"说"更有说服力，更能被教师接受。因此，在开展教师校本培训时，我主张"先做后说"：自觉实践，率先垂范，追求体验后的理念提升。

2. 先说后做

当然，在学校管理中，不是所有工作都要"先做后说"，也有"先说后做"的时候，这主要体现在制度制定、目标设计、谋划决策等方面。这时候的"说"，不是说教，而是沟通。这种沟通出现在工作报表里、校务公开栏上，还出现在全校教职工大会上、教职工代表大会上、校务会议上、行政例会中、个别谈话里、食堂就餐时。尽管这种交流与沟通经常是"非正式"的，但对提高执行力、加强参与意识、增强教职员工的认同感、提高教职员工士气都有非常重要的积极作用。在学校决策出台前，我都会与相关人员交流与沟通。一次沟通有困难，那就两次、三次；一个角度有困难，那就换另一个角度；一个举例有困难，那就多举几个案例。交流与沟通往往是双向的，我不拒绝交流，也很愿意交流，并且主动交流。交流给我带来了很多启示，交流让我的思维在碰撞中闪光，思想在碰撞中深刻，一项决定常常经过肯定、否定、再肯定，最后达成共识。

比如学校《教师绩效考核方案》，在明确目的和意义后，经过两年的修订和完善，其间反复与教师交流和沟通，在教师中广泛征求修改意见。交流与沟通的过程，就是相互理解、认识趋同的过程，最终实现思想统一。思想认识统一后，"做"时的执行力才有保障。因此，在制度制定、目标设计、谋划决策时我主张"先说后做"：明确目标，主动沟通，追求行动前的思想统一。

（三）"实"与"虚"

校长的创新能力，体现在"实"与"虚"之间。校长时常在教育理想的"虚"与教育现状的"实"之间徘徊，常常被"虚"与"实"困惑，如何在"虚"与"实"之间搭建桥梁，需要校长不断创新。

1. 面对现实，应该"去虚求实"

这种"实"是指基于一定的事实判断，发现现实中的问题，找到解决问题的办法，创新工作方式。当提出"在课堂教学中实施素质教育，向40分钟要质量"后，要把响亮的口号变成课堂的现实，需要创新和改良课堂教学方式。于是，我选择引进了在理念和操作上均吸纳了中西方课堂教学之精华的"EEPO有效教育"，并申报了中国教育学会"十一五"课题"'EEPO有效教育'应用推广及研究——学习方式、课型方式、评价方式"。在课题研究过程中，我们没有照搬照抄，而是面对课堂现实，在实践中不断改良和创新，在课堂外的领域不断推广运用，丰富和发展了课题研究内容。

首先，选择从"课型方式"入手，实施推广运用。由于教师受自身教育经历和教学经验固化的影响，思维方式和行为方式难以改变，尽管亲自上示范课与教师们交流和磋商，但教师们仍然错误地把"课型方式"当成固定的"教学模式"机械运用，运用过程中不但没有提高效率，反而使固有的课堂教学秩序被打破，课堂出现了混乱局面，于是，教师们认为我太理想、太脱离课堂实际。

面对实施中的现实困难，必须创新工作思路，改良实施策略。我知道，强迫教师改变自己、否定自己是件痛苦的事情，唯有重新认识自己、自我觉醒，他们才有可能发生真正改变。从"课型方式"入手不成功后，改成从"评价方式"入手，吸取前期经验，调整工作策略，创新实施方式。首先用自上而下的方式，在提出"以学评教"、"'教'与'学'分评"的课堂教学评价新思想后，设计实施方案；然后用自下而上的方式，组织全体教师参与评价方式的设计，以教研组为团队开展研究，反复使用，不断改良和完善，形成具有学科特色的课堂教学评价标准。这种实施办法取得了很好的效果，教师们在按课堂教学评价的新思想改良和创新课堂教学评价标准的过程中，发挥了主动性、创造性，在教学中自觉按评价标准调整教学行为。同时，结合课程改革提出的三维教学目标与课堂教学评价新思想，三次改良教案格式，从目标到过程均体现学生在课堂中的主体地位。

学生是学习的主体，只改变教学的外在因素"教"，而不改变教学的内在因素"学"，课堂效率仍然难以明显提高。要改变学生"学"的方式，关键在于改变教师。当教师能够根据教学内容为学生找到合理的学习方式时，学生的主体性才能够体现，学生的潜能才可能发挥。于是，我们创新教师培训方式，用"体验式"课型开展"学习方式"的研究，让教师从学生角度去感受不同的学习方式对教学效果的影响，从而学会在课堂教学中为学生选择不同的学习方式。经过不断创新研究方式，调整和改良研究策略，教师们的教学理念、教学方式及评课水平等全面获得了发展，教学效益得到了大幅度提高。用务实的精神发现问题，用创新的精神解决问题，我想这是一位教师用"实"与"新"对我作评价的原因。校长的"实"要体现在：带领教师多实践，工作过程要实际，工作结果讲实效。

2. 面对未来，应该"去实求虚"

校长不仅是学校的现实管理者和教师的指导者，还应该具有宏观的价值视野和面向未来的历史意识与责任意识，这种"虚"体现于为学校设计愿景，体现于学校价值目标的创新。

在埋头于教学一线"实干"时，麓山15周年校庆不期而至。在筹建校史馆的过程中，我的目光投到了学校墙上那醒目的大字上："做地球人"、"做豪迈的中国人"、"学会生存，学会关心"。这些建校之初的高远而宏大的目标由于学校生存的艰难，一度似乎已经淡出了麓山人的视野。当学校摆脱生存危机后，我开始重新思考学校的价值定位，诠释校训的内涵，探讨未来落实办学目标的策略。如今，我们将"学会生存"的内涵诠释为"自信、自理、自主"，即通过培养学生具备"自信"的自我接纳心态、"自理"的自我管理能力、"自主"的学习探究能力，使学生具备适应现代社会的"生存"能力。将"学会关心"的内涵诠释为“爱心、责任、合作”，即通过培养学生学会感恩、关爱自己与他人，学会承担对自己、对他人、对社会的责任，学会与他人合作分享，使学生学会用实际行动去诠释“关心”的内涵。我们要让校训“学会生存，学会关心”和誓词“做豪迈的中国人”深入每个麓山学子的灵魂里，帮助他们塑造健全人格，让每一个麓山学子真正具有中国灵魂和世界眼光。

当我以“诠释校训，重温誓词”为题作开学前的国旗下讲话后，有老师发来短信说：“重新听到熟悉的校歌，以及你阐述的校训，我们终于有了主人感、责任感和使命感。”我想，学校是永远需要精神力量的，需要价值目标的，需要愿景引领的。当以“让师生个性和潜能得到有效发挥，让学校成为师生共享的精神家园”为学校愿景，以“打造学习型学校、研究型教师”谋求学校创新发展动力时，我想在创新精神的感召下，学校将回到“看山是山，看水是水”的新境界；通过价值目标创新，传承麓山办学的初衷。

（四）“取”与“舍”

校长的决策能力，体现在“取”与“舍”之间。校长时常面临决策，决策的过程实际上就是取舍的过程，体现了校长的价值取向和对事物的判断标准。有几项决策让我记忆犹新。

1. 面对实验班的取舍

在“择校”成风的教育大环境下，学校往往被动地参与到生源争夺战中，麓山也曾打出过“生源就是财源”的口号。随着教学质量的不断提高，随着家长对优质教育的需求越来越强烈，麓山的学生结构也发生了很大变化。当兄弟学校的初中都开办“实验班”时，许多教师也提出开班建议，以争夺优质生源。如何取舍，需要作出决策。

我认为，首先，学生是发展变化的，不能用某时某学科的成绩将学生分类。作为学校整体，实验班往往被肯定，其他班处于被否定的地位；某项成绩优秀的学生在一个班，导致同质竞争，内耗增大，班内又将有一部分学生被否定。于是，在学校这个组织中，被肯定的学生是极少数，被否定的学生是大多数，这不符合我们的办学宗旨。我们应该营造和谐的学习氛围，而不应该让学生在被否定的教育环境中竞争和挣扎。其次，学生是存在差异的，不能用同一个标准将学生分类。从多元智能理论来看，每一个人都有某方面的智力优势，用“实验班”的方式不能解决学生对教育的多元需求。最后，在实施一届“实验班”后，我们决定放弃成立初中“实验班”，而是推行班级自主管理和合作学习机制，在班级建立良好的组织管理系统，使学生在合作中获得共同提高；采用校本拓展课程方式为学生个性发展提供平台，使他们的优势得到发挥。

当学校在高中为具有学科优势的学生开设学科拓展课程时，很多教育同行认为这是投资大回报少、费力不讨好的事情，在学校经济条件困难的情况下，没有必要开课。而我认为，只要有学生愿意选择又有能力学习，我们就没有理由不为他们提供机会，结果如何不重要，保护学生的学习热情和学习兴趣更重要。同时，教师在指导学生的过程中，专业水平将获得快速提高，这些都将是学校获得的回报。可喜的是，在不求回报的坚持中，先后有30余名学生分别获各学科全国奥赛一等奖，并被保送到清华、北大及其他重点大学。

正如一位经济学家所说：金钱就像一条狗，你越追，它越跑，离你会越远；当你改变追逐的方向时，它反而随你而来。这正是我对分数的看法，当我们追着分数办教育，人的全面发展和个性发展被扼杀时，分数会离我们远去；当我们改变观念，改变教育行为，追求发挥人的主动性和创造性时，分数自然而来。当我们取有利于学生终身发展的办学行为，舍急功近利的办学行为时，学校办学才回到了教育的本质。

2. 面对资金投入的取舍

随着学校不断发展壮大，偿还完家长1.4亿元的教育储备金后，学校资金也步入了良性运转轨道。在可支配资金越来越多的情况下，在资金投入和使用上，哪些地方该用，哪些地方不该用，校长应该有自己的判断标准。当我习惯用废纸的反面打印文稿时，有主任对我说：“学校又不缺这点钱，没必要这么节约。”我说：“这与学校有没有钱无关，纸还有一面没用完就丢弃，会有一种罪恶感，我没有权利浪费这种资源。”但是，在教师专业成长的投入上，往往不惜代价，我认为这是给教师最好的福利，是给学校最好的投资。为此，给教师设立了“业绩奖励基金”。

建校之后，由于资金问题，硬件设施逐渐破损和落后，需要改进和维修的地方特别多。将有限的改造资金使用在什么地方，我们选择了改造学生的运动场，而放弃了增加学校美观度的外墙粉刷方案。因为，学生运动场是学生最喜爱最需要的场所，为学生锻炼身体提供安全、舒适、现代、美观的运动场，是学校对学生利益的最好维护，这种投入的价值远远高于外墙粉刷，这是给学生最好的投资。我们还承诺要让每一位进入我校的学生不因学费昂贵而离开学校，为此，学校设立了“奖学助学基金”。

15 周年校庆，办公室准备了挂横幅、放彩球、做拱门、放烟花、发请柬等以示庆祝的方案，但我认为校庆的目的是要让我们不忘过去、继承传统，为热闹为体面投入资金没有必要，于是，我们请来了老校长、老教师一起座谈，重温校训，重唱校歌，建立校史馆，编制画册和宣传片，师生同台抒发对母校的感恩和眷恋。没有明星、没有媒体、没有请客、没有送礼，在隆重的校庆之夜，师生备受鼓舞，校友备感亲切。虽然没收一分钱礼金，但却收获了教职工的凝聚力，收获了师生对学校的热爱之情。舍弃了庸俗化的物质奢华，赢得了师生的人心凝聚，达到了校庆的目的。

当我校被初评为“长沙市园林绿色先进单位”，最终要以投票方式确定胜出时，我们选择了放弃。绿化班的员工说：“只要拿几万元请人帮我们投票，我们就一定能胜出，学校又不缺这点钱。”我说：“学校也不缺这块招牌，师生们享受了绿色的校园，招牌就在我们心里，这些钱你们可以用在绿化校园上，没必要用在招牌上。”在学校资金投入的多次“取”、“舍”中，始终以学生、教师、学校利益最大化为取舍原则，着眼于学生未来发展，着眼于教师终身发展，着眼于学校持续发展。

3. 面对“国际教育”的取舍

在长郡担任教务主任时，我曾接待过一位想把孩子从麓山转入长郡的学生家长。家长提出转学的原因是：麓山的国际化教育无法应对中国的高考。尽管孩子各方面非常优秀，还获得过长沙市中小学计算机竞赛一等奖，但他很担心孩子是否能考上理想的大学。尽管喜欢麓山，面对教育现实，还是忍痛割爱转到了长郡。

中国教育是“补短”式的教育，什么差就补什么，花大量时间去弥补自己的弱项，只有这样才可能在教育内部的各项考试评价中取胜。学生在“补短”过程中失去信心、失去创新、失去兴趣，这是导致学生负担过重、压力过大的主要原因。尽管麓山采取了西方“扬长”式教育，学生在不断得到肯定的过程中增强信心、提高兴趣、发挥创造，但面对教育内部的各项考试评价时，他们的弱项就会成为实现理想的绊脚石。

这次经历给我留下了深刻印象，踏进麓山后，尽管麓山是湖南对外交流的“窗口学校”，但基于让麓山办学能够尽快满足教育的现实需求，麓山一度舍弃国际教育，停止国际交流，停开国际化课程，通过成立“国际部”来满足部分有出国深造愿望学生的需求，将中国现实教育与国际理想教育分离，形成两种类型的教育模式。由于“国际部”的学生要面对两种模式下的教育要求，而学生学习基础普遍薄弱，导致学生无所适从，办学效果不佳，在没有寻找到更好的国际教育项目的情况下，麓山又放弃了“国际部”。

当我们埋头狠抓教学质量，努力顺应中国教育的现实需要时，一次访日经历让我感触很深。当看到我们的学生一路吃一路扔、车厢一片狼藉的景象与日本学生高度自律自制、教室整洁卫生形成鲜明对比时，挫败感油然而生，感到我们虽然提高了学生的分数，但在培养公民的基本素养上还有差距；当看到日本学校高度重视国际交流，在重视本国文化的同时，非常注重异域文化的吸纳时，失落感油然而生，感到麓山办学之初定位的走国际化道路、与国际接轨的特色被忽视。在反思过程中，我深感麓山不能闭门造车，需要继承办学特色，落实办学目标，虚心向别国学习，加强国际理解教育，开拓国际视野。为此，我们逐渐恢复了国际交流活动，除频频接待美国、日本学生来校交流外，每年还组织师生赴美国、英国、澳大利亚、加拿大、日本等国开展夏令营；选送教师到英、美等国短期学习，请国际培训师为我校英语教师进行国际认证的TES培训；不断寻求我国教育优势与西方教育优势的对接平台，通过课题研究，开发国际校本课程，不断完善国际理解教育的实施，在原有基础上提升国际理解教育的内涵。在担任校长期间，我校的国际教育经历了“舍”与“取”的过程，这是面对现实教育的一次妥协过程，也是对国际理解教育认识提高的过程。

（五）“收”与“放”

校长的管理能力，体现在“收”与“放”之间。“收”体现在校长的集权，表现在统领发展方向，提出目标任务，展开严密组织，追求认识一致。“放”体现在校长的分权，表现在责权分配合理，打造团队力量，民主参与实施，追求执行效率。在制度建设过程中，处理好“收”与“放”的关系，将有效地促进“依法治校”管理机制的形成。

在制度制定时，首先要“放”，这意味着广泛征求意见，鼓励畅所欲言；然后再“收”，这意味着组织归纳，总结提炼。如在制订《教师绩效考核方案》时，首先是“放”，学校发放了“你心目中的优秀教师”的问卷，从家长、学生、教师、管理干部中广泛征集对优秀教师的看法，然后是“收”，整理归纳出“现实表现”、“教育教学教研能力”、“常规教学”等方面的评价指标，从而构建出《教师绩效考核方案》。又如，校本课程的开发过程，也经历了了解学生发展需求、教师自定课程开发项目、学校与学科教研组根据学校整体目标确立课程结构等阶段。这种自下而上，先“放”后“收”的过程，体现了“先民主参与，后归纳集中”的特点。

在制度执行时，首先要“收”，这意味着制定“责、权、利”统一的工作流程，明确责权划分，通过建立既分工又合作的管理流程，明确职责，减少内耗，加强合作，提高效率；然后再“放”，这意味着让每一位教职员工按规定的责权执行工作任务，赋予每个人责任，让教职工主动地和创造性地开展工作，提高制度的执行力和执行中的制约与监督，避免独断专行。这种自上而下，先“收”后“放”的过程，体现了“先统领和组织，后放权和执行”的特点。

当建立了“责、权、利”统一的工作流程后，各部门拥有了职责范围内的权利，我校 11 个职能部门的工作职责非常明确，学校的各项工作在责权划分上尽可能做到没有“交集”，也没有“空集”。也就是说，在责权划分上，尽可能不出现多人对同一项工作负责的情况，减少内耗；同时也尽可能不出现有事无人负责的情况，避免漏洞。比如，学校招生工作流程，是由 7 大步骤 38 个操作环节组成，由 9 个部门 15 位中层以上干部参与完成的一项系统工程。在组织和统领责权划分后，实现了干部全员参与和相互监督的“放权”过程。又如，教师招聘流程，放权到教师、教研组长、教科室主任、教导主任、办公室主任、教学副校长各个层面，各行其责，校务会根据考评成绩排名，确定人选，校长最后签名认可。再如，学校将学生自主管理的责权细化到每个岗位、每个时间段、每位学生，在明确学生管理职责和管理流程后，将学校管理“放”手交给学生做，将“保姆式服务”变为“自理式服务”时，学生自律性明显增强，管理效率明显提高。从 2001 年秋到 2011 年秋，麓山在校学生由 2382 人增加到 7660 余人，增长率为 221.6%；教师从 187 人增加到 335 人，增长率为 79%；员工从 234 人增加到 360 人，增长率为 53.8%。从学校经营管理角度看，“收”与“放”处理得好，将有利于降低人力成本，加强资源整合，提高工作效率，有利于调动师生积极性，推进依法治校，实现育人目标。

第八章 未来展望

正如本书前言所说，当世界已不再稳定，社会转型对学校教育提出巨大挑战的时候，学校已不能再坚守其保守性；而当我们走上了变革性实践的创新之路，学校就持续向前发展，无法停住脚步。如果说这本研究报告前面几章是聚焦“读懂学校、读懂校长”，反思我校18年的办学历程，总结我们过去和现在的办学经验，回答我们是从哪里来，怎样到达了这里，那么本章要表达的是，我们还要到哪里去，是在前两个“读懂”的基础上，继续按照项目研究指引的方向，将“读懂学生、读懂教师”作为深化研究的主题，进一步促进学校教育创新发展研究的主题从工具理性到价值理性的根本性转化，从而进一步回应日益激烈的国际竞争和中国社会的现代化发展对基础教育学校改革创新的诉求，进一步深入探索适应社会发展和人的自身发展需要的、优质高效的学校教育发展模式，将我校的办学理念和行为提升到更为“自觉”和“自为”的层面，将学校教育创新的实践探索引向深入。展望未来，这个世界、我们中国、我们学校可能都会发生很大的变化，我们现在很难把学校未来的发展周到、详细地规划，但有必要根据《国家中长期教育改革和发展规划纲要（2010—2020年)》（以下简称《纲要》）的要求，参照学校教育创新力指标体系，列出一个大略的提纲，作为面向未来的愿景，使我们学校的创新发展有一个前瞻性的目标导向。

一、提升办学的价值目标

所谓“读懂学生”，就是既要从“学习者”的意义上读懂学生，又要从“人”的意义上读懂学生；不只是笼统地读懂学生的群体，还需要具体地读懂每一个个体。所谓“读懂教师”，就是既要从“教育者”的意义上读懂教师，又要从“人”的意义上读懂教师，而且需要具体地读懂我校每一位教师。做到这两个“读懂”，从而将“以人为本”的教育理念真正落实到实际的办学行为中去，以期达到现代教育使人的发展的潜在可能得以实现的学校变革创新的目的，使学生和教师的群体与个体得到真实、真正的发展，使学校获得跨越式发展的生命力。为此，在进一步“读懂学校”的基础上，需要深入思考和确立适合本校学生和教师未来发展的目标，把进一步实现学生、教师和学校三者共同发展作为我们未来办学的价值目标追求。根据《纲要》关于培养全面发展和个性发展的高素质人才，培养大批能够参与国际事务与国际竞争的国际化人才，造就高素质专业化教师队伍的要求，需要显著提升我校现有的办学价值目标，重新确立面向未来的办学定位和培养目标。

（一）面向未来的办学定位

以学校教育创新为理念，我校未来发展的办学定位为：突出我校“国际实验”的办学特色，创新体制建构，把学校办成高素质国际化人才成长的摇篮和教师专业发展学校的基地。

（二）培养目标及具体实施

根据学校培养“世界公民”的目标要求，面向全体学生，实施“世界公民”教育。

第一，认识公民意识教育的重大意义。《纲要》要求“培养社会主义合格公民”。公民意识教育不仅仅是一个教育的问题，它也是民族、国家得以凝聚、延续、稳定的根本所在；通过教育使个体成为一个合格的公民，这是民族、国家对个体发展最基本的期望，也是教育最基本的目标。我国学者李慎之认为：“千差距，万差距，缺乏公民意识，是中国与先进国家最大的差距。”① 也就是说，哪个国家的公民素质高，意味着哪个国家最有可能站在世界强国之列。在全球化的背景下，培养什么样的公民、如何培养公民日益成为国家必须面对的重大问题。

第二，探索“世界公民”教育的具体实施。作为未来高素质国际化人才成长的摇篮，探索“世界公民”教育，需要明确其目标、内容、途径和方法。一是基本的教育目标，要培养学生健全的人格，包括开放、自信的自我，对待他人的宽容态度，多元的价值取向和与他人共享

---

① 李慎之．修改宪法与公民教育［J］．改革，1999（3）．

价值的能力，关心人类共同的生存环境等，包括学生社会性的发展和个性的发展两个方面。二是主要的教育内容，包含共生道德教育，以人类公共理性和共享的价值为基础，以人类基本道德生活特别是有关人类和平、基本生存和发展的道德问题为主题而整合的伦理理念；多元文化的教育，即让学生在公民认同上，除了共同的国家认同之外，也能理解不同民族独特的文化；关于自我认同、家庭责任、幸福人生等内容的人性教育。三是教育途径，着重从实践入手，培养学生社会生活的参与能力，增进他们对政治知识和民主程序的了解，培养他们相互尊重、理解及处理人际交往和差异问题的能力。四是教育方法，包括对传统教育手段的改进和新的技术手段的运用，使教育形式多样化，更有效地展示文化的多样性，提高教育的成效。

二、创新育人模式

依据学校的培养目标及办学定位，构建优质高效的育人模式是学校教育创新研究的重点内容，也是学校未来发展的重点领域。只有立足于在变革性实践中读懂学生，读懂教师，形成学校育人模式创新的思路和举措，才能促进学校教育的不断发展和自我超越。

（一）学校课程的发展

现代课程与教学论研究“不仅涉及突破时空局限形成立体的发展性课程结构体系，从而体现课程结构的灵活性、多样性和选择性，而且涉及如何依据学科发展的内在规律形成学科群，如何根据自然科学、社会科学、思维科学发展的新成果不断调节和完善课程结构，从而使基础教育课程结构成为一个开放的、不断生成发展的系统”①。这为我校的课程建设描绘了发展的蓝图。我们应该从读懂我校学生的发展需要出发，依据学校的培养目标，突出培养学生终身学习能力、发展学生个性特

① 王攀峰．走向生活世界的课堂教学［M］．北京：教育科学出版社，2007：3.

长、促进拔尖创新后备人才成长三个重点，探索课程创新，促进课程发展，将现代课程理论的研究成果转化为我校的课程建设实践。

1. 厚基础，课程实施关注学生终身学习能力的培养

第一，学校课程实施将加强对阅读、数学、科学等课程的开发、实施和评价的研究与实践。我校将引进和推广基于课程标准的教学，建立核心内容和专业学习、普通（学术）学习与应用（职业）学习之间的联系，落实知识与技能、过程与方法、情感态度与价值观三个维度的目标要求，形成学生良好的认知结构、思考方式和学习态度。减少记背的教学内容，注重在课堂上开展各种问题解决的教学活动。特别关注学生概括和创造性地使用信息，能应用自己的理解和见识以及新的方法和策略解决新问题，应用所学知识和技能完成他们在今后生活中需要完成的任务和在社会中行使职责的能力。着重培养学生在现实生活中的能力，即充分地参与社会和经济活动并使之成为终身学习者的持续学习的能力，从而让每一个学生真正“学会学习”，为学生的生存与发展打好能力基础。

第二，重视综合性学习领域的课程实施和对相关领域课程的整合与拓展的开发。深刻理解《普通高中课程方案（实验）》设置语言与文学、人文与社会、科学、技术、艺术等综合性学习领域的必要性，以及反映现代科学综合化的趋势和课程结构的综合性的价值，重视组成学习领域的课程价值相近科目的相互关联，整体规划课程内容，提高学生的综合素养。目前高中课程方案设计的有关思路，将启发我们进一步调整和完善课程结构。首先是依据学科发展的内在规律，在中小学分别开设的课程中，按照每门课程在整个课程系统中特定的位置和任务，将其中若干门相关学科组成一个有一定功能的综合性学习领域。其次是在国家课程的基础上，进行校本化二度开发，形成系列拓展课程。从而利用课程系统整体中各成分的相互关联、相互作用，构建更为合理的课程结构，发挥和提高课程的整体功能，让学生在关联和拓展的课程学习中形成更有价值的知识结构，为学生提供更为丰富的加深与拓宽的自由选修课程，激发学生强烈的学习动机和探求未知的热情，形成实事求是的科学态度，掌握举一反三的科学方法，培育科学素养、人文精神和健康心理等素质，形成扎实的基础学力，为学生的终身发展奠定良好的素质基础。

2. 重个性，课程开发重视学生个体发展的可能性

第一，课程的设置和实施注重选择性。主要是让学时最多的部分国家必修课程具有一定的选择空间。一是部分必修课及相关拓展课程如外语等，依据课程标准的等级目标或拓展的层次设置不同等级水平的课程，为学生选择适合自己难易程度的课程学习提供帮助，同时，将满足中学生的兴趣、个性特长的部分课程与职业生涯规划结合起来，据此选定指导教师，制订知识储备、实践与体验、研究与创新的时间安排和具体计划。二是在已有的基础上，进一步开发必修课及其拓展课程的选修模块，为满足学生的学习兴趣提供帮助。三是创设“特需课程”，满足部分学生群体和个别学生学习上的特殊需要，包括需要缩短或延长学程的特需课程，以及学习时间不变但部分内容个别化的特需课程等，特别是通过创设特需课程，落实《纲要》的要求，“建立学习困难学生的帮助机制”。

第二，校本课程的开发更具丰富性。一是充分开发和利用校内外的各种课程资源，充分发挥每一位教师任教学科和学科之外的多种多样的专业特长，开发更为丰富多彩的校本课程，满足学生发展兴趣特长的需要；二是鼓励、支持、指导学生自主组建更加多样化的学生社团，开展内容更加丰富、形式更加多样的社团活动，让学生在自由开放的活动中张扬个性，形成多方面的能力和素养。从而使校本课程的开发形成学校特色和文化，又进一步促进每一个学生在全面发展的基础上实现“个人独创的和自由的发展”。

第三，课程管理制度更加灵活变通。一是建立和完善我校中小学的选课、走班制度和指导教师制度，充分关照学生学习的差异性，指导学生合理选课、分配学分，监督并帮助学生学会在不同环境里学习，顺利完成学业。二是让学分制管理真正实施起来，发挥其灵活、变通，便于成绩统计和教学管理的优势，保证学生课程选择权的实现。三是改进课程学习管理，建立有利于学生潜能发挥的灵活变通的选修高一级学段和大学课程的管理制度。

3. 促创新，多样化系统性课程促进拔尖创新后备人才成长

课程的创新，应将重点集中在追求终身学习体系下的多元质量要求上。

第一，课程的多样化。一是课程开发主体多元化。我校将与高等学校、科研院所分工合作，共同开发培养拔尖创新杰出青少年的多样化课程。二是课程设计层级多样化。即有面向全体学生设计的创新教育课程、面向兴趣特长学生设计的创新活动课程、面向智优学生设计的创新探究课程。对在某些领域有突出潜能的学生，学校量身定制课程计划，并建立跳级制度，为学有余力的学生提供小学、初中、高中及跨学段的“跳级”绿色通道。三是课程开发类型多样化。如培养创新人格的德育类课程、渗透创新精神培育的学科课程整合形成的学习领域类课程和面向智优学生的创新潜能开发类课程，又如进入高校实验室的课题研究课程、建构性学习体验的研究性学习课程、科普学术报告选修课程等。四是课程开发内容多样化。如创新素养培育专设课程开发出思维训练、通识素养、创新体验、拓展经验、行为学习等多项课程学习内容。五是开展国际化教育课程建设。在现有国家学科课程中系统渗透国际理解教育内容，开展丰富多彩的国际交流实践活动，开设理论与实践相结合供学生选修的世界历史、世界地理、国际经济、国际政治、国际事务、国际规则、环境科学等专业课，建立和完善国际化课程的评价内容与方法。

第二，课程的系统性。一是学校开发的培养创新杰出青少年的各种课程自成体系；二是按照《纲要》要求，树立系统培养观念，逐步形成小学、中学、大学有机衔接的创新素质培养课程体系。

（二）教学改革的深化

现代教学论的发展趋势是“将人的现实生活世界纳入其研究视域，把对人的人文关怀与对其生存的现实生活世界的关注相统一，使课堂教学成为一个完整的人的动态生成过程，成为一个人的生活意义和生命价值不断显现的生动活泼的生活过程。”① 进入21世纪，我国学者提出了“走向生活世界的课堂教学”的基本理论②。它为近年来中小学教学改革实践中涌现出的“以学论教”等成功经验提供了理论依据，也从一个方面生动地描述了我们面向未来的培养目标的价值追求，应该成为我们基于读懂学生的教学研究，促进课堂转型和教学的根本性变革的基本目的和理论指导。

要从现阶段我校引进的“EEPO有效教育”入手，对有效教学的理论基础和行为主义心理学进行研究分析，深入学习和领会情感教育理论、建构主义理论、因材施教理论等理论思想和我国优秀的教育传统。要把对教学有效性的追求不仅仅定位于对教学技术和策略框架的实用性追求上，而且要把整个教学过程尤其是学生的学习方式引导建基于学生的思想、信念和情感上，努力将教学的技术性和艺术性融合在一起，让学生主动学习、创造性学习、享受学习成为教学的最高境界和永远追求，让现阶段的有效教学走向生活世界的课堂教学，使教学发生根本性变革。

1. 明确“走向生活世界的课堂教学”的基本目的

第一是基础性目的，即教学活动应该关注学生的现实生活，尊重儿童的自然天性，加强与现实生活和社会实际的密切联系，注重学生的生活经验和切身体验，改善他们的生存状态和生活质量，促进学生得到全面、充分而自由的发展③。第二是发展性目的，即教学活动应该发挥对学生现实生活的价值引导作用，引导学生不断超越自己现有的生存和发

①②③ 王攀峰．走向生活世界的课堂教学［M］．北京：教育科学出版社，2007：105，121，192，210，232－237.

展状态，帮助他们建构一种更有意义、更有价值、更为美好和更符合人性的完满的可能生活，提升他们的生活意义和生命价值，使教学活动成为一个不断引导学生从现实生活走向可能生活的动态生成过程①。

2. 应用“走向生活世界的课堂教学”的基本策略

第一，关注学生的生活经验，打通书本世界与现实生活之间的界限。把课堂融入儿童的生命长河之中，使课堂教学转化为学生课外的成长行为，延伸到他们的日常生活当中，并逐步变成他们的成长自觉。教学活动要正确处理直接经验与间接经验的关系，以学生的现实生活为基础，以直接经验和生活体验丰富与扩展认识；同时，教学活动必须引导学生实现学习方式的转变，从以往的间接认识书本知识和间接经验的学习方式转变为适当运用直接认识书本知识和间接经验的方式进行学习，从而打通书本世界与现实生活之间的界限，把生活世界中的教育资源与书本世界融会贯通②。第二，关注学生的生存方式，建设“以学生发展为本”的课堂文化。一是教学过程应通过学生的真实生活体验来深化课堂文化的意蕴，以一种主动参与、生动鲜活和情感丰富的课堂文化来促进学生的全面成长和充分发展；二是在教学过程中通过教学主体之间的相互理解、平等对话和相互沟通，对多元的课堂文化进行整合，实现课堂文化的共享；三是积极建设一种以培养学生的创新精神和实践能力为核心的新的课堂文化，扩展学生的学习、生活和思维空间，使他们获得成功的体验和自我价值感，改善生存状态和生活质量，从而不断地实现自我超越，提升自己的生活意义和生命价值③。第三，关注学生的生活意义和生命价值，建构“学习与生活共同体”。遵循“尊重差异，培育尊严；自由表达，互相倾听；对话合作，共同分享；公平竞争，相互促进；民主平等，共同发展”的原则，通过教学主体之间的交流与对话，

---

①② 王攀峰．走向生活世界的课堂教学［M］．北京：教育科学出版社，2007：105，121，192，210，232－237．

③ 王攀峰．走向生活世界的课堂教学［M］．北京：教育科学出版社，2007：240－267．

将课堂建构为一个由教师和学生组成的“学习与生活共同体”①。

3. 将“走向生活世界的课堂教学”理念转化为优质教学实践的具体措施

要把理论层面的“走向生活世界的课堂教学”的基本目的和策略转化为实践层面的课堂教学的具体目标和教学策略，必须从关注学生的现实生活，读懂学生的学习需求出发，开展学生研究，深入探讨学科性质特点和深化课堂教学改革。第一，开展学生个案研究。即在日常教学中，选择典型学生，确定研究对象，以对该生的细心和持续的观察为依据，发现其课堂精神面貌、学习兴趣和习惯、成长的独特性，分析该生与其他同学发展不平衡的原因，诊断“教”的问题所在，通过制订针对该生的教学调整和指导计划，促进其进步和发展，并发挥个案作为教学资源的作用，促进全体学生的发展。学生个案研究过程是教师的观察、分析、假设、行动、再观察、再分析、修正假设不断循环进步的过程。这是读懂学生的行动起点和归宿，是落实促进每一个学生的发展这一目标的基本要求。第二，进行学生实际发展需要调研。即教师在新的单元或概念教学设计之前，不仅仅把课程标准及教材作为教学设计的依据，而且将学生的实际发展需要同时作为客观依据，采用问卷、访谈等方法，对任教班级学生进行调查摸底，“读懂”学生的已有基础、学习途径、学习兴趣、学习方式、学习困难，了解学生的真实想法，寻找学生发展的“生长点”，并对调查结果进行分析，在此基础上确定适合学生实际发展需要的教学目标，设计教学方案，有的放矢地开展教学。这是解决教学针对性的最为显在的学生研究。第三，组织关注学生学习的课堂观察。一是建立和完善以关注学生学习为目的，以教师团队合作为组织形式，走向专业化、常态化的听课评课教学研究制度；二是将学生学习、教师教学、学科性质、课堂文化四个维度作为课堂观察的内容框架，以深切的教育关怀，从学生的视角观察课堂的真实情境、学生的学

---

① 王攀峰．走向生活世界的课堂教学［M］．北京：教育科学出版社，2007：240－267.

习状态、形成的文化氛围，准确评价教学目标的达成度和教学策略的有效性，形成“以学观教，以观促学”的课堂研究方法。第四，把“学情分析”作为一种联系教与学的研究。在“学情分析”的教案撰写要求的基础上，强调将它作为与学科的性质、思维、语言等本质特点联系起来分析，发现学生学习问题的过程研究。通过调查了解学生对学习材料在态度、方法、能力方面存在的问题，利用学过的知识解决新问题会遇到什么困难等，遵循学科学习规律，找出解决问题的有效教学策略，使教学设计建立在对“真”问题的学情分析的基础之上。第五，在教学实践中读懂学生，激活和鼓励学生学习探究。一是不放过学生“走偏的思路”。追问为什么这样思考，在不断追问中了解学生的思维状况，思考知识体系与形成过程之间的关系，从而认识到学生具有的“无前提性”的优势使他们面对问题时思考过程更加自然，有助于使知识的形成过程得以还原。二是激活学生面对问题的感受力。让学生充分表达他们面对一个问题时最初的反应，帮助学生表达出瞬间的思维火花，激活和恢复学生面对问题的感受力，还原他们真实的探究过程。三是鼓励学生的探究精神。引导学生知其然还要知其所以然，要使学生不仅知道“题目怎么解”，还要知道“解题的方法是怎样产生的”，满足学生内在的学习愿望，从而使课堂学习呈现出生动和人性化的特点。第六，建设新的课堂文化，培养学生21世纪基本能力。一要努力营造一种让学生不迷信权威，在追问、怀疑、批判中产生独特见解和新的、更精彩的观念，保护和培育学生的奇思妙想的对话、探究和创造的课堂文化。二要让教师建立起培养学生21世纪基本能力的目标意识，通过课堂教学培养学生学习与创新的能力，即阅读和理解知识、发现和提出问题、分析和解决实际问题的能力，交流与合作的能力，批判性思维能力，运用知识创新的能力，信息技术的应用能力；适应现实生活与未来职业的技能，即适应性、灵活性、主动性，实践能力，跨文化社会交往技能，工作效率、领导力和责任能力等。

（三）德育的深入实施

联合国前任秘书长加利 1995 年在哥本哈根召开的社会发展世界首脑会议上指出："当今世界正面临着社会和道德危机"①，而青少年学生的道德教育问题则成为当今世界关注的焦点。"对于今天的教师来说，面对着青少年学生那迷惘的心灵和失范的行为，我们需要的不是惊慌，也不是抱怨，而是要认真地反思与探索。为重建新的道德精神，恢复学校道德教育的生命力，我们更要尊重生命，珍惜生命中所蕴藏的心灵的自由。因为只有它才能引导我们去发现消失在'混沌'社会现实之中的林之路……"② 学校教育创新研究就是针对当今世界面临的伦理道德问题、文化生态危机等一系列严峻挑战，确立了"关注学生的文化生存环境和活动方式，关注学生的生存状况和生命价值，尊重学生的主体地位和主体人格，培养学生自主性、主动性和创造性，使他们在掌握人类优秀的文化基础上，学会学习，学会创造"的主题，提出了建设先进的学校文化，实现"价值引导"与"道德主体的自主建构"的统一等学校德育系统的变革创新的思路及举措。立足于读懂学校、读懂学生，依据培养新一代"豪迈的中国人"的培养目标，以学校教育创新的理念为指导，全方位优化育人环境，不断增强学校道德教育的生命力，重建学校精神家园，仍然是我校德育面向未来的努力方向。

1. 继承优秀传统文化，构建我校创新德育体系

德育为先，并不是当今学校教育的一句时髦的口号，在传承优秀湖湘文化的三湘大地，这是一种优良的办学传统。我们要继承和发扬湖湘优良德育传统。第一，要进一步完善我校的德育目标体系。当年书院教育培育理想人格，强调人格的价值实现包括两个方面：内在的自我价值和外在的社会价值。这可以作为完善我校德育目标体系的重要参考。即

① 桑洪臣．世界面临社会和道德危机［N］．光明日报，1995－03－03.

② 易连云．重建学校精神家园［M］．北京：教育科学出版社，2003：250.

一方面是提升学生内在的道德认知，使他们能够表现出人性的潜能，使道德日臻完善，并促成内在人格的完成；另一方面是促成学生外在的道德践行，使他们在社会实践的体验中真正获得自我实现。我们将以此思路完善我校小学、初中、高中三个学段衔接递进的德育目标体系。第二，进一步丰富德育内容。在进一步完善“学会关心”的德育内容的基础上，特别要充分发挥班级文化的德育功能。通过营造和谐共进的班级氛围，培育学生的团队精神；形成富有底蕴的人文气息，培养学生的人文精神；注重文明规范的制度建设，增进学生的文明素养。同时，在个性化、有特色的班级文化建设上形成新的经验。第三，进一步创新德育形式。积极探索师生双向交流互动的德育形式、“学会关心”的德育形式、尝试体验的德育形式等，让学生在有创意的多样化德育活动中形成高尚的道德人格。

2. 探索思想品德课教学的成功经验，引导学生“成为能够在道德上自己教育自己的人”①

针对学生道德观念与道德行为“两张皮”的现象，思想品德课教学首先要读懂学生，要加强对学生思想品德发展的特点及环境的深入研究。第一，要注重情境的作用，促使学生反思自省。针对学生获得的道德观念有很强的情境性的特点，思想品德课教学要从情境切入，有针对性地再现情境，引起学生的思维冲突，促使学生反思自身的道德观念，自觉修正错误和模糊的道德观念，获得对道德观念更为丰富的认识和理解。第二，要发展学生道德思维能力。思想品德课教学不仅要关注学生道德观念的纠正和建立，引导学生对道德现象的合理思维，更要促进学生道德思维能力的发展。要研究学生认知、行为中存在的问题，还要同步研究学生解决问题的可能性，特别是他们自己解决问题的可能性。通过教师的诊断帮助学生学会自我诊断，让学生道德的自律真正建立起来。第三，要让课堂活动成为学生道德实践的过程。要着力改变思想品

① 易连云．重建学校精神家园［M］．北京：教育科学出版社，2003：250.

德课把道德教育理解为知识教育，把课堂活动理解为道德知识教学的手段的教学习惯，充分认识到思想品德课堂教学活动本身就是学生道德实践的过程，学生在课堂上的道德实践活动的实质就是学生在处理人与人的关系上遵循道德、实现道德的过程。教师要通过课堂学生观察、课堂追问发现问题，适时给予引导，让学生把学到的道德观念、道德原则、道德信念转化为自身与他人交往的道德品质和道德习惯，促进学生道德水平的自我提高。

3. 建设现代学校文化，开展具有我校特色的德育主题系列活动

与社会主义文化大发展大繁荣相呼应，我校将围绕“做豪迈的中国人”的培养目标，引导师生去创新文化、发展文化，真正触及文化的本质，即观念问题、价值问题以及人类发展、世界进步等重大问题，在教学“高效”、“提质”的同时，关注学生思想和心灵的生长，帮助学生描画好人生的底色；建设现代学校文化，开展以国情教育为主要内容，以爱国主义为主题，以培育未来“世界公民”的“中国心”为目的的具有我校特色的德育主题系列活动。以活动为载体，开展国情教育活动，通过建立“人文与社会、母语阅读、英语文化、艺术、体育、心理、科技、数学与生活”八大以学科为特色的活动体系，加强德育的学科渗透。同时，发挥我校常态化开展国际教育交流与合作的优势，组织学生出国参加青少年国际文化艺术节等活动，开展多种形式的对外文化交流。一方面积极推动中华文化走向世界，增强中华文化在世界上的感召力和影响力，培育学生的爱国情怀；另一方面积极学习借鉴国外优秀文化成果，广泛参与世界文明对话，促进文化相互借鉴，共同维护文化的多样性，培养学生的多元文化意识。

4. 构建综合素质评价体系，将德育目标落实在日常办学行为中

第一，建立全体教师参与评价的综合素质评价体系，让全体教职员工关注学生的成长。第二，加强班级文化建设，构建新型班级管理模式，让班级成为德育主阵地。第三，加强家校沟通，通过建立家长学校，形成德育合力。第四，加强心理教育，探索心理教育与德育的融合实施策略，提高德育实施的人本性。

三、完善学校的管理机制

现代学校的体制既然是由人们在社会中建构的，也就可以被解构与重构，在每一次转型变革的关头，正是人们的价值理念在悄悄引领着历史前行。正如杜威所说："人类联合的每一种方式，它的长远意义在于它对改进经验的素质所做出的贡献。"① 我们需要在新的教育理念指引下，对作为一种社会建制的学校进行批判性反思，并探索改进与重建的可行性②。21 世纪是中华民族伟大复兴的世纪，我们正处在"世界格局深刻变化，科技进步日新月异，人才竞争日趋激烈"的变革的关头。变革的时代要求学校通过变革进行根本性的转型。《纲要》要求我们改变"教育体制机制不活，学校办学活力不足"的现状，"探索建立符合学校特点的管理制度"，"形成不同办学模式，避免千校一面"，"加强国际交流与合作"，"探索多种方式利用国外优质教育资源"。通过战略性谋划，我们将《纲要》体现的新的教育理念转化为学校领导团队和全体教师的共同愿景，形成了面向未来的学校体制建构的创新和对现有的学校制度与管理进行改进和完善的共识。

（一）建设教师专业发展学校

1. 教师专业发展目标

我校中小学教师在专业理念与师德、专业知识、专业能力等各个方面要逐步达到教育部正式公布的《中学教师专业标准（试行）》和《小学教师专业标准（试行）》要求，形成一支师德高尚、业务精湛、结构

① 约翰·杜威．民主主义与教育［M］．王承绪，译．北京：人民教育出版社，1990：14.

② 王有升．理念的力量：基于教育社会学的思考［M］．北京：教育科学出版社，2007：77.

合理、充满活力的高素质专业化教师队伍。

2. 教师专业发展基本理念

促进教师专业发展是我校应有的功能；我校应该成为教师专业发展的理想场所；我校与有关师范大学开展基于民主、平等和参与的合作是教师专业发展的可靠保证；持续不断地开展教育教学研究是教师专业发展的有效途径；教师持续、有效的专业发展是学生发展的必要基础和前提。

3. 逐步建设教师专业发展学校

第一，提高认识。“《纲要》强调要构建以师范院校为主体，综合大学参与，开放灵活的教师教育体系，要求在教师队伍建设规划中，通过研修培训、学术交流、项目资助等方式，培养教育教学骨干、‘双师型’教师、学术带头人和校长，造就一批教学名师和学科领军人才。这些政策举措，都可以从大中小学有机衔接、系统培养人才的新要求出发，创造性地落到实处。”① 教育改革实践和世界教师教育发展趋势也表明：只有把学校这个保守的教育系统引入一个持续的、开放的、参与的新的变革框架中，在整合教师发展和学校发展的基础上，才能有效促进教师专业发展水平与学校办学水平的共同提升。第二，寻求共识。我校与师范大学的合作是双方共同的发展需求。古德莱德说：“学校若要变革进步，就需要有更好的教师。大学若想培养出更好的教师，就必须将先进的中小学作为实践的场所。而学校若想变为模范学校，就必须不断地从大学接受新的思想和新的知识，若想使大学找到通向模范学校的道路，并使这些学校保持其高质量，学校和教师培训院校就必须建立一种共生的关系，并结为平等的伙伴。”② 第三，分步实施。按照中小学

---

① 张力．促进大中小学有机衔接更新人才培养观念和模式［J］．人民教育，2012（1）．

② 滕明兰．从“协同合伙”走向“共同发展”：地方大学与中小学共同发展研究［J］．教育理论与实践，2008（9）．

与大学“协同合伙、共生合伙及有机合伙”① 伙伴合作的三个层次，我校建设教师专业发展学校分三步走。第一步，根据中小学教师专业标准的达标培训需要，与多所高师院校、教育科研机构、教师教育机构建立临时的对方“施与”、我方“接受”的“协同合伙”层次的合作关系，我方获得教育理论、专业知识、教育方法指导和教育资源提供与信息服务。教师的角色是参与合作的学习者。第二步，我校作为师范生实习基地，根据学校创新发展和校本教研提出的研究项目与课题，与多所有相关研究项目的高师院校、教育科研机构建立时间跨度较长的双方互有“施与”和“接受”的对口协作的“共生合伙”层次的合作关系，我方获得实践研究的理论支持与实践经验的理论提升，以及相关研究成果，最终促进教师专业发展，提高教育质量。教师的角色是参与合作的研究者。第三步，我校作为大学师范生实习基地，高校也为我校教师提供培训、研讨等各种研修机会，通过双向选择，签署合作协议，建立组织联络机构和规章制度，与合作伙伴中的一所有较强合作意愿及动机，能够实现互惠双赢的师范大学建立长期的共同发展的“有机合伙”层次的合作关系，成为完全意义上的“教师专业发展学校”。双方合作探索实现共同发展的有效运作机制：一是以系统培养、终身学习的教师教育观，把培养新教师和在职教师作为合作双方共同的责任。二是把组织目标和个人需要协调融合起来，更多地依据教师的个性特点，致力于创造和设计激励教师人力资源开发的合作项目，丰富教师教育的内容，鼓励教师的行动研究，使学校从教师的人事管理走向人力资源开发。三是与师范大学共同创建一种互补、互促、互助、互建的共生共长的关系，成为一个真正的学习共同体。四是实现组织成员之间的合作性互惠。教育实践中问题的解决，需要借助大学教师的价值判断、理论分析的纵深引导，也需要中小学教师基于教学实践的行动研究，合作也使教师的教学从个人层次提高到组织层次。五是尊重与张扬教师的主体性。教师被吸

---

① 赵玉丹．大学与中小学伙伴合作：国外研究的现状及述评［J］．内蒙古师范大学学报：教育科学版，2007（3）．

收到学校教育教学的决策群体，提升自我意识和观察问题的角度，在自我设计、自主探究、专业引领、积极评价、自我超越中构建富有反思性的专业知识和能力，在扮演教师角色的同时进一步创造教师角色，有效促进自身专业发展，从而使自己拥有职业幸福感，使学校获得源源不断的创新活力。

（二）完善学校制度

1. 深化人本管理，促进教师研修与专业成长达到更高水平

（1）深刻理解《纲要》关于“创造有利条件，鼓励教师和校长在实践中大胆探索，创新教育思想、教育模式和教育方法，形成教学特色和办学风格，造就一批教育家”的指导意见的深远意义。

（2）将教学反思作为提升教师专业素养的有效方式和教研制度长期坚持下去。要引导教师将学生学习中的优势和实际出现的问题，以及与自身的知识状况、与对学生可能出现的问题的准确预期的关系，作为自我反思的客观依据，将“读懂学生”作为教师专业发展的基本方式，并进一步要求教师首先进行自身专业知识和能力的反思，然后再进行教学反思。

（3）完善以促进教师专业成长和学生发展的“绿色评价”指标为核心内容的绩效考核体系。参照教育部正式公布的作为学校进行教师管理的重要依据的《中学教师专业标准（试行）》和《小学教师专业标准（试行）》，进一步完善教师绩效考核指标；引进多元的绩效考核主体，采用先进的绩效考核工具，构建常态化的绩效沟通和绩效改进体系；探索促进教师绩效管理的现代学校制度和始于建立共同愿景具有本校特色的民主参与的制度文化建设。

（4）从现阶段要求学科体现各自教学特色，向激励教师个人形成教学风格，提升教师的专业地位发展，为造就教育家创造条件。① 从制度上保障教师专业研修，激励教师形成个人的教学风格。一是激励教师从思想、道德、智慧、价值观和心理状态上不断完善自己的人格。因

为所教知识是身外之物，而“风格却是本人”（法国启蒙文学家布封语）。在完善人格的过程中去努力提炼和形成自己的教学风格。二是形成自己正确、独到和坚定的教育主张，即个性化的教育理念、理想、价值、立场、方法等。由于教学风格是教育主张下教学改革探索的结果，因此正确、独到和坚定的教育主张使教学风格获得灵魂，获得鲜明的方向感和追求的价值。三是追求和形成教学风格要善于分析、总结和提升自己。要分析自己的气质类型、知识背景和知识结构特点，探索教学风格的特点；分析自己的教学经验和教学方法特色，扬其所长，加以概括和提炼；要读书学习，改善心智，善于发现教学问题，善于把问题梳理成有价值的课题，在研究中丰富自己的个性特点与风格倾向。四是教学风格的思想内核、道德意义、智慧品格一齐指向学生的发展。② 进一步提升教师的专业地位。要通过教师专业发展学校这个合作学习和实践研究的平台，让教师形成先进的专业理念、高尚的师德修养、渊博的专业知识、过硬的专业能力和独创的教育教学风格，从而有权利因地制宜、因时制宜、因人而异，最大限度地为学生提供丰富多彩、最高素质的学习经历，逐步成长为新一代教育家。

2. 建立和完善校内促进学生发展的教育质量管理制度和工作机制

为了贯彻《纲要》关于“建立以提高教育质量为导向的管理制度和工作机制”，及时了解学生的学习情况和质量水平，及时诊断和发现教学中存在的问题并加以矫正，保证学校教育质量的稳定和提高，保证学生的学习动力和发展水平，不能只有外部的考试和评价，我们必须建立和完善校内促进学生发展的教育质量管理制度和工作机制。第一，要确立正确的教育质量观，从有利于学生的全面发展出发去设计、实施和解释教育质量管理。即不仅要对学生的学习效果进行必要的检测，还必须全面了解学生的学习动机和兴趣、学习方式和过程，以诊断学习中存在的问题；不仅要对学生的学业水平进行管理，还要完善学生的成长记录，探索可行可用的综合素质评价。第二，要建立科学、多样的评价标准。既要有相对一致的评价标准，又要重视个人的特点和专长，要给师生一定的空间去自我发挥、自我实现和自我创造，逐步完善科学的教育质量评价体系。第三，要通过多个渠道检测和管理学生的学习质量。既要有学校制度化的学生课外作业管理和科学合理的教学质量检测，更要求教师个人在教学过程中的及时评价与监控，将过程性评价与管理融入教学之中，成为教学的有机组成部分。第四，要研究开发有利于学生发展的评价方法和工具，科学地分析和解释评价的结果。即采用多样化的作业、检测和评价的方法，不能只有纸笔测验，只收集量化的数据和静态的材料，还要有多种形式的表现性评价，还需要收集反映学与教的真实过程的动态的质性资料，形成综合的或专项的教育质量分析报告。

3. 构建科学和谐的教育生态系统

引领师生建立和谐的生态教育思想，把对学生、教师的管理，对课程、资源、评价等的管理，都融入学校的生态系统之中。师生在安定、平和的生存环境中，感受到尊重、关爱、信任和充实。第一，要精心培育优良的学校组织文化，继续把“追求卓越，永不满足”作为学校的精神文化，研究各种环境因素，协调各种关系，把握好学校发展和师生发展的关系、校长和中层干部之间的关系、教师与教师之间的独立与合作的关系，使每一个人都成为自己的主宰，每个人都在自己的创造和努力中赢得他人的尊重。第二，要继续完善各项管理制度，强化质量管理的全面性、全员性与全程性，使学校处于持续改进与提升的状态。

参考文献

（一）著作

1. 聂荣华，万里．湖湘文化通论［M］．长沙：湖南大学出版社，2005.

2. 周秋光，莫志斌．湖南教育史［M］．长沙：岳麓书社，2008.

3. 张作功，古夫．湖湘文化与湖南教育［M］．北京：教育科学出版社，2006.

4. 陶用舒．近代湖南人才群体研究［M］．长沙：岳麓书社，2000.

5. 国际21世纪教育委员会．教育：财富蕴藏其中［M］．联合国教科文组织总部中文科，译．北京：教育科学出版社，1996.

6. 联合国教科文组织国际教育发展委员会．学会生存：教育世界的今天和明天［M］．华东师范大学比较教育研究所，译．北京：教育科学出版社，1996.

7. 赵中建．教育的使命：面向二十一世纪的教育宣言和行动纲领［M］．北京：教育科学出版社，1996.

8. 内尔·诺丁斯．学会关心：教育的另一种模式［M］．于天龙，译．北京：教育科学出版社，2003.

9. 苏霍姆林斯基．和青年校长的谈话［M］．赵玮，译．上海：上海教育出版社，1983.

10. 波·达林. 理论与战略：国际视野中的学校发展［M］. 范国睿，主译. 北京：教育科学出版社，2002：中文版序.

11. 钟启泉，崔允漷，张华. 为了中华民族的复兴　为了每位学生的发展　《基础教育课程改革纲要（试行）》解读［M］. 上海：华东师范大学出版社，2001.

12. 陈向明. 在参与中学习与行动：参与式方法培训指南（上、下册）［M］. 北京：教育科学出版社，2003.

13. 何晓文，戚业国. 基于提升国际竞争力的高中校本课程建设［M］. 上海：华东师范大学出版社，2008.

14. 王攀峰. 走向生活世界的课堂教学［M］. 北京：教育科学出版社，2007.

15. 易连云. 重建学校精神家园［M］. 北京：教育科学出版社，2003.

16. 约翰·杜威. 民主主义与教育［M］. 王承绪，译. 北京：人民教育出版社，1990.

17. 王有升. 理念的力量：基于教育社会学的思考［M］. 北京：教育科学出版社，2007.

（二）论文

1. 克劳迪娅·沃利斯，索尼娅·斯特普特. 如何把我们的学校带出20世纪［J］. 安欣，译. 译林：文摘版，2007（2）.

2. 朱汉民. 岳麓书院与中国知识群体的精神历程［N］. 光明日报，2006-05-18.

3. 褚宏启. 走向校长专业化［J］. 教育研究，2007（1）.

4. 杨骞. 教师发展的学校责任与实践模式［J］. 教育研究，2008（4）.

5. 于波，宋乃庆. 中小学校长在实施素质教育中的办学角色定位［J］. 教育研究，2011（6）.

6. 陈鸿莹，张德伟. 国际理解教育：全球化背景下各国教育改革策略［J］. 比较教育研究，2002（S1）.

7. 翁文艳. 国际理解教育课程的构建［J］. 课程·教材·教法，2004（11）.

8. 檀传宝. 主体性德育：欣赏型德育模式论要［J］. 深圳教育学院学报：综合版，1999（1）.

9. 田景正. 陈鹤琴“活教育”理论评介［J］. 高等函授学报：哲学社会科学版，1998（4）.

10. 傅树京. 教师发展学校：理念及特点［J］. 首都师范大学学报：社会科学版，2003（5）.

11. 罗华玲，周雪梅. 美国教师专业发展学校（PDS）成功经验对我国教师教育改革的启示［J］. 继续教育研究，2007（5）.

12. 李志宏. 未来十年中小学课程建设展望［J］. 基础教育课程，2011（12）.

13. 桑洪臣. 世界面临社会和道德危机［N］. 光明日报，1995－03－03.

14. 滕明兰. 从“协同合伙”走向“共同发展”：地方大学与中小学共同发展研究［J］. 教育理论与实践，2008（27）.

15. 赵玉丹. 大学与中小学伙伴合作：国外研究的现状及述评［J］. 内蒙古师范大学学报：教育科学版，2007（3）.

16. 刘丽群，段发明. 试析美国教师专业发展学校的运作机制［J］. 集美大学学报：教育科学版，2011（3）.

后　记

记得2008年裴娣娜教授鼓励我们参与教育部哲学社会科学研究重大课题攻关项目“我国学校教育创新研究”，指导我们撰写《守望者的凝思：读懂学校、读懂校长》系列论丛时，我就感到自己有责任和义务为这所特殊历史条件下创办的国有民办性质的学校发展留下一些记忆。在撰写过程中，我们一直坚持裴娣娜教授提出的宗旨：我们不是要写书，我们是在作研究。正因为抱着研究的态度完成书稿，于是，在写作过程中，我们策划了一系列研究课题，组织了一系列研究活动，总结了一系列研究成果，这一切在书稿中都有所体现。因此，如果说这本书中有一些成果，那也是麓山团队全体教职员工的工作结晶，我只不过是将果实串起来的穿线人。

在历时三年的撰写过程中，裴娣娜教授三次亲临我校指导，给了我们一次又一次反思自我、提升自我的机会。在这个过程中，我深感自己有一种蜕变，这种蜕变感来自书写过程中的深度思考，让我有机会站在校长的角度，读懂学校、读懂教师、读懂学生、读懂自己。有人说，“校长是一所学校的灵魂，学校是校长的一部作品”，但我更感到学校是校长生存的土壤，教师和学生是校长发展的基石，当你真正读懂了他们，校长才能成为学校的灵魂，才能创作出一部作品。

这本书的撰写，有幸得到了长沙市开福区教育科研培训中心李志宏主任和刘翠鸿教研员的鼎力支持，他们与我们一起开展课题研究，总结学校成果，为我们出谋划策，并指导订正，使我们在完成书稿过程中将学校发展推到了一个新高度。本书除彭云、王德复、张招萍三名中层干部参与写作外，还得到原小学部薛小强主任及教师们的大力支持，他们为书稿充实了材料，在此深表感谢。限于本人的认识水平，书中不当之处，敬请指正。

李素洁
2011年12月

出 版 人　所广一
策划编辑　李　东
责任编辑　刘明堂
版式设计　杨玲玲
责任校对　贾静芳
责任印制　曲凤玲

图书在版编目（CIP）数据

为"世界公民"的人生奠基：长沙麓山国际实验学校教育创新研究／李素洁等著．—北京：教育科学出版社，2012.12
（"守望者的凝思：读懂学校、读懂校长"系列论丛　裴娣娜主编）
ISBN 978－7－5041－7145－0

Ⅰ.①为…　Ⅱ.①李…　Ⅲ.①中小学－公民教育－研究－长沙市　Ⅳ.①G631.7

中国版本图书馆CIP数据核字（2012）第271863号

"守望者的凝思：读懂学校、读懂校长"系列论丛
为"世界公民"的人生奠基——长沙麓山国际实验学校教育创新研究
WEI "SHIJIE GONGMIN" DE RENSHENG DIANJI

出版发行	教育科学出版社		
社　址	北京·朝阳区安慧北里安园甲9号	市场部电话	010－64989009
邮　编	100101	编辑部电话	010－64989419
传　真	010－64891796	网　址	http://www.esph.com.cn
经　销	各地新华书店		
制　作	国民灰色图文中心		
印　刷	保定市中画美凯印刷有限公司		
开　本	169毫米×239毫米　16开	版　次	2012年12月第1版
印　张	24	印　次	2012年12月第1次印刷
字　数	326千	定　价	58.50元